Sister M. Monica O.S.F.

PRACTICAL
CONVERSATIONAL
FRENCH

PRACTICAL CONVERSATIONAL FRENCH

WILLIAM H. BUFFUM

and

CHARLES RÉGIS MICHAUD

United States Naval Academy

THE ODYSSEY PRESS · INC. · *New York*

CONTENTS
(TABLE DES MATIÈRES)

PREFACE

Practical Conversational French is intended to provide the student with a working knowledge of the language. It is designed for college or pre-college students, as well as for those who wish to study French independently. To fulfill its purpose, it should serve as the exclusive text while in active use.

The method is inductive, with grammatical analysis presented simply and properly subordinated. Mastery of fundamentals is developed by memorization, drill and repetition. Visualization and association (*thinking in French*) are fostered from the start, with a variety of exercises, all in French. The student's role is conceived as an active one. Therefore, no English-French vocabulary is included.

Each lesson begins with a *situation* (text) dealing with daily life. Everything else in the lesson is based on this *situation*. Therefore, mastery of essential language patterns may be achieved through proper working of the drill material provided.

Because the verb is the backbone of the language, this book stresses intensive and extensive manipulation of verbal patterns.

We firmly believe that the best working vocabulary for beginning students is the practical conversational language in current use.

Special features include: (1) classified vocabulary (2) definitions of grammatical terms (3) an integrated table of verbs and prepositions (4) French expressions commonly used in English (5) list of popular and everyday expressions (6) all lesson exercises in French.

Tapes by native speakers are available from the publisher.

We were guided to a certain extent by the recommendations of *Le Français Elémentaire* (*brochure rédigée sous les auspices du Ministère de l'Education Nationale*, 1954).

We wish to express our thanks and appreciation to our colleagues in the Foreign Languages Department, United States Naval Academy, for their interest and helpful criticism. Professors George E. Starnes and Edward T. Heise contributed valuable advice on arrangement and presentation. Lieutenant Commander Pierre Clément, French Navy, generously reviewed all French material in the book.

W. H. B.
C. R. M.

Annapolis, Maryland

INTRODUCTION

To the Teacher

This book stresses the importance of oral study and recitation, memorization, thinking in French, supervised execution of exercises, the verb, and repetition. Practice makes perfect.

Division of lessons is at the teacher's discretion and is determined by the maturity of the students, time allotted, and the particular application of the book.

With the method of preparation recommended to the student, there is established a sound basis for practice and manipulation of essential patterns in the exercises. We recommend oral working of the exercises in class under the teacher's control, with books closed for the unnumbered (first) ones, to stimulate visualization and association. Numbered exercises usually call for open books.

Recitation: The student should prepare as far as the exercises, which supplement the *Compositions Orales* and the *Questions;* these are the three essential features of the recitation period. This recitation period thus becomes an intensive 'workout' and active practice session. Mass drill is encouraged, especially in the earlier stages.

Before a new lesson is undertaken, the student should hear the *situation* read by the teacher or played in the laboratory.

Variations in the use of this book are: (1) use of the text (*situation*) for dictation, (2) assignment of exercises to be written, and (3) use of the *Phrases à Traduire* (English to French) on pages 280–293 for written preparation, spot quizzes, tests, etc.

The division of each lesson is as follows:

1. *Situation* (text): The text is the basis for everything else in each lesson. It deals primarily with a typical American family environment in order to encourage the student to identify himself in French with people in familiar situations. The authors are more concerned with the student's mastery of French than with his knowledge of French culture. However, three of the last lessons introduce some material on French history, customs, and points of interest in Paris; the last one concerns France's role in the American Revolution, and concludes on a "France-Amérique" theme. These *situations* are introduced naturally.

2. The *lesson vocabulary*, after the first lessons, is arranged in categories for greater convenience in reference and gives prepositions commonly used after verbs and expressions.

3. The *Etude de Verbes* expounds as simply as possible the formation and use of the verb. Firm control of the present tense is established before proceeding at an even rate to the other tenses. The practical value of the familiar (**tu**) form of address is recognized. Literary tenses are briefly treated in the final lessons.

4. The *Remarques* explain grammatical problems inductively. All that pertains to a given part of speech is not "thrown at" the student at one time. Grammatical material is introduced naturally and flows from the text of each *situation;* the student is given the time to learn and use language patterns. Insertion in a lesson of new patterns, tenses, etc., which are included as an integral part of the current lesson, provide a natural preview of the formal presentation of such material in subsequent lessons. All explanations are as brief and logical as possible, are in simple language, and generally derive from examples drawn directly from the *situation.* Frequent summarizations provide a clear, comprehensive treatment and opportunity for review.

5. The *Compositions Orales* are based on the text, thus requiring the student to recreate in his own words portions of the *situations.* These short talks may include individual embellishments, especially in later lessons.

6. The *Questions* derive from the text, in sequence, and are as varied and representative as possible. Like the *Compositions Orales,* they constitute a review of the text. The teacher is encouraged to use them as a basis for his own questions addressed to the class (*Questions Supplémentaires*).

7. The *Exercices* are the active drill or practice on the current and preceding *situations;* these are further reviewed by later use of earlier texts as the basis for a special exercise called *Mettez au passé.*

The exercises are plentiful in order to give the teacher ample scope and choice. As far as possible, exercises provide thought or event sequences to help consolidate assimilation. When mastery is apparent, a given exercise may be curtailed. Overlearning is a sign of such mastery.

Consistent with recent pedagogical trends, *all exercises are in French*, and are designed to develop rapid and accurate manipulation of the language in a full variety of patterns, with emphasis on the verb in association with its complements. Thus, the basic verb drills are placed first. Most of these bear the direction *Continuez en série*, thereby providing a vertical and horizontal drill; they are in effect a conjugation of verbal patterns simultaneously in the interrogative, affirmative and negative.

Because the *pronoun* ranks next to the verb in importance, the verbal drills are supplemented by others involving verbal phrases with the pronoun(s) as the variable.

Fill-in exercises require imagination and creative effort by the student, while perfecting knowledge of a given point. They stimulate visualization and association.

The *preposition* is a persistent source of difficulty; for this reason, frequent drills are provided.

The *proper selection of past tenses* is a constant problem; later lessons use a condensation of earlier *situations* for practice in conversion from the present to the past.

Infinitive phrases (*Résumés oraux*), constituting a synopsis of the current text, provide another basis for verbal practice. They treat each person in turn, and provide additional opportunity for visualization and association in a connected pattern of thought.

The exercises become increasingly comprehensive in nature. Every effort is made to stimulate visualization, and to encourage active use of the language and maximum participation. Translation is discouraged.

Thorough review drills follow every five lessons.

To the Student

Why Study French? Knowing a second language is a definite asset. Our world is far smaller than our fathers'. Our government, the military, commercial organizations, radio, T.V., the entertainment field, etc., are constantly seeking personnel trained in languages. Authorities in all walks of life repeatedly stress the value of languages, the basic means of communication.

Aside from any material advantages, it is essential to know the language of a country in order to understand its people, and to appreciate fully their history and culture.

France has a great history. It is a land rich in monuments and works of art, it boasts one of the world's great literary traditions, and its people are noted for good taste, wit, imagination and keenness of mind. Our own history, language, literature, art, and science owe much to France.

Not only do many Americans claim French ancestry, but our language is rich in French words and expressions. French is spoken by people throughout the world and is also an invaluable second language. It is one of the official languages of the United Nations.

What is French? French is one of the Romance (Roman) languages. It is derived from the Latin used by the Roman conquerors and colonizers of Gaul. In time, the language of the conquerors became, through local influences, a new language. In time, also, control of the general area we now know as France was achieved by a Teutonic people called the Franks (*les Francs*, hense the name France), who gradually adopted the language of the more civilized society they had conquered.

Using this book. This book was written primarily to help you learn to understand and speak French. There is no easy way to achieve this goal. However, it will prove a successful venture if you (1) prepare each lesson as your teacher directs, (2) imitate him whenever possible, (3) study actively and aloud, and (4) associate French words and sounds with the thoughts and images they produce in your mind. *Try to think in French!* Repeat each phrase aloud, concentrating on *seeing* the meaning. Master each new word, expression and pattern as you come to it; learning a language is a cumulative process. Say and write as much French as possible while you are preparing a lesson. Once you establish this habit, you are on the way. Identify yourself with the people in the text and the language will soon take on life and meaning.

Order of Study:

1. Memorize the text in the first few lessons; this is essential.

2. In memorizing the text, refer to the lesson vocabulary to provide a mental picture of a given element of the *situation.*

3. Next, study the *Remarques* for explanation of the new language patterns, and the *Etude de verbes* for new verb forms.

4. Now, prepare aloud to deliver an oral composition on each of the subjects under the heading *Compositions Orales.* Make them as complete as you can. They are topics treated in the text.

5. Next, prepare the answers to the questions by asking yourself each question aloud and answering it in the same way. Try altering the questions to apply them to yourself. (If exercises are to be prepared outside of class, follow your teacher's directions.)

6. Write out words or phrases which cause you difficulty. Concentrate on your weaknesses in speaking and writing. Study aloud and follow the advice of your teacher!

Now turn to the following section (*Definitions of Terms of Grammar*). Reading this will refresh your memory and fix your knowledge of terms and concepts necessary for the understanding of the explanations in the lessons.

PRACTICAL
CONVERSATIONAL
FRENCH

———————

DEFINITIONS OF TERMS OF GRAMMAR

I. *Grammar* is the science of using one's language correctly. Language did not just happen. For centuries, man has used and developed this tool for communication. Language is constantly changing; it is an organic growth. In this book, we consider grammar necessary to help explain French patterns, which often differ from the English patterns with which we are familiar. We do not wish the "tail to wag the dog," but you should know the meanings of the special terms used throughout the book in the explanations (*Remarques* and *Etude de Verbes*); they inform you of the French ways of expressing ideas. Study the following terms and definitions, along with the illustrative examples; these terms will be referred to in class by your teacher, who will appreciate your understanding them.

II. *Word groups.* (The word is the basic unit of speech: *take*. A form is one aspect of a word: *took*.)

> *Sentence:* a group of words expressing a complete thought: *We are studying French at school this year.*
> *Clause:* a subdividion of a sentence; there are two kinds:
> principal or main clause: *The teacher thinks . . .*
> subordinate or dependent clause: *. . . that I will pass the exam.*
> *Phrase:* two or more words forming a thought unit, but not as complete as a clause: *in the morning.*

III. *Kinds of sentences:*

> *declarative*, expressing a fact or idea, a statement: *The weather is fine.*
> *interrogative*, asking a question: *What is your name?*
> *imperative*, giving a command: *Close the door, Don't do it.*
> *exclamatory*, expressing emotion or strong feeling: *What a terrible accident!*
> Sentences may be affirmative: *He sees Mary*, or negative: *He does not see John.*

3

IV. *Parts of speech*

A. *Definitions.* Speech is made up of various kinds of words or *parts of speech.* These are classified according to the part each one plays in the sentence. They are:

1. *noun* names a person or thing, idea etc.: *man, book, thought, luck.*
2. *article* describes a specific person or thing: *the* car, *the* girls; or describes any one of a group or category: *a* boy, *an* apple.
3. *pronoun* replaces a noun: *I, you, she, it, they, us, them.*
4. *badjective* describes or qualifies a noun or its equivalent: *good, big, lue, French.*
5. *verb* expresses the action, state, or being of a person or thing: *go, speak, finish, have, be.*
6. *adverb* modifies or qualifies a verb, adjective, or another adverb: *badly, well, quickly, often, rather.*
7. *preposition* a word or expression used with a noun or pronoun to form a phrase: *in, at, to, under, with, in front of, by.*
8. *conjunction* used to connect parts of a sentence: *and, or, but.*
9. *interjection* a word or expression exclamatory or emotional in nature: *Ah! Oh! Dear me! No! Heavens!*

B. *Discussion*

1. *The noun* varies in gender and number: *man, woman; men, women.* Gender tells us if a noun is masculine or feminine. In French, all nouns are either masculine or feminine. Number tells us if persons or things are one (singular) or more than one (plural). There are common nouns: *cow, book, family, girl, love,* and proper nouns: *John, France, Duval, Paris.*
2. *The article* in French agrees with its noun in gender and number. Articles are:
   definite: *the* man, *the* family, *the* houses
   indefinite: *a* book, *an* apple, *some (any)* books
3. *The pronoun* agrees in gender and number with the noun it replaces: girl — *she, her;* boy — *he, him;* house — *it;* girls, boys, houses — *they, them.* Pronouns may be subjects (*she* gives . . .) or objects (. . . *it* to *him*). In French we find the following pronouns:
   demonstrative: *this (one), these, those, that (one)*
   disjunctive (called "strong" pronouns in this book): *me, him, her, us, them*
   impersonal: *it, this (one), that (one)* etc.
   interrogative: *who? whom? what? which (one)?*
   personal: *me, you, us, him* etc.

possessive: *mine, yours, his, theirs* etc.

reflexive: *myself, herself, ourselves* etc.

relative: refers back to a thing or person expressed or implied; this thing or person is called the antecedent: the book (*that*) I see; the boy *who* is here; the relative pronoun may also connect two clauses: She eats *what* is good for her.

4. The *adjective* in French must agree with its noun or antecedent in gender and number. Just as there are several types of pronouns: demonstrative, interrogative etc., so are there several types of adjectives: demonstrative, interrogative etc.: *this* book, *what* girl?, *which* man?, *my* dog, *six* hats, *blue* pencil, etc. Adjectives have three degrees of comparison: positive *good;* comparative *better;* superlative *best.*

5. The *verb*, the "backbone" of the sentence, expresses the action or state. In French, a verb must take the same person and number as its subject. Verbs are:

transitive, taking a direct object: I *see* the boy.

intransitive, not taking a direct object and usually expressing movement: She *goes* to school. I *am leaving.*

reflexive, in which the subject is also the object: He *washes* (*himself*). They *dress* (*themselves*).

Tense, mood, and voice. Regular verbs follow a definite pattern in French; irregular verbs show irregularities in spelling. Verb forms are grouped together in:

tenses: these indicate the time of the action or state (present tense: I *read*, I *am reading*). Tenses are listed together in groups known as *moods;* these show the subject's attitude toward the idea expressed.

moods:

The *indicative*, in French, states a fact, or follows an expression recognizing the fact: *He will come, He will not come, I am sure he will come.*

The *subjunctive* expresses an action or state viewed subjectively or modified by some uncertainty or negative restriction: *I doubt* (*that*) *she will do it. We fear* (*that*) *they cannot come.*

In French, the subjunctive would be used in the second clause of these two examples.

The *imperative* (see under III)

The *infinitive* is not limited by a person or thing (therefore "infinite"). In English we indicate the infinitive form by *to* before the verb: *to eat, to sleep* etc., or without *to* after certain auxiliary (helping) verbs: I must *go* now. They should *finish* it.

voice: There are two voices which show the relationship of the subject to the action expressed by the verb:

active voice, in which the subject acts: The boy *ate* the apple. A mailman *delivers* letters.

passive voice, in which the subject is acted upon: The house *was built* (by somebody). The pupils *are taught* (by a teacher).

Participles: the present participle: *going, eating*

the past participle: *gone, eaten*

the perfect participle: *having gone, having eaten*

the past infinitive: *to have gone, to have eaten*

Conjugating a verb means arranging the forms of a given tense according to a prescribed order of person and number: I *go,* you *go,* he (she, it) *goes;* we *go* etc.

In French, a verb must agree with the person or thing which is its subject. This requires the learning of each verb with its different endings.

6. *The adverb* is invariable. However it has degrees of comparison: *slowly, more slowly, most slowly.*

7. *The preposition* usually expresses movement: *to, into, toward;* position: *at, on, in;* time: *before, after;* agency: *by, through.*

8. *The conjunction* (see IV, A8)

9. *The interjection* (see IV, A9)

V. *Objects:* There are two types of objects of verbs:

direct: I see *the dog.* I see *him.*

indirect: I tell *him;* I tell it *to him.* I give the book *to her;* I give *her* the book. It is very important to analyze correctly the kind of object involved before saying or writing it in French.

PRONUNCIATION

Learn by imitating your teacher at every opportunity.

Strive to pronounce accurately from the start.

Study aloud to develop clarity of enunciation and proper intonation. Learning to speak any language requires constant, active repetition. It is a physical exercise.

Enunciation (Pronouncing distinctly)

French is spoken clearly and crisply, without the drawling, lingering sounds (*say*, *day*, etc.) so frequent in English. A firmer muscular effort is required. Imitate your teacher!

Intonation (Rise and fall in pitch)

French words are pronounced more evenly than English words, with a slight stress on final syllables. In a succession of phrases (thought groups), raise the pitch on the last syllable of each group within a sentence, but lower it at a period.

Alphabet

The French alphabet has the same 26 letters as the English. The French word for each letter is represented approximately by the boldface italics in the English words below. Phonetic symbols are enclosed in [ ].

a	f*a*ther	j	me*a*sure wh*eat*	s	t*e*st
b	*bai*t	k	c*ar*t	t	*ta*ke
c	s*a*fe	l	he*ll*o	u	[y]*
d	*da*te	m	*Emm*a	v	ele*va*te
e	p*e*rt	n	*any*	w	(doo-bl-vay)
f	e*ff*ort	o	n*o*te	x	w*eeks*
g	proteg*é*	p	*pa*te	y	(ee-grek)
h	pa*sh*a	q	k + [y]*	z	(zed)
i	*ea*st	r	*err*and (*strong*)		

*For pronunciation of [y], see Sounds (12.) below.

Accents and Marks

These accents and marks are a part of French spelling. They do not indicate stress.

1. (ˋ) Grave accent (*accent grave*). Influences pronunciation of e only: voilà, mère, où
2. (ˊ) Acute accent (*accent aigu*). Influences pronunciation of e: état, américain
3. (ˆ) Circumflex accent (*accent circonflexe*). Influences pronunciation of a, e, and o: bâtiment, êtes, plaît, bientôt, vôtre, fût
4. (··) Diaeresis (*tréma*). The vowel bearing it is pronounced separately from the preceding vowel: Noël, naïf
5. (ˏ) Cedilla (*cédille*). Used under c before a, o, and u, producing the sound s as in *set:* français, leçon, reçu
6. (') Apostrophe (*apostrophe*). Indicates omission of final vowel before a following vowel sound: l'exercice, l'élève, l'homme, qu'il, j'ai

Sounds

Inconsistencies in the relationship between spelling and pronunciation are quite common in both French and English. A given sound may have a variety of spellings: *I, eye; enough, cuff; weigh, way; vain, vane,* etc. Conversely, identical spelling may produce a variety of sounds: (*shed a) tear, tear (rip); though, tough, cough, bough, through; lead (verb), lead (metal),* etc.

Columns below show (a) the phonetic symbol of each sound, useful for dictionary reference, (b) boldface italics in English words, approximating the sound, and (c) French words, illustrating the spelling of the sound by letters in boldface italics. These words are divided into syllables as they are spoken, not as they are written.

Observe that many final letters are silent in French: e and all consonants except c, r, f, l, which are often pronounced. For final consonants before vowel sounds, see *Liaison.*

Vowel sounds are longer or shorter, depending upon their position and the sounds following them. Observe and imitate.

Vowel Sounds:

(a)	(b)	(c)
1. [a]	st*a*rt	*a*, l*a*, m*a*-dame, f*a*-mille, Du-v*a*l; *à*, voi-l*à*; mo*i*, to*i*
2. [ɑ]	f*a*ther	p*a*s, p*a*-sser, phr*a*se; *â*-ge; ro*i*
3. [ɛ]	m*e*t	c'*e*st, c*e*tte, a-v*e*c; p*è*re, m*è*re, pre-mi*è*re; f*ê*te, t*ê*te; m*ai*-son, fran-ç*ai*s; pl*aî*t, co-nn*aî*t; r*ei*ne, S*ei*ne
4. [e]	d*a*te	d*e*s, m*e*s, l*e*s; la-v*e*r, le-v*e*r; a-ppre-n*e*z, com-plé-t*e*z; j'*ai*, fe-r*ai*; *é*-tat, *é*-tage; pi*e*d, a-ssi*e*d

5. [ə] pe*rt*   l*e*, c*e*, d*e*, qu*e*, l*e*-çon, pr*e*-mier, r*e*-marque
6. [ø] p*u*rr   *eu*x, p*eu*, d*eu*x, j*eu*, p*eu*t, vi*eu*x, m*eu*ble, che-v*eu*x
7. [œ] *ea*rth   j*eu*ne, h*eu*re, p*eu*r, n*eu*f, b*eu*rre, l*eu*r; *œ*il; *œu*f, c*œu*r
8. [i] *ea*t   *i*l, *i*-c*i*, vo*i*-c*i*, Ma-r*i*e, qu*i*, f*i*lle, a-mé-r*i*-cain; *î*le; *y*
9. [ɔ] s*o*rt   p*o*rte, j*o*-li, é-c*o*le, n*o*tre, h*o*mme, b*o*nne; P*a*ul
10. [o] n*o*te   n*o*s, v*o*s, gr*o*s; t*ô*t, c*ô*-té, v*ô*tre;   b*eau*, nou-v*eau*x; *au*tre, *au*-ssi, h*au*t
11. [u] b*oo*t   *ou*, n*ou*s, v*ou*s, t*ou*t, c*ou*-leur; *où*; g*oû*-ter
12. [y]   d*û*; d*u*, l*u*, p*u*, v*u*, *u*ne, D*u*-val, é-t*u*de, ha-bi-t*u*de, vou-l*u*
    No English equivalent. Set lips to whistle. Hold them firmly in this position and try to pronounce [i].

Nasal Sounds:

13. [ɑ̃] w*a*nt   *an*, d*an*s, qu*an*d; *en*, *en*-f*an*t; J*ean*; ch*am*bre; t*em*ps, m*em*bre
14. [ɛ̃] c*a*nt   *im*-por-tant, *im*-po-ssible; f*in*, v*in*, mé-de-c*in*; f*aim*; b*ain*, p*ain*, a-mé-ri-c*ain*; pl*ein*, é-t*ein*t; b*ien*, r*ien*, com-b*ien*; s*ym*-bole; c*oin*, l*oin*, m*oin*s, be-s*oin*
15. [ɔ̃] w*o*nt   c*om*-bien, c*om*p-ter, c*om*-po-si-ti*on*; *on*, b*on*, t*on*, m*on*, s*on*t, mai-s*on*, le-ç*on*
16. [œ̃] gr*u*nt   par-f*um*; *un*, br*un*, cha-c*un*, l*un*-di

Note: Every nasal sound involves m or n. If the m or n is doubled or followed by a vowel in the same word, there is no nasalization: **homme, madame, inutile.**

Semi-vowels:

17. [w] *w*et   o*u*i, o*u*est, Lo*u*ise; c*o*in, l*o*in; m*o*i, t*o*i, r*o*i
18. [ɥ] s*w*eet   l*u*i, s*u*is, n*u*it, pl*u*ie, c*u*i-sine, h*u*it; n*u*age; l*u*eur
19. [j] *y*et   p*i*ano, b*i*en, m*i*eux, pre-m*i*er, que-st*i*on; *y*eux; fi*ll*e, fa-mi*ll*e; *œi*l, vie*i*l, tra-va*i*l; ré-vei*ll*e, tra-va-*ill*er

ll in the combination **ill** is usually pronounced [j], as in **fille, famille,** etc. Common exceptions are **ville, village, mille, million,** and **Lille.** (See 27 [l]).
    Observe the double function of the letter **y** in words like **voyez, voyage, payer, essayer,** etc.

Consonant Sounds:

20. [b] *b*et   *b*on, *b*eau, *b*alle, *b*lond, com-*b*ien, mem*b*re; a-*bb*é
21. [d] *d*ot   *d*e, *d*es, *d*ans, D*u*-val, ma-*d*ame, mi-*d*i; a-*dd*i-tion

22. [f] *f*at   *f*ille, *f*ils, *f*a-mille, France; a-*ff*aire; *ph*o-to, *ph*rase; che*f,* neu*f*

23. [g] *g*et   grand, gros, gar-çon, re-gar-der, é-glise, goû-ter, lé-gume, gant; g*u*erre, con-ju-g*u*ez

24. (h is always silent and is called either mute or aspirate.   See *Elision*)

25. [ʒ] pleasure   *J*ean; *j*e, *j*eune, *j*our; é-ta*g*e, ga-ra*g*e

26. [k] *c*at   com-bien, *c*ui-sine, *c*ou-rir, cô-té; o-*cc*u-per; su*c*-cès; *ch*ré-tien; *q*ui, *q*ue, *q*uel, *q*ui-tter; *k*i-lo, *k*i-lo-mètre; cin*q*

27. [l] he*ll*o   *l*e, *l*a, *l*es, *l*ong, *l*e-çon, i*l,* Du-va*l,* é-co*l*e, cie*l,* que*l;* e*ll*e, que*ll*e; vi*ll*e, mi*ll*e

28. [m] *m*et   *m*ère, Ma-rie, fa-*m*ille, ai-*m*er, *m*oi, *m*a, *m*on-ter; ho*mm*e, po*mm*e

29. [n] *n*et   *n*ous, *n*os, u*n*e, jeu*n*e, cui-si*n*e; do-*nn*er, pre*nn*ent

30. [ɲ] o*ni*on   ga-*gn*er, li*gn*e, es-pa-*gn*ol, a-ccom-pa-*gn*er

31. [p] *p*et   *p*ère, *p*as, *p*lus, *p*ipe, *p*a-*p*a, *p*ré-*p*are, Pa-ris, *p*a-rent; a-*pp*or-ter, a-*pp*rou-ver

32. [r] No English equivalent.   Resembles a growl from the back of the throat, where the French r is formed by vibration of the uvula.   Practice gargling with decreasing amounts of water until none is needed to produce the sound. Depending upon its position and associated sounds, the r is either throaty, medium, or slurred: pa-*r*ent, Ma-*r*ie, Pa-*r*is, p*r*end*r*e, t*r*ois, g*r*and, *r*ue; pè*r*e, mè*r*e, f*r*è*r*e, ga*r*-çon, beu*rr*e; bon-jou*r,* cœu*r,* a-voi*r,* au-tou*r,* voi*r,* pa*r*-tir, so*r*-ti*r*

33. [s] *s*et   *s*on, *s*a, *s*es, *s*e, *s*i; de-*s*cend, a-*s*cen-*s*eur; su*c*-cès; cla*ss*e, pa-*ss*er, de-*ss*ert; le-*ç*on, fran-*ç*ais; *s*i*x,* di*x;* con-ver-*s*a-*t*ion, na-*t*io-nal; *s*oi-*x*ante; fil*s;* i-*c*i, mer-*c*i, bi-*c*y-clette

34. [ʃ] *sh*irt   *ch*aise, *ch*ose, *ch*er, *ch*ambre, blan*ch*e, *ch*apeau

35. [t] *t*op   *t*u, *t*on, *t*a, *t*es, *t*able, é-*t*age; me-*tt*ons, ba*tt*re; que-*st*ion; ca-*t*hé-drale; sep*t,* hui*t*

36. [v] *v*at   *v*oi-ci, *v*oi-là, Du-*v*al, *v*ous, a-*v*oir; *w*a-gon; neu*f* ans

37. [z] *z*one   ro*s*e, po-*s*er, cui-*s*ine; Etat*s*-Unis, me*s* amis; *z*é-ro; au*x* en-fants, deu-*x*ième, di-*x*ième, di*x*-huit, di*x*-neuf

Note that single s between vowels is pronounced [z].

The letter x is pronounced [s] or [z] in some numbers: di*x*; di*x*-neuf. It is linked as a [z]: au*x*‿amis, si*x*‿enfants.   Otherwise, it has one of two double sounds:

        [ks]   e*x*cellent, e*x*clamation, e*x*pression, e*x*térieur

        [gz]   e*x*ercice, e*x*emple, e*x*amen

Syllabification

A knowledge of the proper division of French words into syllables is essential for proper pronunciation.

1. A single consonant sound followed by a vowel sound begins the following syllable: **pa-rent, fa-mille, con-tent, im-po-ssible**

2. Likewise, any consonant + l or r (except rl or lr): **dou-bler, a-pprendre, fé-vrier**

3. Other consonant combinations producing two or more sounds are separated: **res-tau-rant, par-ler, per-mettre**

Note: In writing, split double consonants at the end of a line.

Liaison (Linking)

Words are separated in print, but often run together within word groups in speech. A normally silent final consonant is sounded before the initial vowel sound of a following word. The extent of *liaison* varies with the speed of speech and the relationship between words. Close thought relationship usually produces *liaison*.

Common examples of *liaison:*

1. article + noun: **les_enfants, des_amis, les_hommes, un_arbre, un_autre, les_autres**
2. subject pronoun + verb: **nous_avons, vous_êtes, ils_ont, elles_ont_eu**
3. adjective + noun: **deux_étages, dix_ans, jolis_arbres, bon_ami, cher_enfant, grand_homme, mon_auto**
4. verb + pronoun: **parlez-_en, c'est_elle, sont-_ils, fait-_on, vend-_il**
5. preposition + noun or pronoun: **chez_elle, sous_un_arbre, dans_un moment**
6. phrases closely knit in thought: **il_est_ici, allons-nous-_en, c'est_assez, c'est_à dire**

Note: the final **t** of **et** (*and*) is *never* linked.

Final **s, x,** and **z** are linked as a **z** sound; final **d** is linked as a **t** sound; final **f** is usually linked as a **v** sound. Other final consonants link with their original sounds: **un_enfant, il_a, premier_étage.**

Elision

Elision is the omission of the last vowel of some words before initial vowel sounds. An apostrophe replaces the omitted vowel. The whole is pronounced as one word:

1. le and la: **l'enfant, l'élève, l'homme, l'étage, l'ami, l'amie, l'étudie, l'écoute, l'oublie**

2. je, me, te, se, ce, de, ne, que (and compounds): j'ai, il m'écoute, je
t'aime, il s'amuse, c'est lui, tant d'amis, tu n'es pas, qu'il est bon

3. si before il and ils: s'il, s'ils

Note: Although h alone is not pronounced, initial aspirate h, usually marked
* in dictionaries, prevents elision and liaison:

le huitième, le Havre, le haut, la honte, les héros

Punctuation

French use of punctuation marks is similar to English except:

1. Besides its usual functions, the hyphen is used in inversion of subject
and verb in the interrogative and the imperative: **Est-il?** Is he? **Dites-moi!**
Tell me!

2. Use a dash to denote change of speaker: **Qui est-ce?** **— C'est moi!**
Who is it? It's I!

3. French quotation marks appear as « ».

4. French and English reverse use of the comma and the decimal in numbers:

English: 3.1416   2,000,000   *French:* **3,1416   2.000.000**

Words Involving Special Pronunciation Problems

août [u]	européen [œrɔpeɛ̃]	œufs [ø]
album [albɔm]	évidemment [evidamɑ̃]	ouest [wɛst]
autobus [otobys]	exact [ɛgzakt]	parking [parking]
automne [otɔn]	examen [ɛgzamɛ̃]	pays [pei]
chef [ʃɛf]	femme [fam]	sandwich [sɑ̃dwi(t)ʃ]
chef-d'œuvre [ʃedœvr]	fils [fis]	second [sɔgɔ̃]
cinq [sɛ̃k]	gentil [ʒɑ̃ti]	sept [sɛt]
clef [kle]	hier [jɛr]	six [sis]
compte [kɔ̃t]	hiver [ivɛr]	sud [syd]
compter [kɔ̃te]	huit [ɥit]	temps [tɑ̃]
dix [dis]	mille [mil]	tennis [tɛnis]
doigt [dwa]	millier [milje]	tiers [tjɛr]
donc [dɔ̃k]	million [miljɔ̃]	tous [tu(s)]
en haut [ɑ̃ o]	monsieur [məsjø]	ville [vil]
est (*is*) [ɛ]	neuf [nœf]	village [vilaʒ]
est (*east*) [ɛst]	œil [œj]	vingt [vɛ̃]
eu [y]	œuf [œf]	

EXPRESSIONS UTILES

1. Bonjour, monsieur (madame, mademoiselle) — Hello (good morning), sir, etc.
   Au revoir. — Good-bye.
2. Comment allez-vous? — How are you?
   Très bien, merci. — Very well, thanks.
3. Pardon! — Excuse me!
4. S'il vous plaît. — If you please.
   De rien! — You are welcome.
5. Entrez! — Come in!
   Sortez! — Go out!
6. Asseyez-vous! — Sit down!
   Levez-vous! — Get up!
7. Prenez vos crayons (stylos, etc.)! — Take your pencils (pens, etc.)!
8. Fermez la porte! — Close the door!
   Ouvrez la fenêtre! — Open the window!
9. Ouvrez vos livres! — Open your books!
   Fermez vos cahiers! — Close your notebooks!
10. Lisez cette phrase (à haute voix)! — Read this (that) sentence (aloud)!
    Ecrivez ces phrases! — Write these (those) sentences!
    Faites cet exercice! — Do this (that) exercise!
11. Allez au tableau! — Go to the board!
    Ecrivez au tableau! — Write on the board!
    Effacez le tableau! — Erase the board!
    Retournez à votre (vos) place(s)! — Return to your place(s)!
12. Silence! Ecoutez-moi! — Quiet! Listen to me!
    Commencez (à lire)! — Begin (to read)!
    Continuez (à lire)! — Continue (to read)!
    Répétez (les mots)! — Repeat (the words)!
13. Que veut dire ce mot? — What does this (that) word mean?
    Comment dit-on ... ? — How do you say . . . ?
14. Savez-vous? — Do you know?
    Je (ne) sais (pas). — I (don't) know.

15. Comprenez-vous?   Do you understand?
    Je (ne) comprends (pas).   I (don't) understand.
16. C'est correct.   It (that) is correct.
    Ce n'est pas correct.   It (that) is incorrect.
    C'est une faute.   It (that) is a mistake.
17. Vous avez raison.   You are right.
    Vous avez tort.   You are wrong.
    Vous vous trompez.   You're mistaken.
18. Bon! Ça suffit.   Fine! That's enough.
    C'est bien (excellent)!   That's fine (excellent)!
19. Pourquoi? Parce que ...   Why? Because . . .
20. Préparez cette leçon pour ...   Prepare this lesson for . . .
    Remettez vos papiers!   Hand in your papers!
21. Permettez-moi de vous pré-   Allow me to introduce (to you) . . .
    senter ...
    Enchanté(e) de faire votre con-   Delighted to meet you!
    naissance!
22. Quel est votre emploi du temps?   What is your schedule?

PREMIÈRE
LEÇON

Voici la Famille Duval

Apprenez par cœur (Learn by heart)

Qui est le père?
Voici le père.
C'est Monsieur Duval.
Bonjour, monsieur!

Qui est la mère?
Voici la mère.
C'est Madame Duval.
Bonjour, madame!

Qui est le fils?
Voilà le fils.
C'est Jean.
Bonjour, Jean!

Qui est la fille?
Voilà la fille.
C'est Marie.
Bonjour, mademoiselle!

Qui sont les parents?
Voici les parents.
Ce sont M. et Mme. Duval.
Bonjour, Mme.! Bonjour, M.!

Qui sont les enfants?
Voilà les enfants.
Ce sont Jean et Marie.
Bonjour, Jean! Bonjour, Marie!

Vocabulaire (*Vocabulary*)

bonjour!   hello! good morning! good afternoon!

voici   here is, here are
voilà   there is, there are
qui est?   who is?
qui sont?   who are?
c'est   he, she, it, this, that is
ce sont   they, these, those are

Jean   John
Marie   Mary
le père   the father
la mère   the mother
le fils   the son

la fille   the daughter
la famille   the family
les parents   the parents
l'enfant   the child
les enfants   the children
Monsieur (M.)   Mr., sir
Madame (Mme.)   Mrs., madam
Mademoiselle (Mlle.)   Miss
le jour   the day

et   and

Remarques (*Remarks*)

1. **Voici** (*here is, here are*) points out nearby persons or things:
   Voici le père.
   Voilà (*there is, there are*) points out those not so near:
   Voilà le fils.

2. **C'est** (*he, she, it, this, that is*) identifies a person or a thing:
   C'est la mère.   Ce drops e before vowel sounds.
   Ce sont (*they, these, those are*) identifies persons or things:
   Ce sont les parents.

3. **Le** (*the*) goes with a masculine person or thing: *le* fils
   La (*the*) goes with a feminine person or thing: *la* fille
   Le and **la** become **l'** before vowels or mute **h:** *l'*enfant
   Les (*the*) goes with persons or things: *les* enfants
   These forms are called definite articles.

Compositions orales (*Oral compositions*)

le père	les parents	le fils
la mère	les enfants	la fille

Questions

Qui est le père?	Qui sont les parents?	Qui est le fils?
Qui est la mère?	Qui sont les enfants?	Qui est la fille?

Important! Recommendations: (1) Do all exercises in the classroom. (2) Conduct orally unnumbered exercises. (3) Students open books only for numbered exercises.

Exercices

A. *Faites des phrases avec (Make sentences with)*

le	voici	qui est?	c'est
la	voilà	qui sont?	ce sont

B. *Complétez avec (complete with)* le, la, l' *ou (or)* les.

____ famille	____ enfant	____ mère	____ père
____ enfants	____ parents	____ fils	____ fille

C. *Complétez pour montrer (complete to show)* (a) *position:* voici (voilà) le père
   (b) *identity:* c'est le père

____ père	____ les enfants	____ le fils	____ l'enfant
____ mère	____ les parents	____ la fille	____ la famille

DEUXIÈME
LEÇON

Les Membres de la Famille

Apprenez par cœur (*Learn by heart*)

Dans la famille il y a un homme. Monsieur Duval est un homme.
C'est un homme. Dans la famille il y a une femme. Madame Duval
est une femme. C'est une femme. Dans la famille il y a des parents.
M. et Mme. Duval sont des parents. Ce sont les parents de Jean et
de Marie.

Dans la famille il y a un garçon. Jean est un garçon. C'est un
garçon. Dans la famille il y a une fille. Marie est une fille. C'est

La Seine et ses ponts *France Actuelle*

une fille. Dans la famille il y a des enfants. Jean et Marie sont des enfants. Ce sont les enfants de M. et de Mme. Duval.

Dans la famille il y a un mari. M. Duval est le mari de Mme. Duval. C'est le mari. Il est américain. Dans la famille il y a une femme. Mme. Duval est la femme de M. Duval. C'est la femme. Jean est le frère de Marie. C'est le frère. Marie est la sœur de Jean. C'est la sœur. La famille Duval est une famille américaine des Etats-Unis.

Vocabulaire

il y a there is, there are

un homme a man
une femme a woman
le mari the husband
la femme the wife
des parents (some) parents
des enfants (some) children

américain *m*. American
  américaine *f*.

les membres the members
un garçon a boy
une fille a girl
le frère the brother
la sœur the sister

de of
dans in

des Etats-Unis of the United States

Remarques

1. **Il y a** (*there is, there are*) expresses existence of persons or things: *Il y a* **un homme dans la famille.**

2. **Un** (*a, an, one*) goes with a masculine person or thing: *un* **homme.**
   Une (*a, an, one*) goes with a feminine person or thing: *une* **femme.**
   Des (*some*) goes with persons or things: *des* **parents.**
   These forms are called indefinite articles.

3. **De** (*of*) shows relationship or ownership and is repeated before each noun:

   M. Duval est le père *de* Jean et *de* Marie.
   C'est le père *des* enfants.

   De combines with **les** to form **des.**

Compositions orales

| M. Duval | Jean | le mari | la sœur |
| Mme. Duval | Marie | la femme | le frère |

Questions

Qui est M. Duval?

Qui est Mme. Duval?

Qui sont M. et Mme. Duval?

Qui est Jean?

Qui est Marie?

Qui sont Jean et Marie?

Qui est le mari de Mme. Duval?

Qui est la femme de M. Duval?

Qui est le frère de Marie?

Qui est la sœur de Jean?

Qui sont les enfants des parents?

Exercices

A. *Faites des phrases avec (Make sentences with)*

| un homme | un garçon | un mari | une sœur |
| une femme | une fille | un frère | des enfants |

B. *Faites des phrases avec* de.

| le frère | la femme | le mari | les parents |
| la fille | la sœur | le fils | les enfants |

C. *Complétez avec* un, une *ou (or)* des.

_____ sœur	_____ femmes	_____ mari	_____ sœurs
_____ frère	_____ hommes	_____ mère	_____ famille
_____ fille	_____ garçon	_____ père	_____ enfants

D. *Complétez avec* voici, voilà *ou* il y a.

1. _____ un mari dans la famille.

2. _____ Jean et _____ Marie.

3. _____ un fils dans la famille.

4. _____ un père dans la famille.

5. _____ la mère et _____ l'enfant.

6. _____ le frère et _____ la sœur.

TROISIÈME
LEÇON

Les Jeunes Gens

Apprenez par cœur

Etes-vous jeune?
Oui, je suis jeune.
Je suis jeune et brun.
Jean est jeune, aussi.
Il est jeune et blond.
C'est un jeune homme.

Avez-vous une sœur?
Oui, j'ai une sœur.
Elle est jeune et brune.
Jean a une sœur, aussi.
Elle est blonde.
C'est une jeune fille.

Qui sont les jeunes gens?
Ce sont Jean et Marie.
Ils sont jeunes.
Ce sont des jeunes gens.
Sommes-nous jeunes?
Oui, nous sommes jeunes.
Nous sommes des jeunes gens.

Avons-nous une maison?
Oui, nous avons une maison.
Jean et Marie ont une maison.
Ils ont une maison, aussi.
C'est la maison des Duval.

Vocabulaire

avoir	to have	être	to be
avez-vous?	have you?	êtes-vous?	are you?
(as-tu?)		(es-tu?)	
j'ai	I have	je suis	I am
tu as	you have	tu es	you are
il, elle a	he, she, it has	il, elle est	he, she, it is
nous avons	we have	nous sommes	we are
vous avez	you have	vous êtes	you are
ils, elles ont	they have	ils, elles sont	they are

un jeune homme a young man
une jeune fille a young lady
des jeunes gens young people
une maison a house

blond(e) blond, fair
brun(e) dark, brown

aussi also, too
oui yes

Remarques

1.
Vous êtes jeune.   You are young.
(*Tu es* jeune.)
Etes-vous jeune?   Are you young?
(*Es-tu* jeune?)
Jean a-t-il une sœur? Has John a sister?

To ask questions, put the subject pronoun after the verb. If the subject is a noun (**Jean**), keep the noun before the verb.

-*t*- is always used to separate the final vowel of a verb from the initial vowel of the pronoun: **a-*t*-il?**

Note: **Tu** is the familiar second person singular *you* form of the subject pronoun.

Another way to ask questions: put **est-ce que?** (*is it that?*) before the original statement:

Est-ce que *vous êtes* jeune?
(Est-ce que *tu es* jeune?)
Est-ce qu'*il a* une sœur?
Est-ce que *j'ai* un frère?

Que and **je** drop **e** before vowel sounds.
With few exceptions, use **est-ce que** with **je** forms.

2.
Elle est jeune.   She is young.
*C'*est une jeune fille.   She is a young lady.
Ils sont jeunes.   They are young.
Ce sont des jeunes gens. They are young people.

To describe people or things by an adjective alone, use **il(s), elle(s)**. If the description includes a noun or pronoun, use **ce**.

3.   Les sœurs sont jeunes.   The sisters are young.

To make most nouns and adjectives plural, add s.

4.   *Les frères* sont blonds.   *Ils* sont blonds.

Ils (*they*) is used for all masculine persons or things.

        Les sœurs sont brunes.   *Elles* sont brunes.

Elles (*they*) is used for all feminine persons or things.

        Jean et Marie sont blonds.   *Ils* sont blonds.

Ils (*they*) is used for mixed masculine and feminine persons or things.

5.   La maison des *Duval.*   The house of the Duvals.

Family names rarely change form in the plural.

Compositions orales

un jeune homme   des jeunes gens   j'ai un frère
une jeune fille   Jean et Marie   j'ai une sœur

Questions

Etes-vous jeune? brun(e)?   Marie a-t-elle un frère?
Jean est-il jeune?   Ont-ils des parents?
Marie est-elle jeune?   Ont-ils une maison?
Qui êtes-vous?   Etes-vous des jeunes gens?
Qui est Jean?   Qui sont les jeunes gens?
Qui est Marie?   Sommes-nous jeunes?
Qui sont Jean et Marie?   Avons-nous une maison?
Qui a un frère blond?   Avons-nous des parents?
Qui a une sœur blonde?   Avez-vous des frères?
Jean a-t-il une sœur?   Avez-vous une maison?

Exercices

A. *Faites des questions* (*Make questions*).

J'ai des parents.	Vous êtes bruns.	Marie a des sœurs.
Elles sont brunes.	Je suis blonde.	Ils ont des parents.
La mère est brune.	Jean est jeune.	Nous avons un frère.
Nous sommes blonds.	Il a une maison.	Vous avez une mère.

B. *Mettez au pluriel* (*Put in the plural*).

la fille	un mari	une mère	un membre
un frère	le père	l'enfant	la famille
la sœur	un fils	un garçon	une maison

C. *Complétez avec* c'est, ce sont, il (elle) est *ou* ils (elles) sont.

1. ＿＿ des maisons
2. ＿＿ l'enfant
3. ＿＿ l'homme
4. ＿＿ des femmes

5. ＿＿ un jeune homme; ＿＿ jeune
6. ＿＿ une jeune fille; ＿＿ jeune
7. ＿＿ des jeunes gens; ＿＿ jeunes
8. ＿＿ des jeunes filles; ＿＿ jeunes

D. *Remplacez les mots en italique par* (*Replace words in italics by*) il, elle, ils *ou* elles.

1. *Jean* est blond.
2. *Marie* est blonde.
3. *Les frères* sont bruns.

4. *Les sœurs* sont brunes.
5. *Jean et Marie* sont blonds.
6. *Le père et la mère* sont bruns.

QUATRIÈME LEÇON

La Maison

Apprenez par cœur

Qu'est-ce que c'est? Que regardez-vous ici? — Je regarde la maison. Elle est grande et blanche. Combien de pièces a la maison? Elle a huit pièces. Il y a huit grandes pièces dans la maison.

Combien d'étages a la maison? Elle a deux étages. Ce sont: le rez-de-chaussée et le premier étage. Quelles pièces trouve-t-on au rez-de-chaussée? Au rez-de-chaussée on trouve quatre pièces. On trouve le salon; c'est une grande pièce.

Quelles autres pièces trouve-t-on? On trouve aussi une salle à manger. La famille mange dans la salle à manger. Au rez-de-chaussée il y a aussi une cuisine. Dans la cuisine on prépare les repas. Qu'est-ce que c'est que ça? C'est un cabinet de travail.

Vocabulaire

manger to eat
préparer to prepare
regarder to look at, watch
trouver to find

mange eats
on prépare one prepares
je regarde I am looking at
regardez-vous? are you looking at?
on trouve one finds

le cabinet de travail the study, den
une cuisine a kitchen
le premier étage the second floor
une pièce a room
le repas the meal
au rez-de-chaussée on the ground floor
la salle à manger the dining room
le salon the living room

on one, we, you, they

combien (de)? how much, how many?

que? what?

quel, quelle? what, which (one)?

quels, quelles? what, which (ones)?

qu'est-ce que c'est? what is it?

qu'est-ce que c'est que ça? what is that?

autre other

blanc *m.*, blanche *f.* white

grand(e) big, tall, great

premier *m.*, première *f.* first

deux two

huit eight

quatre four

ici here

Remarques

1. le, un repas   the, a meal
    le grand repas   the big meal
    les grands repas   the big meals
    quel repas?   what meal?
    quels repas?   what meals?

    la, une pièce   the, a room
    la grande pièce   the big room
    les grandes pièces   the big rooms
    quelle pièce?   what room?
    quelles pièces?   what rooms?

Persons or things are singular or plural, masculine or feminine. Just as le, la, les and un, une agree with nouns they modify, so do all adjectives (grand, quel, etc.).

Add e to most adjectives to make them feminine. Adjectives ending in e do not change:

      grand grande   jeune jeune   *But* blanc blanche

2.   *On* trouve.   One, you, we, they find.

On is used impersonally in a general sense with the verb in the third person singular to represent one or several persons.

3. a. Qu'est-ce que c'est?   What is it?

     C'est une maison.   It's a house.

  b. Qu'est-ce que c'est que ça? What is that?

     C'est la cuisine.   That's the kitchen.

To request simple identification of a thing, use qu'est-ce que c'est? (a), but if emphasizing or pointing to it, use qu'est-ce que c'est que ça (cela)? (b)

4. **Le rez-de-chaussée et le premier** The ground floor and (the) second
   étage. floor.

The definite article (**le**, etc.) is repeated before each noun.

Compositions orales

les étages	la salle à manger	le salon
les pièces	le rez-de-chaussée	la cuisine

Questions

La maison est-elle grande?

Combien de pièces a-t-elle?

Combien d'étages a-t-elle?

Combien d'étages y a-t-il?

Combien de pièces y a-t-il au rez-de-chaussée?

Quels sont les étages?

Combien de pièces trouve-t-on au rez-de-chaussée?

Quelles sont les pièces?

Quelle est la grande pièce?

Qui mange dans la salle à manger?

Que prépare-t-on dans la cuisine?

Quelle autre pièce y a-t-il?

Combien de frères avez-vous?

Combien de sœurs avez-vous?

Exercices

A. *Continuez en série dans toutes les formes interrogatives et affirmatives selon l'exemple. (Continue in series in all interrogative and affirmative forms, following the example.)*

> *Ex.:* Est-ce que je suis jeune? Oui, je suis jeune.
> Est-tu jeune? Oui, tu es jeune.
> etc. etc.

je suis jeune	j'ai une maison	je suis grand

B. *Faites des questions.*

Jean a une maison.   La salle est grande.
Elles sont jeunes.   La maison est blanche.
Il y a une cuisine.   On prépare les repas.
Je regarde la pièce.   Nous avons une maison.
C'est la cuisine.   C'est un salon.

C. *Faites accorder les adjectifs.* (*Make the adjectives agree.*)

quel?

1. ____ pièce?   4. ____ homme?   7. ____ famille?
2. ____ salon?   5. ____ femme?   8. ____ maisons?
3. ____ étages?   6. ____ repas?   9. ____ parents?

brun

1. un salon ____   4. une sœur ____   7. des frères ____
2. la femme ____   5. des filles ____   8. une maison ____
3. un homme ____   6. les garçons ____   9. les pièces ____

blond

1. la fille ____   3. le fils ____   5. les femmes ____
2. un frère ____   4. une mère ____   6. des garçons ____

jeune

1. les ____ gens   4. un ____ mari   7. le ____ garçon
2. une ____ femme   5. la ____ sœur   8. une ____ fille
3. les ____ frères   6. un ____ homme   9. les ____ enfants

blanc

1. des salons ____   3. un salon ____   5. une maison ____
2. les pièces ____   4. la pièce ____   6. des salles ____

grand

1. un ____ cabinet   4. un ____ salon   7. les ____ garçons
2. une ____ maison   5. les ____ repas   8. une ____ cuisine
3. les ____ filles   6. les ____ pièces   9. les ____ familles

CINQUIÈME
LEÇON

Le Premier Etage

Apprenez par cœur

Où montons-nous? Nous montons au premier étage. A cet étage on trouve des chambres. Ce sont des chambres à coucher avec des lits. Il y a quatre chambres à coucher au premier étage. Il y a aussi des salles de bain. Ces salles de bain sont blanches.

Voici la chambre du père et de la mère. C'est la chambre des parents. Cette chambre est grande et bleue. Elle a deux portes, trois fenêtres et des meubles. Il y a un lit. Ce lit est grand. Regardons la chambre de Marie. Elle est jolie et rose. C'est une jolie chambre rose. C'est une chambre de jeune fille. Dans la chambre il y a un lit, une table et des chaises.

Regardons la chambre du fils. De quelle couleur est-elle? Elle est verte. C'est une jolie chambre verte. C'est une chambre de garçon. Dans la chambre il y a un lit, une table et des chaises. Il y a un autre meuble. C'est une commode. Il y a aussi une chambre à coucher pour les amis. Est-elle grande ou petite? Elle est très grande.

Vocabulaire

Note: Hereafter, when a regular adjective, i.e. one that forms its feminine by adding –e, *is listed in the vocabulary, the masculine form alone will be given.*

monter   to go (come) up

regardons   let's look at

un(e) ami(e)   a friend
une chaise   a chair
une chambre (à coucher)   a bedroom

une **commode**   a dresser
la **couleur**   the color
la **fenêtre**   the window
un **lit**   a bed
un **meuble**   a piece of furniture
des **meubles**   (some) furniture
la **porte**   the door
une **salle de bain**   a bathroom
une **table**   a table

bleu   blue

ce (cet), cette; ces   this, that; these, those
joli   pretty
petit   little
rose   pink
vert   green

avec   with
du, de la, de l'; des   of the; some
où?   where?
ou   or
pour   for
très   very

Etude de Verbes (Verb Study)

Le présent (*the present tense*)

regarder	to look at
je **regarde**	I look at, do look at, am looking at
tu **regardes**	you look at, do look at, are looking at
il **regarde**	he looks at, does look at, is looking at
elle **regarde**	she looks at, does look at, is looking at
on **regarde**	one looks at, does look at, is looking at
nous **regardons**	we look at, do look at, are looking at
vous **regardez**	you look at, do look at, are looking at
ils **regardent**	they look at, do look at, are looking at
elles **regardent**	they look at, do look at, are looking at

The listing of the forms of a given tense of a verb is called a *conjugation*.

a. Most verbs ending in –er follow the above pattern.
Note the three possible English equivalents of each French verb form above.
Observe the verb endings corresponding to the various subjects (**je, tu,** etc.).

Final –ent is silent, but the **t** is usually sounded in linking.

b. **Tu es grand(e).**   You are big (tall).
Vous êtes grand(s).   You are big (tall).
Vous êtes grande(s).   You are big (tall).

Use **tu** (*you*) to address one close friend or relative.

Use **vous** (*you*) to address more than one.

Use **vous** (*you*) to address formally or politely one or more persons.

c.   **Regardons la chambre.**   Let's look at the room.

Omitting **nous** before first person plural forms gives the meaning of "*let us.*"

Remarques

1. *ce* **lit**   this, that bed   *ces* **lits**   these, those beds
   cet **homme**   this, that man   *ces* **hommes**   these, those men
   cette **pièce**   this, that room   *ces* **pièces**   these, those rooms

Before vowel sounds (**homme, étage,** etc.), **ce** becomes **cet.** **Cette** is the feminine. **Ces** is the only plural form. These forms are called demonstrative adjectives.

2. **Premier étage** literally means *first floor,* but numbering floors in France starts above the **rez-de-chaussée,** hence the **premier étage** is really our *second floor,* etc.

3.   **Une *jeune* fille.**   **Une table *verte*.**

Common, short adjectives (**jeune,** etc.) and those used in a figurative or emotional sense, or for emphasis, usually precede the noun.

Long adjectives, adjectives of color (**verte,** etc.), shape, nationality and those used in a literal or physical sense usually follow the noun.

A few common adjectives have different meanings, depending on their position:

       C'est un homme *grand*.   He's a tall man.

       C'est un *grand* homme.   He's a great (famous) man.

The niceties of adjective position are best learned by imitation, not by rules. Observe the position of adjectives in future lessons.

4.   **de** with **le** becomes **du:**   la chambre *du* **père**
          de with **les** becomes **des:**   la chambre *des* **enfants**
          de with **la** remains **de la:**   la chambre *de la* **fille**
          de with **l'** remains **de l':**   la chambre *de l'* **ami(e)**

Compositions orales

les chambres à coucher   la chambre du fils
les salles de bain   la chambre de la fille
la chambre des parents   l'autre chambre

Questions

Où montons-nous?

Que trouve-t-on au premier étage?

Combien de chambres y a-t-il?

Combien de salles de bain y a-t-il?

Sont-elles petites ou grandes?

De quelle couleur est la chambre des
parents?

Combien de portes a-t-elle?

Combien de fenêtres a-t-elle?

Quelle autre chambre regardons-nous?

De quelle couleur est la chambre du
fils?

Pour qui est l'autre chambre?

Où est cette chambre?

Avez-vous une commode? une chambre à coucher?

De quelle couleur est-elle?

Combien de portes et de fenêtres
a-t-elle?

Est-ce que vous avez une salle de bain?

A quel étage est-elle?

De quelle couleur est la maison des
Duval?

Est-ce qu'elle est grande ou petite?

Que trouve-t-on dans les chambres?

Exercices

A. *Continuez en série dans toutes les formes interrogatives et affirmatives selon
l'exemple.* (*Continue in series in all interrogative and affirmative forms, following
the example.*):

   Ex.: Est-ce que je suis petit?   Oui, je suis petit.

       Es-tu petit?   Oui, tu es petit.

           etc.   etc.

je suis petit   j'ai une jolie commode
je regarde Marie   je trouve la salle de bain
je prépare le repas   je mange dans la salle à manger

B. *Employez des adjectifs avec les mots suivants dans des phrases. (Use adjectives with the following words in sentences.)*

un salon	une jeune fille	le garçon
un lit	une commode	les portes
l'enfant	la salle de bain	une chaise

C. *Employez (use)* ce, cet, cette *ou* ces *dans* (B). *Ex.:* Ce salon est grand.

D. *Mettez les adjectifs avant ou après les noms. (Put the adjectives before or after the nouns.)*

1. (*jeune*) un garçon
2. (*jolie*) une femme
3. (*verte*) une table
4. (*autre*) le cabinet
5. (*quels*) meubles
6. (*ces*) portes
7. (*bleu*) un lit
8. (*rose*) une pièce
9. (*petite*) une chaise
10. (*première*) la leçon
11. (*blanche*) la maison
12. (*grande*) une commode

E. *Mettez* du, de la, de l' *ou* des.

1. la sœur _____ ami
2. la femme _____ mari
3. le père _____ garçons
4. le cabinet _____ père
5. la fenêtre _____ salon
6. la porte _____ cuisine
7. l'ami _____ jeune homme
8. la couleur _____ salles
9. la famille _____ enfant
10. la chambre _____ parents
11. les meubles _____ chambre
12. la maison _____ jeune fille

PREMIÈRE
RÉVISION

Compositions orales

la famille Duval   la maison des Duval

Questions

Quels sont les membres de la famille?

Qui sont les parents? les enfants?

Qui est le mari? la femme?

Qui sont les jeunes gens?

Etes-vous jeune? grand(e)?

Est-ce que vous avez des meubles? une maison?

Combien de chambres y a-t-il?

Combien d'étages a-t-elle?

Combien de pièces a-t-elle?

Sont-elles grandes ou petites?

Combien de portes a le salon?

Combien de fenêtres a la cuisine?

Est-ce qu'il y a un cabinet de travail?

Y a-t-il une chambre pour les amis?

Où est la salle de bain?

Où sont les chambres à coucher?

Que trouve-t-on dans les chambres?

Où sont le salon et la cuisine?

Où mange-t-on?

Où prépare-t-on les repas?

Lecture *(Reading)*

à livre ouvert (open book)

A. *Mettes les mots qui conviennent. (Insert appropriate words.)*

—— la famille Duval. Dans —— famille —— un père, une ——, —— fils et ——. M. Duval est le —— de Mme. Duval. Marie —— la—— de Jean. Dans —— famille —— des parents et —— enfants. Qui —— les parents? —— M. et Mme. Duval. —— sont —— enfants? —— Jean et Marie. Qui —— Jean et Marie? —— les enfants. Jean est un —— et Marie est une ——. Ce sont —— jeunes ——. —— est blond et Marie est ——. C'est une famille —— des ——-Unis.

B.

_____ la maison des Duval. _____ est grande et _____. Combien _____ pièces a-t-_____? _____ a _____ pièces. Combien _____ étages _____ dans la maison? _____ maison _____ deux _____. _____ premier _____ on trouve _____ chambres à _____. _____ sont grandes et _____ des _____: _____ lits, des _____, des _____ et des _____. _____ aussi une salle de _____ et une chambre pour _____. De _____ couleur est-elle? _____ est _____. Au rez-de-_____ on _____ quatre _____. Ce _____ le _____, la salle à _____, la _____ et le _____ de travail. _____ prépare les _____ dans la _____ et on _____ dans la _____ à manger. _____ une _____ maison.

Exercices

A. *Faites des séries selon l'exemple. (Make sequences according to the example.)*

> Dans la famille il y a un fils. Voici le fils.
>
> C'est Jean. Il est grand (petit).

un fils	des enfants	un jeune homme	un garçon
un mari	des parents	une jeune fille	une femme

> *Ex.:* Dans la maison il y a un salon. Voilà le salon.
>
> Il est grand (petit).

un salon	un cabinet de travail	une cuisine
des pièces	des chambres à coucher	une salle de bain

B. *Faites des phrases selon l'exemple:* Regardons la maison!

regarder	manger	monter	préparer

C. *Continuez en série dans toutes les formes interrogatives et affirmatives.*

je regarde la pièce	j'ai une petite chambre
je suis grand(e)	je mange avec Pierre
je prépare un repas	je monte au premier étage

D. *Faites des séries avec des adjectifs qui conviennent. (Make series with suitable adjectives.)*

> *Ex.:* Quel salon est grand? Ce salon est grand. Il est grand.

1. salon	5. chaise	9. sœurs	13. salle à manger
2. lits	6. commode	10. femmes	14. salles de bain
3. homme	7. cuisine	11. pièces	15. chambre à coucher
4. frère	8. fenêtre	12. meubles	16. chambres de garçon

E. *Mettez* de, du, de l', de la *ou* des.

1. la mère _____ amis
2. la sœur _____ Jean
3. la porte _____ salon
4. la couleur _____ lits
5. le père _____ famille
6. le cabinet _____ père

7. le fils _____ homme
8. la maison _____ Duval
9. le frère _____ enfant
10. la chambre _____ parents
11. le cabinet _____ travail
12. les chaises _____ chambre

F. *Mettez les verbes aux formes qui conviennent.* (*Put the verbs in suitable forms.*)

1. Que (*regarder*)-vous?
2. (*Etre*)-vous brunes?
3. Elles (*être*) jolies.
4. (*Regarder*) cet homme!
5. (*Monter*)-ils avec Jean?
6. Je (*regarder*) Marie.
7. (*Avoir*)-tu une sœur?
8. Ils (*préparer*) le repas.

9. Nous (*manger*) avec Marie.
10. (*Avoir*)-vous des meubles?
11. Où (*trouver*)-on la cuisine?
12. (*Manger*) dans cette maison!
13. Je (*avoir*) une jolie commode.
14. Nous (*être*) des jeunes gens.
15. (*Monter*) au premier étage!
16. On (*manger*) dans cette pièce.

SIXIÈME
LEÇON

Parlons à la Famille

Apprenez par cœur

Parlons au père de Jean. Nous demandons au père: — Monsieur, que faites-vous? Il répond: — Je travaille. — Où travaillez-vous? Il répond: — Je travaille en ville. Je suis médecin.

Parlons à la mère des enfants. Nous demandons à la mère: — Madame, que faites-vous? Elle répond: — Je travaille aussi. — Où travaillez-vous? Elle répond: — Je travaille à la maison. Je ne travaille pas en ville. Je fais le ménage.

Parlons aux enfants. Parlons au fils des Duval. Nous demandons au fils: — Jean, que faites-vous? Il répond: — Je vais à l'école. Je ne suis pas médecin. Je suis étudiant. J'étudie.

Parlons à la fille des Duval. Demandons à la fille: — Marie, que faites-vous? — Je vais aussi à l'école. Je vais à la même école. — Etes-vous étudiant? — Non, je ne suis pas étudiant. Je suis étudiante. J'étudie.

A qui parlons-nous? Nous parlons aux enfants. Nous demandons: — Que faites-vous? Ils répondent: — Nous allons à l'école. Nous étudions. Nous sommes étudiants. Nous sommes jeunes. Nous habitons Belleville, une petite ville des Etats-Unis.

Vocabulaire

Note: Hereafter, the vocabulary will be sectioned by (1) infinitives, (2) verbal expressions, (3) new tense forms, (4) nouns, (5) pronouns, (6) adjectives, (7) others.

Each section will be in alphabetical order insofar as feasible. Prepositions commonly used after verbs will be in parentheses. Special groupings will be appropriately placed.

aller to go
demander (à) to ask (of)
étudier to study
faire to do, make
habiter (à) to inhabit, live in
parler (à) to speak (to)
répondre (à) to answer
travailler to work

que faites-vous? what do you do?
je fais le ménage I do the housework
je vais I go
nous allons we go
il répond he answers
ils répondent they answer

une école a school
un étudiant a student
   une étudiante a student

un médecin a doctor
une ville a town, city

à to, at, in, on
à l'école to, at, in school
aux enfants to the children
à la fille to the daughter
au fils to the son
à la maison to, at home
à la mère to the mother
au père to the father

qui? who(m)?
même same, very, even, self

en in
en ville in town, downtown
ne ... pas not
non no

Etude de Verbes

faire	to do, make		**aller**	to go	
je fais	nous faisons		je vais	nous allons	
tu fais	vous faites		tu vas	vous allez	
il fait	ils font		il va	ils vont	
elle fait	elles font		elle va	elles vont	
on fait			on va		

Je *fais* le ménage. I do the housekeeping. I keep house.
Je *vais* à l'école. I go, do go, am going to school.

Remarques

1. à with le becomes au: demandons *au* père, parlons *au* fils
à with la or l' doesn't change: je vais *à* l'école, *à la* maison
à with les becomes aux: parlons *aux* enfants, *aux* filles
à means *to, at* or *in:* Je vais *à* l'école.   I go to school.
Je suis *à* l'école.   I am at (in) school.

2.   Demandons *au* père!
Demandons *à* la mère!
Demandons *aux* enfants!
Demander is followed by à before the person asked.

3.   Je suis médecin.
Je suis étudiant(e).
Nous sommes étudiant(e)s.
Omit **un, une, des** before unmodified nouns indicating profession or classi-
fication.

4.   Je *ne* suis *pas* médecin.   I am not a doctor.
Il *n'*est *pas* médecin.   He is not a doctor.
To make a verb negative, put **ne** before the verb and **pas** after it.   **Ne** drops
e before vowel sounds (n'est).

Compositions orales

le père   la mère   le fils   la fille   les enfants

Questions

A qui parlons-nous?
Que demandons-nous au père?
Que répond-il?
Où travaille-t-il?
Que demandons-nous à la mère?
Que répond-elle?
Où travaille-t-elle?

Que demandons-nous au fils?
Où va-t-il?
Est-il médecin?
Qui est étudiant?
Que demandons-nous à la fille?
Que répond-elle?
Est-elle étudiant?

Que font les enfants?   Qui va à l'école?
Qui travaille en ville?   Qui est étudiante?
Fait-il le ménage?   Où vont les enfants?
Qui travaille à la maison?   Où habitent-ils?

Note: Hereafter, teachers who wish to may add personal and collective questions based on material in the text, using **je, tu, on, nous, vous.** *This drill will be called*

Questions Supplémentaires.

Exercices

A. *Continuez en série dans toutes les formes interrogatives, affirmatives et négatives selon l'exemple.* (*Continue in series in all interrogative, affirmative, and negative forms, following the example.*):

Est-ce que j'ai des amis?   Oui, j'ai des amis.   Non, je n'ai pas d'amis.
As-tu des amis?   Oui, tu as des amis.   Non, tu n'as pas d'amis.
  etc.   etc.   etc.

j'ai des amis   je vais en ville   j'étudie à l'école
je suis étudiant   je fais le ménage   je demande à l'homme

B. *Faites des phrases avec*

faites	où	vais	médecin	demandons
faisons	va	aussi	ménage	étudiante
parlons	ou	suis	étudier	travaille

C. *Complétez avec* à, au, à l', à la *ou* aux.

1. __ médecin   4. __ père   7. __ Jean   10. __ enfant
2. __ enfants   5. __ mère   8. __ école   11. __ femme
3. __ parents   6. __ fils   9. __ Marie   12. __ homme

D. *Mettez les verbes aux formes qui conviennent.*

1. nous (*parler*)   7. ils (*faire*)   13. on (*répondre*)
2. elle (*monter*)   8. nous (*être*)   14. M. Duval (*aller*)
3. elles (*aller*)   9. vous (*aller*)   15. que (*faire*)-vous?
4. on (*demander*)   10. je (*étudier*)   16. (*travailler*)-tu?
5. (*étudier*)-ils?   11. (*être*)-vous?   17. il (*être*) étudiant
6. je (*travailler*)   12. (*faire*)-nous?   18. où (*habiter*)-ils?

SEPTIÈME LEÇON

La Famille se Lève

Apprenez par cœur

Quelle heure est-il? Il est sept heures du matin. Je suis Mme. Duval. Je me réveille. Je me lève, je me lave et je m'habille. Je vais dans la chambre de mon fils et je dis: — Est-ce que tu te lèves? Mon fils se réveille. Il se lève. Puis, j'entre dans la chambre de ma fille et je dis: — Est-ce que tu te lèves? Ma fille se réveille. Elle se lève.

Quelle heure est-il maintenant? Il est sept heures et quart. Je suis M. Duval. Je me réveille. Je me lève, je me lave et je m'habille. Je vais parler à mes enfants et je dis: — Est-ce que vous vous levez? Est-ce que vous vous lavez? Est-ce que vous vous habillez? Ils répondent: — Oui, papa. Nous nous levons, nous nous lavons et nous nous habillons.

Mes enfants se lèvent, puis ils descendent. On se lève, puis on descend. Je suis Jean Duval. Je me dépêche. Je vais à l'école. Ma sœur se dépêche. Elle va à l'école. Nous nous dépêchons. Nous allons à l'école. On va prendre le petit déjeuner. On a faim. Il est maintenant sept heures et demie du matin.

Vocabulaire

Note: Hereafter, to will be omitted from the English definitions of infinitive forms.

avoir faim be hungry	**entrer (dans)** enter (into)
se dépêcher (de) hurry (to)	**(s')habiller** dress (oneself)

(se) laver wash (oneself)

lever raise, lift up
  se lever rise, get (oneself) up

prendre le petit déjeuner have (take) breakfast

(se) réveiller awaken (oneself)

me me, myself

te you, yourself

se himself, herself, itself, oneself

nous us, ourselves

vous you, yourselves

se themselves

ils descendent they go (come) down(stairs)

on descend we go (come) down-(stairs)

je dis (à) I say (to), tell

mon, ma, mes my

maintenant now

puis then, next

quelle heure? what time (hour)?

sept heures seven o'clock

une heure an hour

le matin the morning

un quart a quarter

et quart and (a) quarter

et demie and (a) half

du matin A.M. (in the morning)

Etude de Verbes

a. Il *se* réveille.   He awakens (himself).
b. Il *me* réveille.   He awakens me.
c. Il *vous* réveille. He awakens you.

When the subject is also the object of a verb (a), such a verb is called reflexive (*réfléchi*). But the same verb may take as object persons or things other than the subject (b, c).

Note the position of object pronouns (**me, te,** etc.) and the literal meanings of verbs below.

se réveiller	se lever	s'habiller
wake (oneself) up	get (oneself) up	dress (oneself)
je me réveille	je me lève	je m'habille
tu te réveilles	tu te lèves	tu t'habilles
il	il	il
elle } se réveille	elle } se lève	elle } s'habille
on	on	on
nous nous réveillons	nous nous levons	nous nous habillons
vous vous réveillez	vous vous levez	vous vous habillez
ils	ils	ils
elles } se réveillent	elles } se lèvent	elles } s'habillent

(*Hereafter we shall omit* **on, elle, elles** *in verb summaries.*)

Me, te, se drop e before vowel sounds: **je m'habille**, etc. Note use of accent (`) on some forms of **lever**.

Note word order in the interrogative (a) and negative (b) patterns of reflexive verbs:

a. **Se lèvent-ils?**   Are they getting up?
b. **Ils ne se lèvent pas.**   They are not getting up.

Remarques

1.   **Quelle heure est-il?**   What time (hour) is it?
       A quelle heure se lève-t-il?   (At) what time does he get up?
       Il est une heure du matin.   It is one (o'clock) A.M.
       Il est sept heures et quart.   It is 7:15.
       Il est huit heures et demie.   It is 8:30.

To tell time, always use **heure** (*hour*) or **heures** (*hours*) after **il est**; **et quart** and **et demie** indicate *quarter* and *half past*.

(For timetables, schedules, entertainment notices, etc., the 24-hour system is used.)

2.   **J'entre** *dans* **la chambre.**   I enter the room.
       Je dis (parle) *à* **mon fils.**   I say (speak) to my son.

Dans must follow the verb **entrer** if the place entered is mentioned (**chambre**).

A must follow the verbs **dire** and **parler** if a noun object is mentioned (**fils**).

3. **Mon** goes with a masculine person or thing, **ma** with a feminine, **mes** with any plural. Compare with **le, la, les**.

But: *mon* école, *mon* amie.   To facilitate pronunciation, **mon** is used instead of **ma** before feminine nouns beginning with a vowel sound.

4. a. **Les étudiants vont à l'école.**   Students go to school.
    b. **Je vais à la même école.**   I go to the same school.

Use the definite article (**les, l'**, etc.) with nouns having a general sense (a), as well as with nouns having a specific sense (b).

Compositions orales

Mme. Duval se lève
Les enfants se lèvent
Mme. Duval réveille son fils

Mme. Duval réveille sa fille
M. Duval réveille ses enfants
Les enfants se dépêchent

Questions

Quelle heure est-il?
A quelle heure se lève Mme. Duval?
Que fait-elle?
A qui parle-t-elle?
Que dit-elle à son fils?
Que fait son fils?
Puis, où va Mme. Duval?
Que fait M. Duval?
A quelle heure se lève-t-il?
Où va-t-il?

A qui va-t-il parler?
Que demande-t-il?
Que répondent ses enfants?
Puis, que fait-on?
Qui se dépêche?
Où vont les enfants?
Qui a faim?
Quel repas va-t-on prendre?
Quelle heure est-il maintenant?

Questions Supplémentaires

Exercices

A. *Continuez en série dans toutes les formes interrogatives, affirmatives et négatives.*

je me réveille	je me lève	je parle au médecin
je m'habille	j'ai faim	je fais le ménage
je vais étudier	je me lave	j'entre dans le salon

B. *Complétez avec* me, te, se, nous, vous *ou* se.

1. Ils _____ lavent.
2. Je _____ habille.
3. _____ lave-t-elle?
4. _____ lèves-tu?
5. On _____ dépêche.
6. _____ levez-vous?
7. Qui _____ habille?
8. Jean _____ réveille.
9. Nous _____ habillons.

C. *Complétez avec* à, dans *ou* en.

1. Va-t-il _____ ville?
2. J'entre _____ la chambre.
3. Je réponds _____ mon amie.
4. Parlons _____ les enfants!
5. Que dit-il _____ le garçon?
6. Que demandez-vous _____ Marie?
7. Elle travaille _____ la maison.
8. _____ quelle heure te lèves-tu?

D. *Complétez avec* mon, ma *ou* mes.

1. _____ lit   4. _____ amie   7. _____ table   10. _____ médecin

2. _____ mère   5. _____ repas   8. _____ sœurs   11. _____ chambre

3. _____ amis   6. _____ école   9. _____ chaise   12. _____ enfants

E. *Employez les mots suivants pour faire des résumés oraux à toutes les personnes:*
   je, tu, il, etc. (*à livre ouvert*)
   Use the following verbal phrases to make brief, connected talks in each person:
   I, you, he, etc. (*open book*)
   (il est ... heures), se réveiller, se laver, s'habiller, avoir faim, se dépêcher,
aller à l'école
   *Note: The exercises in connected talks will always be with open book. The student
will add appropriate material from the text to round out the verbal phrases listed.*

Un petit bateau sur la Seine *France Actuelle*

HUITIÈME
LEÇON

Le Petit Déjeuner

Apprenez par cœur

Il est sept heures et demie du matin. La famille est à table. C'est le petit déjeuner. Le père veut lire. Il lit son journal et mange. Sa femme boit son café. Qui regarde-t-elle? Elle regarde ses enfants. Sa fille et son fils boivent du lait. Son mari boit du café. On boit et on mange. Voici la conversation.

— Que veux-tu? demande la mère à sa fille, qui répond: — Je mange du pain. Je veux du beurre et de la marmelade, s'il vous plaît. — Voici ton beurre et ta marmelade sur la table, dit sa mère. — Merci, maman, dit sa fille. — Que veux-tu? demande la femme à son mari. — Je mange des œufs. Je veux du sel pour mes œufs, s'il vous plaît. — Voici du sel pour tes œufs, dit sa femme. — Merci, mon amie, dit-il.

— Que veux-tu? demande la mère à son fils. — Je veux manger mon œuf mais je n'ai pas de sel. — Voici ton sel et du poivre, mon fils, dit-elle. Le père a faim; il mange bien. Ses enfants ont faim et soif. Ils veulent manger et boire. — Nous avons soif, disent les enfants. Nous voulons de l'eau. — Voici de l'eau, dit leur mère, buvez. — Merci bien, maman, disent ses enfants. Ils boivent l'eau. Le père et le fils mangent leurs œufs et boivent. Tout le monde mange et boit. C'est leur petit déjeuner.

Vocabulaire

Note: Hereafter, the article will be omitted from the English definition of nouns.

avoir soif   be thirsty
boire   drink
dire (à)   say, tell (to)
lire   read
vouloir   want, wish

boit   drinks
buvez!   drink!
lit   reads
veut   wants

une conversation   conversation
un journal   newspaper
la maman   Mama, Ma
un œuf   egg

du beurre   (some) butter
du café   (some) coffee
de l'eau   (some) water

du lait   (some) milk
de la marmelade   (some) marmalade
des œufs   (some) eggs
du pain   (some) bread
du poivre   (some) pepper
du sel   (some) salt

tout le monde   everybody

son, sa, ses   his, her, its, one's
ton, ta, tes   your (*familiar*)
leur, leurs   their

bien   (very) much, well
mais   but
merci   thanks
si   if, whether
s'il vous plaît   if you please
sur   on
à table   at (the) table

Etude de Verbes

dire	vouloir	boire
say, tell	want, wish	drink
je dis	je veux	je bois
tu dis	tu veux	tu bois
il dit	il veut	il boit
nous disons	nous voulons	nous buvons
vous dites	vous voulez	vous buvez
ils disent	ils veulent	ils boivent

Review page 30, Etude de verbes.

Remarques

1. a. Je veux *du* café,   I want (some) coffee,
   *de l'*eau, *de la* marmelade   (some) water, (some) marmalade
   et *des* œufs, s'il vous plaît.   and (some) eggs, if you please.
   b. Elle ne veut pas *de* sel.   She does not want any salt.

De combined with le, l', la, les expresses *some* (a).
Si (*if*) drops i before another i: s'il vous plaît.
De without le, l', la, les after a negative expresses absence or lack (b).

2. a. *Qui* est le père?   Who is the father?
   b. *Qui* regarde-t-elle?   Whom is she watching?
   c. A *qui* parlons-nous?   To whom do we speak?

The interrogative pronoun **qui** is identical in form as subject (a), direct object (b), and object of a preposition (c).

3. *ton* fils   *ta* fille   *tes* ami(e)s   your (*familiar*) son, etc.
   son fils   *sa* fille   *ses* ami(e)s   his, her, its, one's son, etc.
   leur fils   *leur* fille   *leurs* ami(e)s   their son, etc.

Being possessive adjectives, the forms **ton, ta, tes,** etc. must agree with nouns they modify (fils, fille, amis, amies).
They have only one plural form each (Cf. **le, la, les** and **mon, ma, mes**) and **leur** has only one singular form.
Note: Use **ton** and **son** instead of **ta** and **sa** before vowel sounds (See page 43).

4.   J'ai faim.   I am hungry.   (*Literally*, I have hunger)
       J'ai soif.   I am thirsty.   (*Literally*, I have thirst)

Being nouns, **faim** and **soif** do not change when used with **avoir.**

5. — Que veux-tu? demande la mère.   After a quotation (— Que veux-tu?), the subject (la mère) follows the verb (demande).

Compositions orales

La famille à table   Le petit déjeuner du fils
Le petit déjeuner de Marie   La famille mange et boit
Le petit déjeuner du père   La mère au petit déjeuner

Questions

Quelle heure est-il?

Où est tout le monde?

Que prend-on?

Que lit le père?

Qui regarde les enfants?

Que boivent-ils?

Qui boit du lait? du café?

Que mange Marie?

Que veut-elle?

Que mange M. Duval?

Que veut-il?

Que mange Jean?

Qui a faim? soif?

Que dit-on à la mère?

Questions Supplémentaires

Exercices

A. *Conjuguez (Conjugate).*

je dis merci au père et à la
mère

je me lève si je me réveille

je veux lire à mes parents

je bois si j'ai soif

je mange si j'ai faim

je m'habille si je me lave

B. *Faites des séries avec les mots suivants selon l'exemple:*

je regarde mon fils, tu regardes ton fils,

il (elle, on) regarde son fils, ils (elles) regardent leur fils

fils	chambre	frères	femme	œuf	chaises
mari	médecin	école	parents	amie	maison

C. *Conjuguez à la forme interrogative.*

j'ai faim

je me lève

j'ai soif

je bois de l'eau

je vais étudier

je mange des œufs

je dis merci

je veux boire

je m'habille

D. *Complétez avec* un, une, du, de la, de l' *ou* des; *puis, mettez à la forme négative:*

Ex.: j'ai un lit; je n'ai pas de lit

1. J'ai ___ lit.
2. Tu bois ___ lait.
3. Il veut ___ sel.
4. On mange ___ œufs.

5. Elle a ___ beurre.
6. Je veux ___ journal.
7. Ils boivent ___ eau.
8. Il y a ___ fenêtres.

9. On trouve _____ chaise.

10. Elles ont _____ frères.

11. Il y a _____ marmelade.

12. Nous mangeons _____ pain.

13. Elles veulent _____ café.

14. Nous voulons _____ table.

15. Vous préparez _____ repas.

16. Jean regarde _____ filles.

E. *Employez les mots suivants pour faire des résumés oraux à toutes les personnes:* je, tu, il, etc. (*à livre ouvert*)

   (*Use the following words to make brief, connected talks in each person:* I, you, he, etc.) (*open book*)

regarder la table, avoir faim, manger, dire à (sa) mère, vouloir, avoir soif, boire

NEUVIÈME
LEÇON

On Va Partir

Apprenez par cœur

(*La conversation continue.*)

MME. D. — Nos enfants mangent et boivent vite, n'est-ce pas?

M. D. — Vous mangez et buvez vite, mes enfants.

MME. D. — Mangez lentement votre pain et vos œufs!

M. D. — Buvez lentement votre lait!

MME. D. — Mangeons lentement nos œufs et buvons lentement notre lait. (Les enfants finissent leur petit déjeuner. On le finit).

Il est maintenant huit heures moins le quart. Commençons la journée. On se lève de table. On va partir. Quand faut-il partir? Il faut partir tout de suite. Il faut aller à l'école ce matin et on se

Madame Duval et sa voiture française *France Actuelle*

dépêche. Jean et Marie prennent leurs livres et leurs cahiers. Jean prend quatre livres et sa sœur prend trois livres. Leurs classes commencent à huit heures.

Ils vont à l'école en auto. Leur mère va les conduire. Ils vont dans une voiture française, une petite voiture bleue. Les deux enfants montent dans cette voiture avec leur mère. On part. Madame Duval les conduit dans son auto. On dit au revoir au père, qui part aussi. Tout le monde part.

On arrive à l'école. Cette école est très grande et très moderne. La première classe des enfants est une classe de français. Le français est une langue étrangère. Jean et sa sœur étudient le français. Ils l'étudient ce matin.

Vocabulaire

arriver (à) arrive (at), reach, *happen*
commencer (à) begin (to)
conduire drive, take
continuer (à) continue (to)
écouter listen (to)
falloir be necessary
***finir (de)** finish (doing)
partir (de) leave, depart (from)

commençons! let's begin!
les conduit drives them
va les conduire is going to drive them
il faut one must
on le finit they finish it
mangeons! let's eat!
n'est-ce pas? don't they?
il prend he takes
ils prennent they take

une auto car
un cahier notebook
une classe class

le français French (*lang.*)
la journée day (*activity*)
une langue language, tongue
un livre book
une voiture car

étranger, étrangère foreign
français French
moderne modern
notre; nos our
trois three
votre; vos your (*formal*)

au revoir good-bye
de table from (the) table
en auto by car
lentement slowly
moins less, minus
  moins le quart quarter of (the hour)
quand when
tout de suite at once
vite quickly

Etude de Verbes

conduire	partir	finir
drive	leave	finish

je conduis	je pars	je finis
tu conduis	tu pars	tu finis
il conduit	il part	il finit
nous conduisons	nous partons	nous finissons
vous conduisez	vous partez	vous finissez
ils conduisent	ils partent	ils finissent

Most verbs in –ir follow the pattern of **partir** or **finir**. Those like **finir** will be marked * in vocabularies.

Remarques

1. a. **Commençons! Mangeons!** Let's begin! Let's eat!
   b. **Mangez! Buvez!** Eat! Drink!

As in English, omit the subject pronouns to form commands.

Verbs in –cer and –ger keep the c and the g soft before following o or a by changing c to ç and inserting e after g (a).

2. **notre, votre, leur ami(e)**   our, your, their friend (*m. or f.*)
   nos, vos, leurs ami(e)s   our, your, their friends (*m. or f.*)

The above possessive adjectives have only two forms each.

3. **Voici le fils; je *le* conduis.**   Here is the son; I drive him.
   Voici la fille; je *la* conduis.   Here is the daughter; I drive her.
   Voici les amis; je *les* conduis.   Here are the friends; I drive them.

   Voilà le lit; je *le* veux.   There is the bed; I want it.
   Voilà la table; je *la* veux.   There is the table; I want it.
   Voilà les œufs; je *les* veux.   There are the eggs; I want them.

Le, la, les are shown above as direct objects. They precede the verb and represent people or things. Note use:

interrogative	affirmative	negative
est-ce que je le finis?	je le finis	je ne le finis pas
le finis-tu?	tu le finis	tu ne le finis pas
etc.	etc.	etc.

Complete this pattern, then use la and les in place of le. We have seen the other direct object pronouns (me, te, se, nous, vous, se) used with reflexive verbs on page 42.

4. **Ils boivent vite, *n'est-ce pas?***   They drink fast, don't they?
   Il l'étudie, *n'est-ce pas?*   He is studying it, isn't he?

To ask a question expecting assent, put n'est-ce pas? (literally *isn't it so?*) after any statement.

Compositions orales

On finit le petit déjeuner   Mme. Duval conduit les enfants
On part pour l'école   On arrive à l'école

Questions

Que mangent les jeunes gens?   Comment vont-ils à l'école?
Que boivent-ils? Comment?   Qui conduit la voiture?
Que finissent les enfants?   Où montent les jeunes gens?
Que va-t-on faire?   Que disent-ils au père?
Quand faut-il partir?   L'école est-elle petite?
Où faut-il aller?   Quelle école est moderne?
Qui se dépêche?   Quelle est la première classe?
Que prennent-ils?   Quelle langue étudie-t-on?
A quelle heure commence la première
classe?

Questions Supplémentaires

Exercices

A. *Conjuguez.*

> Je finis mon repas et je pars pour mon école.
> Je monte dans ma voiture et je la conduis.
> Je bois mon lait et je dis au revoir à ma famille.
> J'arrive à ma première classe et je commence mes leçons.

B. *Faites des phrases avec les verbes suivants selon l'exemple:*

	Regardons l'auto!	Regardez l'auto!	
finir	monter	parler	étudier
dire	aller	manger	préparer
boire	entrer	partir	commencer

C. *Continuez en série dans toutes les formes interrogatives, affirmatives et négatives.*
   (*Note: Hereafter this instruction will be limited to: Continuez en série.*)

je le dis	je l'étudie	je la regarde
je les veux	je les mange	je le commence

D. *Employez les verbes suivants pour faire des questions avec* n'est-ce pas?

finir	manger	être	aller	boire
avoir	partir	dire	faire	vouloir

E. *Remplacez les mots en italique par* le, la, *ou* les. (*Replace the words in italics by* le, la *or* les.)

1. Nous mangeons *le pain.*
2. On trouve *les livres.*
3. Je ne regarde pas *Marie.*
4. Prépare-t-elle *le repas?*
5. Prennent-ils *cette marmelade?*
6. Etudiez-vous *le français?*
7. Elles ne veulent pas *ce lait.*
8. Vous ne finissez pas *vos œufs.*

F. *Faites des résumés oraux à toutes les personnes avec* (*Make connected talks in each person with*)

manger (ses) œufs, boire (son) lait, finir (son) petit déjeuner, se lever de table, se dépêcher, monter dans (sa) voiture, dire au revoir à (son) père, partir, aller à (son) école, arriver, commencer (ses) classes, étudier une langue étrangère

DIXIÈME
LEÇON

On Part

Apprenez par cœur

Le père part aussi.   Il va à son bureau.   Il y va tout de suite.   Il faut se dépêcher.   Il ne peut pas y aller en auto parce que son auto est au garage.   On la répare.   C'est une voiture américaine.   Comment va-t-il au bureau?   Ce matin il prend l'autobus qui s'arrête au coin de la rue.   Il va le prendre.   L'autobus arrive bientôt au coin de la rue et s'arrête.   Il le prend.   Cet autobus va le mener en ville.   Pendant ce temps les autres arrivent à l'école.   Ils y arrivent.

MME. D. — Nous voici, mes enfants.   Je pars.   Au revoir!
J. ET M. — Merci, maman, tu es bien gentille.
MME. D. — N'oubliez pas vos déjeuners!   Les voici!
(Elle donne les déjeuners à ses enfants, qui les prennent.)
J. ET M. — Merci bien, maman!   Au revoir!
JEAN — Dépêchons-nous, Marie, nous allons être en retard.
MARIE — Oui, Jean, il faut se dépêcher.   Nous sommes en retard.

Pendant ce temps, leur père est dans l'autobus, qui le mène en ville.   Il y lit son journal.   On arrive bientôt à la rue où il faut descendre.   On y arrive et M. Duval descend.   Il marche pendant cinq minutes, traverse deux ou trois rues et arrive à son bureau.   Pendant ce temps, la mère revient à la maison.   Elle y revient, rentre son auto au garage et entre dans sa maison.   Elle y entre parce qu'il faut faire le ménage.   Au travail!

Vocabulaire

(s')arrêter stop (oneself)
descendre get off (*vehicle*)
donner give
marcher walk
mener take
oublier (de) forget (to)
pouvoir be able, can
prendre take
rentrer put back
réparer repair
traverser cross

un garage garage
une minute minute
la rue street
le temps time (*not* hour)
le travail work
  les travaux works
  au travail! (let's get) to work!

qui that, which, who(m)

il peut he can
elle revient she comes back
il va le prendre he is going to take
  it
nous voici! here we are!
les voici! here they are!

un autobus bus
un bureau office
  des bureaux (some) offices
le coin corner
le déjeuner lunch
cinq five
gentil, gentille nice, kind

bien very
bientôt soon
comment? how?
en retard late, behind time
parce que because
pendant during
y there, in(to) it *or* them

Etude de Verbes

a. pouvoir be able	b. prendre take	c. descendre descend
je peux	je prends	je descends
tu peux	tu prends	tu descends
il peut	il prend	il descend
nous pouvons	nous prenons	nous descendons
vous pouvez	vous prenez	vous descendez
ils peuvent	ils prennent	ils descendent

Most verbs in –re follow the pattern of descendre (c).
Conjugate alike: pouvoir — vouloir   mener — lever

Remarques

1. Il va au bureau; il *y* va.   He goes to the office; he goes there.
   Il est dans l'autobus; il *y* est.   He is in the bus; he's in it.
   Il veut *y* aller; il *y* va.   He wants to go there; he goes there.

   Y is used as an adverb to replace a preposition (**à, dans, en, sur,** etc.) + a noun representing a place or a thing (**bureau,** etc.).   It comes just before the verb on which it depends (**va, est, aller**).

2.   Il *va* le prendre.   He is going to take it.
           Elles *vont* m'oublier.   They are going to forget me.
           Elle *va* les conduire.   She is going to drive them.

   To express an action about to occur, use the present tense of **aller** + an infinitive.   Observe that infinitives are preceded by their pronoun objects (**le, me, les,** etc.).

3. *Me* voici!   *Nous* voici!   Here I am!   Here we are!
   Le voilà!   *Les* voilà!   There he is!   There they are!

   Observe the position of the pronoun objects of **voici** and **voilà**.

4. Dépêchez-*vous!*   Hurry!
   Ne vous dépêchez pas!   Don't hurry!
   Dépêchons-*nous!*   Let's hurry!
   Ne nous dépêchons pas!   Let's not hurry!

   Only in positive commands do object pronouns follow the verb.

5. Je prends mon petit déjeuner.   I take (eat) breakfast.
   Je *prends* du café.   I take (drink) coffee.
   Je *prends* l'autobus.   I take (get on) the bus.
   Il me *mène* en ville.   It takes (conveys) me to town.
   Elle les *conduit* dans sa voiture.   She takes (drives) them in her car.

   Note variations of *take* in French, and that **prendre** does not mean *escort* or *carry*.

6. un bureau, des bureaux   un travail, des travaux

Note the irregular plural of nouns ending in –eau and of most nouns ending in –ail.

7. un autobus, des autobus — le temps, les temps — le repas, les repas

Nouns ending in –s (or –x or –z) do not change in the plural.

Compositions orales

M. Duval va à son bureau   Les enfants arrivent à l'école
La voiture de M. Duval   Mme. Duval revient à la maison

Questions

Quand faut-il partir?
Où va M. Duval?
Y va-t-il en auto?
Où est son auto?
Que fait-on au garage?
L'auto est-elle française?
Où s'arrête l'autobus?
Que fait M. Duval dans l'autobus?

Combien de minutes marche-t-il?
Qui conduit les jeunes gens?
Quelle voiture a Mme. Duval?
Que disent les enfants à leur mère?
Que donne-t-elle aux enfants?
Qui va être en retard?
Que fait-on pour ne pas être en retard?

Questions Supplémentaires

Exercices

A. *Continuez en série.*

je vais m'habiller
je descends au bureau
j'y vais et j'y arrive

je le prends et je pars
j'y entre avec mes amis
je peux faire mon travail

B. *Continuez avec* me, te, *etc.*

il va m'oublier   me voici!   elle va me conduire
ils vont m'arrêter   me voilà!   elles vont me trouver

C. *Donnez l'impératif (command forms) des verbes suivants aux formes affirmatives et négatives selon l'exemple.*

Dépêchez-vous!   Ne vous dépêchez pas!

Dépêchons-nous!   Ne nous dépêchons pas!

se réveiller   se lever   s'habiller   se laver   s'arrêter

D. *Complétez avec* prendre, conduire *ou* mener.

1. Nous le ＿＿ en ville.
2. ＿＿ vos déjeuners!
3. On les y ＿＿ en auto.
4. Ils ＿＿ l'autobus.

5. Je ＿＿ du café.
6. Elle les ＿＿ à l'école.
7. Il la ＿＿ à son bureau.
8. L'autobus le ＿＿ en ville.

E. *Remplacez les mots en italique par* y *(replace the words in italics by* y*).*

1. Entrez-vous *dans le salon?* 2. Je prends du café *dans cette pièce.* 3. Nous descendons *au rez-de-chaussée.* 4. Ils ne montent pas *au premier étage.* 5. Va-t-il *en ville?* 6. On répare l'auto *au garage.* 7. Trouvez-vous le sel *sur la table?* 8. Elle prépare le repas *dans sa cuisine.* 9. On ne mange pas *dans la salle de bain.* 10. Je réponds *à la question.* 11. Nous n'étudions pas *dans cette chambre.* 12. Travaillent-ils *au bureau?* 13. Je ne parle pas français *au travail.* 14. Nous commençons la leçon *dans cette classe.* 15. Finissent-ils le déjeuner *dans la rue?* 16. Comment allons-nous *à l'école?* 17. Qui revient *à sa maison?* 18. Quand allez-vous *au garage?*

F. *Faites des résumés oraux à toutes les personnes avec*

partir, aller au bureau, ne pas pouvoir, prendre l'autobus, monter, arriver au coin, descendre, marcher cinq minutes, traverser des rues, arriver au bureau, y entrer

DEUXIÈME RÉVISION

Compositions orales

La famille se lève

Le petit déjeuner

Les enfants partent pour l'école

M. Duval part pour son bureau

Questions

Quelle langue étrangère étudiez-vous?
Où?

Où travaille votre père?

Où habitez-vous? Avec qui?

Que mange-t-on au petit déjeuner?

A quelle heure vous levez-vous?

Combien d'étages a votre maison?

Quels sont ces étages?

Quelles sont les pièces de votre
maison?

Etes-vous brun(e) ou blond(e)?

Comment allez-vous à l'école?

Que veut-on si l'on a faim?

Que boit tout le monde?

A quelle heure commençons-nous nos
classes?

Quand faut-il se dépêcher?

Quel repas prend-on le matin? Où?
Avec qui?

Qui prépare vos repas? Où?

Que boit-on quand on a soif?

Que prend-on avec du pain?

Prenez-vous du café? du lait?

Que regarde-t-on à table?

Comment votre père va-t-il au travail?

Que lit votre père? Quand?

Mangez-vous vite ou lentement?

Que prenez-vous avec vos œufs?

A quelle heure finissez-vous le petit
déjeuner?

Que prend-on pour aller à l'école?

Comment est votre école?

Comment va-t-on au bureau?

Où s'arrête votre autobus?

A quelle heure arrivez-vous à l'école?

Où descend-on de l'autobus?

Faites-vous le ménage?

Etes-vous médecin? étudiant?

Qui réveille votre famille?

Qui vous habille? vous lave?

Que parle-t-on dans une classe de français?

Quelle voiture avez-vous?

De quelle couleur est-elle?

Va-t-elle vite ou lentement?

Quels meubles y a-t-il dans votre
chambre?

Combien de fenêtres a-t-elle?

Lecture (*Reading*)

A. *Mettez les mots qui conviennent.*

Nous demandons ____ père où ____ travaille. Il travaille ____ ville. Il ____ travaille. Il est ____. La ____ travaille ____ la maison. Elle ____ travaille. Elle ____ le ménage. Les ____ vont à l'école. Ils ____ vont. Ils sont ____.

B. Jean dit: — Je ____ un jeune ____. Je ____ réveille ____ sept heures ____ matin. Puis, je me ____, ____ lave et ____ habille. Je ____ à la ____ à manger pour ____ le petit ____ parce ____ j'ai ____. Maintenant il ____ sept heures et ____.

C. Mme. D. dit: — ____ famille est ____ table. Le ____ déjeuner est ____ la table. Je donne des ____ à ____ mari et à ____ fils. ____ fille mange ____ pain avec du ____. ____ mari lit le ____. ____ enfants mangent et ____ vite. Ils ____ dépêchent.

D. Les parents disent: — ____ fils ____ du lait. ____ fille boit du ____. ____ buvons ____ café. Il y ____ des œufs ____ la table. Pour ____ œufs il ____ a ____ sel et du ____. ____ voulons manger parce ____ nous ____ faim. ____ enfants ____ boire parce ____ ils ont ____. ____ le monde mange et ____ bien.

E. Les parents parlent ____ jeunes gens: — Mangez et ____ lentement! Ne ____ dépêchez ____! Finissez ____ œufs et ____ pain! Mangeons et ____ lentement! Prenez ____ livres et ____ cahiers! Vous ____ pour l'école, n'est-ce ____? Vous ____ maintenant à ____ classes. La ____ classe est une classe ____ français. Vous étudiez le ____, n'____-ce pas? C'____ une langue ____.

F. Les enfants finissent ____ œufs et ____ pain. Ils prennent ____ livres et ____ cahiers. ____ vont-ils ____ l'école? ____ mère ____ conduit ____ l'école ____ auto. C'____ une ____ voiture ____. L'école est ____ et ____.

G. Le père _____ aussi. Il _____ à _____ bureau. Comment _____ va-t-il? Il ne
_____ pas _____ aller en _____ parce que _____ auto est au _____. Il _____ l'autobus
_____ coin de la _____. L'autobus s'_____ et il _____ monte. Il _____ lit _____ journal. Il descend _____ l'autobus et _____ au bureau. Il _____ trois rues et _____
arrive _____ retard. Pendant _____ temps, Mme. Duval revient _____ la _____.
Elle _____ revient pour faire le _____. Elle rentre _____ voiture au _____ et entre
_____ sa _____. Elle _____ entre. Au _____!

Exercices

A. *Continuez en série.*

j'y vais avec mon amie
j'entre dans mon école
je peux y aller en auto
je veux y boire mon lait
je le demande à mes amis

je prends mon livre et je descends
je le dis à mon père et à ma mère
je les réveille et je les habille
je me réveille et je me lève
je me lave et je m'habille

B. *Continuez avec* me, te, etc.

on m'arrête
elle me regarde

me voici!
me voilà!

ils m'habillent
ils me réveillent

C. *Mettez les phrases suivantes aux formes affirmatives et négatives de l'impératif
selon l'exemple.*

Faites-le! Ne le faites pas!
Faisons-le! Ne le faisons pas!

le faire
se lever
les finir

se dépêcher
les manger
la commencer

s'habiller
l'étudier
la prendre

se laver
le dire
la boire

D. *Complétez.*

1. Parlons _____ médecin!
2. J'entre _____ garage.
3. Elle répond _____ Jean.
4. On le dit _____ enfants.
5. _____ qui est ce repas?
6. Elles sont _____ table.
7. Il mange _____ œufs.

8. Partez tout _____ suite!
9. L'auto est _____ garage.
10. On y va _____ voiture.
11. Il le prend _____ coin.
12. Qui va _____ bureau?
13. J'y vais _____ autobus.
14. Allons _____ garage!

15. Il n'y a pas ___ sel.
16. Il le lit ___ autobus.
17. Il travaille ___ ville.
18. Qui le demande ___ Marie?
19. Etudiez-vous ___ école?
20. Nous mangeons ___ pain.
21. Ils se lèvent ___ table.
22. Il ne boit pas ___ eau.
23. Allez ___ coin ___ rue!

24. Elle n'a pas ___ livres.
25. Nous sommes ___ retard.
26. Les œufs sont ___ table.
27. Il y a ___ poivre ___ mes œufs.
28. C'est une classe ___ français.
29. Elle les conduit ___ son auto.
30. Il est sept heures ___ matin.
31. ___ quelle heure se lève-t-il?
32. Comment vont-elles ___ école?

E. *Faites des résumés oraux à toutes les personnes avec*

se réveiller, se lever, se laver, s'habiller, descendre, avoir faim, avoir soif, vouloir, manger, boire, prendre, se dépêcher, sortir, monter dans (sa) voiture, partir de (sa) maison, aller, arriver à l'école, s'arrêter, entrer, commencer (ses) classes, étudier le français

Vue aérienne du centre de Paris
French Government Tourist Office

ONZIÈME
LEÇON

Madame Duval Chez Elle

(Note: Hereafter, complete memorization of the text is optional. However, for mastery of each lesson, the student should read the text aloud at least five times in preparation.)

Madame Duval finit son ménage et ne travaille plus. Que fait-elle? Elle sort dans le jardin derrière la maison. Qu'est-ce qu'on y voit? On y voit de belles fleurs et beaucoup d'arbres avec de grosses branches. Mme. Duval se promène aussi sur la pelouse sous les arbres devant la maison. Mais elle rentre bientôt. Pourquoi? Pour téléphoner à une amie qu'elle connaît bien et qui demeure dans la même rue. C'est une très bonne amie. Ecoutons leur conversation au téléphone:

— Allô! Suzanne? Ici Louise Duval.

— Bonjour! C'est toi, ma chère? Comment vas-tu?

— Je vais bien, merci. Que fais-tu ce matin? Tu fais le ménage?

— Oui, c'est beaucoup de travail, n'est-ce pas?

— Oui, beaucoup. Tes enfants sont à l'école?

— Oui, ils y sont. Je vais les prendre à trois heures.

— Alors, je vais finir mon travail. A bientôt.

— A bientôt, ma chère. Viens nous voir bientôt.

— A bientôt. Au revoir, ma chère!

Vocabulaire

aller bien   be well
connaître   know
demeurer~~(~~dans~~)~~ live, dwell
se promener   stroll
rentrer   go (come) back in, return
  (home)
sortir (de)   come (go) out (of)
téléphoner (à)   phone (to)
voir   see

viens nous voir   come and see us

un arbre   tree
une branche   branch
une fleur   flower
le jardin   garden
la pelouse   lawn
le téléphone   phone

que   whom, which, that
qu'est-ce que?   what?

toi   you

beau (bel), belle;   beautiful, fine,
  beaux, belles   handsome
bon, bonne   good
cher, chère   dear
gros, grosse   big, thick

allô   hello (*phone only*)
alors   (well) then
beaucoup (de)   much, a lot (of),
  many
(à) bientôt   (see you) soon
chez elle   to (at) her house
comment (vas-tu)?   how (are you)?
derrière   behind
devant   in front of
ne ... plus   no more, no longer
pour   (in order) to
pourquoi?   why?
sous   under

Etude de Verbes

1.   voir   see

je vois	nous voyons
tu vois	vous voyez
il voit	ils voient

connaître   know

je connais	nous connaissons
tu connais	vous connaissez
il connaît	ils connaissent

Observe î before t in **connaître.**

2.   se promener   stroll

je me promène	nous nous promenons
tu te promènes	vous vous promenez
il se promène	ils se promènent

Compare with accent pattern of **lever,** page 42.   Etude de Verbes.

3.   Conjugate **sortir** like **partir.**

Remarques

1. Qui va chez lui? — *Moi!*   Who goes to his house? — I (do).
  Qui est chez eux? — *Elle!* Who's at their house? — She (is).
  The strong pronouns **moi, toi,** etc. are used alone in reply or after prepositions like **chez** (*to* or *at the home of*) and also after **c'est** and **ce sont:**

c'est *moi*	(I)	c'est *nous*	(we)
c'est *toi*	(you)	c'est *vous*	(you)
c'est *lui*	(he)	*But:* ce sont *eux*	(they)
c'est *elle*	(she)	ce sont *elles*	(they)

  Soi is the impersonal form:
    Ici on est chez soi.   Here a person is (feels) at home.

2. Que voyez-vous? Qu'est-ce que vous voyez? What do you see?
  Note the difference in word order and check use of **est-ce que** on page 22.

3.   Tu fais le ménage? You're doing the housework?
  In everyday conversation, questions are often indicated merely by raising the voice, not by changing word order.

4. *Familiar greeting:* **Comment vas-tu?** ⎫
   Formal greeting: **Comment allez-vous?** ⎬ How are you?

5. C'est un ami *que* **je connais bien et** *qui* **demeure ici.** He's a friend (whom) I know well and who lives here.
  The relative pronouns **qui,** used as subject of the verb (**demeure**), and **que,** used as object of the verb (**connais**), refer to persons or things, singular or plural, masculine or feminine. **Que** is not omitted in French.
  Note: **qu'elle connaît:** the **e** of **que** is always dropped before a vowel sound; **qui est:** the **i** of **qui** is never dropped. Before a vowel sound **beau** becomes **bel: C'est un bel arbre.**

6. a. **Elle a beaucoup** *de* **pain.**   She has a lot of bread.
   Elle a beaucoup *d'***amies.**   She has a lot of friends.
  b. **Elle ne boit plus** *de* **café.**   She drinks no more coffee.
   Elle ne voit pas *de* **voitures.**   She doesn't see any cars.

c. Elle voit *de* grands arbres.	She sees (some) big trees.
d. Elle mange *du* bon pain.	She eats (some) good bread.
Ce sont *des* jeunes gens.	They are (some) young people.

Use **de** without the article after expressions of quantity (a), after negatives (b), before a plural noun preceded by an adjective (c).

In current usage, keep the article if the adjective + noun form a unit (d).

Compositions orales

Mme. D. dans son jardin   Mme. D. et son amie au téléphone

Questions

Quel travail fait madame?
Où sort-elle? Quand?
Où se promène-t-elle?
Que voit-on dans le jardin?
Y a-t-il des fleurs dans son jardin?
De quelle couleur sont les fleurs?
Combien d'arbres voit Mme. D.?
Combien de branches ont les arbres?
Le jardin est-il joli?
Que voit Mme. D. devant sa maison sous les arbres?
Où est la pelouse?

Pourquoi Mme. D. rentre-t-elle?
A qui téléphone-t-elle?
Qui est Suzanne?
Où demeure-t-elle?
Que demande Mme. D. à son amie?
Comment va Mme. D.?
Que fait Suzanne ce matin?
A quelle heure finit l'école?
Qui va prendre les enfants?
Que va finir Mme. D.?
Que dit Mme. D. pour finir la conversation?

Questions Supplémentaires

Exercices

A. *Continuez en série.*

je viens le voir
j'écoute mes amis
je la connais bien

je veux me reposer
j'y vois des fleurs
je m'y promène avec eux

B. *Employez* que *et* qu'est-ce que *pour faire des questions selon l'exemple.*

(a) Que voit-elle? (b) Qu'est-ce qu'elle voit?

elle voit	ils boivent	elles disent	vous finissez
il arrête	elle regarde	nous mangeons	elles oublient
tu donnes	vous voulez	ils prennent	nous commençons

C. *Continuez avec* moi, toi, etc.

c'est moi   il veut boire avec moi

il parle de moi   elles le font pour moi

ils mangent chez moi   ils descendent avec moi

on travaille pour moi   elles étudient chez moi

D. *Mettez* qui *ou* que.

1. l'arbre _____ y est
2. le café _____ on boit
3. la femme _____ rentre
4. les fleurs _____ je vois
5. le garçon _____ étudie
6. l'amie _____ téléphone
7. les médecins _____ sortent
8. le jardin _____ il regarde

E. *Mettez* de *ou* des.

1. Il n'a plus _____ livres.
2. Y voyez-vous _____ jardins?
3. Elle téléphone à _____ amies.
4. Y a-t-il _____ grands arbres?
5. Cet arbre a beaucoup _____ branches.
6. J'y fais beaucoup _____ travail.
7. Connaît-il _____ bons étudiants?
8. Nous ne voyons pas _____ fleurs.

F. *Mettez* beau, bel, belle, beaux *ou* belles.

1. de _____ femmes
2. un _____ ami
3. un _____ cahier
4. de _____ arbres
5. une _____ maison
6. de _____ fleurs
7. de _____ jardins
8. une _____ enfant
9. un _____ garçon
10. un _____ œuf
11. de _____ pièces
12. un _____ enfant

G. *Faites des résumés oraux à toutes les personnes avec*

finir (son) travail, sortir dans le jardin, y voir de belles fleurs, se promener sur la pelouse, rentrer, téléphoner à une ami

DOUZIÈME
LEÇON

La Classe de Français

Jean et Marie sont en classe. C'est une classe de français. Le professeur de français, M. Dupont, est assis devant ses élèves. Il est français et leur parle français. Il leur dit:

— Mes amis, étudions aujourd'hui les nombres. Ils sont faciles. Comptons de un jusqu'à dix. Prononçons bien, n'est-ce pas? Pauline, comptez. Elle compte:

— Un (1), deux (2), trois (3), quatre (4), cinq (5), six (6), sept (7), huit (8), neuf (9), dix (10).

— Très bien, mon amie, lui dit le professeur. Vous comprenez et vous savez tous ces nombres. Vous les prononcez bien.

Il continue: — Jean, savez-vous compter de onze à vingt?

— Oui, monsieur, je sais le faire: onze (11), douze (12), treize (13), quatorze (14), quinze (15), seize (16), dix-sept (17), dix-huit (18), dix-neuf (19), vingt (20).

— Bien, mon ami, vous savez tous ces nombres. Comptons de vingt et un jusqu'à trente. Marie, à votre tour!

— Oui, monsieur, je comprends: vingt et un (21), vingt-deux (22), vingt-trois (23), vingt-quatre (24), vingt-cinq (25), etc. ... (Elle continue jusqu'à trente.)

— C'est très bien, lui dit le professeur.

Il dit à Henri de compter par dix jusqu'à cent. Henri dit qu'il sait le faire:

— Dix (10), vingt (20), trente (30), quarante (40), cinquante (50), soixante (60) ... (Il ne peut pas continuer.) Je ne sais pas le nombre suivant, monsieur.

— Soixante-dix, lui dit M. Dupont.

— Merci, monsieur; soixante-dix (70), quatre-vingts (80), quatre-vingt-dix (90), cent (100).

— Maintenant, répétons tous les nombres, dit M. Dupont, qui est debout devant la classe.

Toute la classe les répète. Maintenant tous les élèves les comprennent.

Vocabulaire

comprendre understand
compter count
prononcer pronounce
répéter repeat
savoir know

leur dit says to them
lui dit says to him, her

un(e) élève pupil
Henri Henry
un nombre number
le professeur professor

le tour turn

assis seated
debout (*invar.*) standing
facile easy
suivant following, next
tout, tous; toute(s) all, *whole, entire, every*

aujourd'hui today
à votre tour it's your turn
en classe in class
jusqu'à (up) to, as far as, until
par dix by ten(s)

Etude de Verbes

1. savoir know

je sais	nous savons
tu sais	vous savez
il sait	ils savent

répéter repeat

je répète	nous répétons
tu répètes	vous répétez
il répète	ils répètent

Observe shift of accent in **répéter**.

2. Conjugate **comprendre** like **prendre**.

Remarques

1.   **Il lui dit.**   He says to him (to her).

To (expressed or implied) marks the indirect object of a verb.   Compare carefully:

DIRECT OBJECTS		INDIRECT OBJECTS	
il me voit	il nous voit	il me dit	il nous dit
il te voit	il vous voit	il te dit	il vous dit
il le voit	il les voit	il lui dit	il leur dit
il la voit	il les voit	il lui dit	il leur dit

2. **Il téléphone *à Jean* de partir.**   He phones (to) John to leave.

   Il *lui* dit (demande) de compter.   He tells (asks) him to count.

   When communicating to someone a request, promise, permission, etc. to do something, the person addressed is an indirect object (**lui, à Jean**) and **de** precedes the following infinitive (**partir, compter**).

3. a. **Je *connais* Marie.**   I know (am acquainted with) Mary.
   b. **Je *sais* ces nombres.**   I know these numbers.
   c. **Je *sais* le faire.**   I can (know how to) do it.
   d. **Je *peux* le faire.**   I can (am able to, may) do it.

   Connaître shows acquaintance with persons or places (a).
   Savoir shows knowledge of facts (b) or skills (c).
   Pouvoir shows physical ability or permission (d).

4. *Le français* est facile.   French is easy.
   J'étudie *le français*.   I study French.
   Je parle *français*.   I speak French.

   When referring to a language (**le français**), omit the article (**le**) after the verb **parler.**

   But: Keep the article if any word(s) separate(s) **parler** from the name of the language:

   Il parle (très) bien le français.

   Un professeur *de français*.   A French professor.

   Une classe *de français*.   A French class.

   A person or thing having to do with a language is followed by the phrase **de** + the name of the language.

   C'est un professeur *français*.   He's a French professor.

   C'est une voiture *française*.   This is a French car.

Use the adjective **français** to indicate that a person or a thing is French or French made.

C'est une *Française*. She's a Frenchwoman.

Elle est *française*. She is French.

Capitalize words indicating nationality only when they are used as nouns.

The above remarks apply to all nouns and adjectives of nationality.

5. When the following numbers are spoken alone or in dates, their final letters are usually pronounced as shown in parentheses:

cinq(k)   six(s)   sept(t)   huit(t)   neuf(f)   dix(s)

Before vowel sounds, their final letters have the same sounds except as shown:

six(z) élèves   dix(z) élèves

Before **ans** (*years*) and **heures** (*hours*): **neuf(v) ans, neuf(v) heures.**

In **dix-neuf**, pronounce **x** as **z** and voice **t** in 21–29.

Before consonants, the final letters of numbers, like those of most other words, are usually silent.

6. To count in the 30's, 40's, 50's, and 60's, use the same pattern as in the 20's. To count from 70 to 99:

70 **soixante-dix**	80 **quatre-vingts**	90 **quatre-vingt-dix**
71 **soixante et onze**	81 **quatre-vingt-un**	91 **quatre-vingt-onze**
72 **soixante-douze**	82 **quatre-vingt-deux**	92 **quatre-vingt-douze**
73 **soixante-treize** etc.	83 **quatre-vingt-trois** etc.	93 **quatre-vingt-treize** etc.

0 is **zéro**

Compositions orales

Les nombres de 10 à 1   Les nombres de 20 à 10

Les nombres par 10 de 100 à 10   La classe

Questions

Où se trouvent Jean et Marie?

Quelle classe est-ce?

Comment s'appelle le professeur de français?

Le professeur, où est-il assis?

Est-il américain?

Parle-t-il anglais aux élèves?

Qu'est-ce qu'on étudie?

Quels sont les nombres de un à dix? de onze à vingt?

Quels sont les nombres de dix à cent par dix?

Pauline sait-elle tous ces nombres?

Comment les prononce-t-elle?

Qui est debout devant la classe?

Que répète toute la classe?

Que comprennent tous les élèves?

Questions Supplémentaires

Exercices

A. *Continuez en série.*

je répète ma leçon
je vois mon autobus
je sais mes nombres
je les comprends bien

je lui dis de le répéter
je leur téléphone de rentrer
je lui demande de les compter
je leur dis de parler français

B. *Continuez avec me, te, etc.*

Elle m'arrête.
Me voit-on?
Elle me dit au revoir.
Me répond-il?
Elle ne m'écoute pas.

Me parle-t-il français?
Ils me disent d'y aller.
Il me téléphone de rentrer.
Elle ne me réveille pas.
On me demande de les conduire.

C. *Employez* connaître, pouvoir *ou* savoir.

1. Nous _____ Monsieur Dupont.
2. Je ne _____ pas Paris.
3. _____-elle parler français?
4. _____-vous votre professeur?
5. Je _____ compter de 1 à 10.
6. _____-elle bien cette amie?
7. Vous ne _____ pas me quitter!
8. _____-on manger cent œufs?
9. Elles _____ compter en français.
10. _____-il vous voir maintenant?
11. Ils _____ prononcer ces nombres.
12. Où _____-on arrêter l'autobus?

D. *Employez des formes de* français.

1. Parlez-vous _____?
2. Marie n'est pas _____.
3. Il étudie _____.
4. Ces femmes sont _____.
5. C'est une jeune fille _____.
6. Un garçon _____ parle _____.
7. Où est la classe _____?
8. C'est un professeur _____.

E. *Faites des séries de nombres jusqu'à* cent.

1. 1, 11, 21, etc.
2. 2, 12, 22, etc.
3. 3, 13, 23, etc.
4. 4, 14, 24, etc.
5. 5, 15, 25, etc.
6. 6, 16, 26, etc.
7. 7, 17, 27, etc.
8. 8, 18, 28, etc.
9. 9, 19, 29, etc.

F. *Faites des résumés oraux à toutes les personnes avec*

compter de un à cent, prononcer, savoir bien, répéter.

TREIZIÈME
LEÇON

Le Médecin à son Bureau

Voici le bâtiment où se trouve le bureau du Docteur Duval. C'est le numéro quinze de la cinquième rue. Ce bâtiment a douze étages. Il est très haut. Le docteur ne monte pas jusqu'au onzième étage; il ne monte qu'au sixième. Il va prendre un ascenseur pour y monter. Il l'attend au rez-de-chaussée et lit son journal. Puis il y entre avec d'autres personnes, qui le remplissent. Arrivé au sixième étage, l'ascenseur s'arrête et M. Duval en sort avec quatre ou cinq personnes.

Le médecin va jusqu'à son bureau, le numéro soixante-dix. Au bureau, sa secrétaire, qui s'appelle Mademoiselle Berger, l'attend. Elle est jeune et très jolie. C'est une rousse.

— Bonjour, docteur, lui dit-elle.

— Bonjour, Mlle. Berger, lui dit le médecin. Comment allez-vous?

— Je vais très bien, docteur, et vous?

— Ça va bien. Toute la famille va bien. (Il en parle.)

— Voici vos consultations pour ce matin. (Elle les lui montre.)

— Y a-t-il des malades qui attendent?

— Oui, docteur, il y en a plusieurs. Toute l'antichambre en est pleine. Ils lisent des journaux et des revues.

Le Docteur Duval met sa blouse blanche de médecin. C'est pour recevoir ses malades. Puis il dit à sa secrétaire:

— Je suis prêt à les recevoir. Faites entrer le premier malade.

Les gratte-ciel de Paris *France Actuelle*

Vocabulaire

appeler   name, call
   s'appeler   be named, called
attendre   wait (for)
mettre   put (on)
montrer   show
recevoir   receive, get
*remplir   fill
se trouver   be (located)

arrivé   (having) arrived
ça va bien   I feel fine, everything is
   fine
faites entrer!   show in!
met   puts (on)
les lui montre   shows them to him
   (her)

une antichambre   waiting room
un ascenseur   elevator
la bâtiment   building
une blouse   smock, jacket

une consultation   appointment
   (medical)
le docteur   doctor
les journaux   newspapers
un(e) malade   sick person, patient
le numéro   number
une personne   person
   d'autres personnes   (some) other
    people
une revue   magazine
un roux, une rousse   redhead
la secrétaire, le secrétaire   secretary

en   (some) of it or them, out of it or
   them

haut   high
plein (de)   full (of)
plusieurs   several
prêt (à)   ready (to)
ne ... que   only

Etude de Verbes

1.   lire   read   s'appeler   be called, named

je lis	nous lisons	je m'appelle	nous nous appelons
tu lis	vous lisez	tu t'appelles	vous vous appelez
il lit	ils lisent	il s'appelle	ils s'appellent

Note doubling of the l in certain forms of appeler. See répéter, page 71.

2. Conjugate alike: attendre — descendre   remplir — finir.

Remarques

1. **Il sort de l'ascenseur.**   He goes (comes) out of the elevator.
   Il *en* sort.   He goes (comes) out of it.
   Il y a beaucoup de malades.   There are a lot of patients.
   Il y *en* a beaucoup.   There are a lot of them.

The pronoun and adverb **en** means *(some) of it, (some) of them, out of it, out of them, from it, from them.* It refers mostly to things or places, occasionally to people, and it replaces a noun preceded by de (de l'ascenseur, de malades). It comes just before the verb on which it depends (**sort, a**). See y, page 58.

2. **premier   deuxième   quatrième   sixième   huitième**
   première   troisième   cinquième   septième   neuvième

   Note: second(e) is often used in place of **deuxième**, especially when only two persons or things are involved.

The numbers previously studied are called cardinal (**nombres cardinaux**). *First, second, third,* etc. are ordinal numbers (**nombres ordinaux**). Except for *first,* form them by adding **–ième** to the last consonant of cardinals. Observe spelling of **cinquième, neuvième.**

   C'est le huitième étage.   It's the ninth floor.
   C'est la onzième leçon.   It's the eleventh lesson.

Le and la do not shift to l' before **huit, huitième; onze, onzième.**

3. **C'est le *numéro* quinze.**   It's No. 15.   (*address or label*)
   Quinze est un *nombre.*   15 is a number.   (*numeral*)
   Un grand *nombre* d'amis.   A large number (*quantity*) of friends.

4. **Il attend l'ascenseur.**   He waits for the elevator.
   Il écoute ses malades.   He listens to his patients.
   Il regarde la pelouse.   He looks at the lawn.

   These verbs take direct objects.   Use no prepositions!

5. ***arrivé* chez lui, il ...**   (having) arrived home, he . . .
   ***arrivée* chez elle, elle ...**   (having) arrived home, she . . .
   ***arrivés* chez eux, ils ...**   (having) arrived home, they . . .
   ***arrivées* chez elles, elles ...**   (having) arrived home, they . . .

These verb forms (past participles) indicate something done, and, like adjectives, agree with the person (**il, elle,** etc.) or thing involved.

6. Le *docteur* Duval est *médecin.* — Bonjour, *docteur!*

Docteur is a title, a form of address. **Médecin** is his occupation.

7. **Ils lisent des journaux.** They are reading (some) newspapers.

Most nouns (and adjectives) ending in –al form their plural by changing –al to –aux.

8. Je suis prêt *à les* recevoir.   I'm ready to receive them.
   Il oublie *de le* faire.   He forgets to do it.

When **le, la, les** serve as pronouns, they do not contract with preceding **à** or **de,** as they do when used as articles.

Compositions orales

M. Duval monte à son bureau   Le médecin et sa secrétaire

Questions

Où se trouve le bureau du médecin?
Quelle en est l'adresse?
Dans quelle rue se trouve le bâtiment?
  Comment est-il?
Combien d'étages a-t-il?
Le docteur va-t-il monter jusqu'au onzième?
A quel étage va-t-il monter?
Comment y monte-t-il?
Où attend-il l'ascenseur?
Avec qui y entre-t-il?
A quel étage s'arrête l'ascenseur de M. Duval?
Qui en sort? Avec qui?

Où M. Duval va-t-il?
Quel est le numéro du bureau?
Qui attend le médecin?
Comment s'appelle-t-elle?
Comment est-elle?
Comment va-t-elle?
Qu'est-ce que Mlle. Berger montre au docteur?
Combien de malades attendent le médecin?
Que lisent-ils?   Où?
Que met le docteur Duval? Pourquoi?
Qui va-t-il recevoir?
Qui fait entrer les malades?

Questions Supplémentaires

Exercices

A. *Continuez en série.*

je la lui répète	je les lis	je le remplis
je m'appelle Duval	je le sais	je les lui montre

B. *Répétez les nombres ordinaux.*

du dixième au premier   du vingtième au dixième

par dix du centième au dizième

C. *Conjuguez.*

Arrivé chez moi, je lis   Rentré chez moi, je mange

Monté au onzième, j'en sors

D. *Remplacez les mots en italique par* y *ou* en.

1. Je demeure *chez moi?* 2. Sont-elles *en ville?* 3. Je vais aller *chez eux.* 4. Il sort *de l'ascenseur.* 5. Qui répète *des questions?* 6. Où descend-on *de l'autobus?* 7. Vous n'avez pas *d'appétit.* 8. Est-elle *dans le bâtiment?* 9. Ils se trouvent *à l'école.* 10. Ouvre-t-elle *des fenêtres?* 11. Je ne parle pas *de ces choses.* 12. Nous prononçons *des nombres.* 13. L'auto n'est pas *au garage.* 14. Je vois Marie *sur la pelouse.* 15. Je ne peux pas aller *au bureau.* 16. Voulez-vous étudier *en classe?* 17. Il rentre *de son travail.* 18. Restez-vous *dans votre chambre?* 19. Elle se promène *dans son jardin.* 20. Quand arrivez-vous *à l'école?*

E. *Employez* nombre *ou* numéro.

1. 16 est un ____.
2. Téléphonez à ce ____!
3. Je demeure au ____ 22.
4. Il en examine un grand ____.
5. Quel est le ____ de malades?
6. Il répète le ____ de sa chambre.

F. *Faites des résumés oraux à toutes les personnes avec*

prendre l'ascenseur, entrer, lire, monter, s'arrêter, en sortir, aller au bureau, y entrer, dire bonjour, être prêt à recevoir

QUATORZIÈME
LEÇON

Le Docteur Duval et ses Malades

— Allons-y! Je suis prêt à recevoir nos malades. Faites entrer le premier, mademoiselle! Je l'attends. Comment s'appelle-t-il?

— Il s'appelle M. Thomas. Je vais le faire entrer.

Elle fait entrer ce malade. Elle le fait entrer, puis elle sort. Cette consultation terminée, elle fait entrer d'autres: le deuxième, le troisième et un quatrième. Le médecin reçoit et examine chaque malade, puis ils sortent. Il est très occupé. Ecoutons la consultation du quatrième malade, qui s'appelle M. Bernard:

— Bonjour, monsieur, lui dit le médecin. Vous êtes M. Bernard?

— Bonjour, docteur. Oui, je m'appelle Bernard, Georges Bernard.

— Qu'avez-vous, lui demande le médecin? Dites-moi, qu'est-ce qui ne va pas?

— Ça va mal. J'ai mal à la tête, je suis très fatigué, je n'ai pas d'appétit et je ne peux pas dormir. Je suis malade, docteur.

— C'est dommage! Voyons, asseyez-vous ici, mon ami.

M. Bernard s'assied et M. Duval l'examine. Il lui pose des questions et l'autre y répond. Le médecin prend sa température, écoute son cœur, etc. Il veut trouver la cause de sa maladie. Puis, M. Duval lui dit:

— Vous n'êtes pas très malade, mais vous avez de la fièvre. Savez-vous de quoi vous avez besoin?

— Non, qu'est-ce que c'est?

— Vous avez besoin de repos. Voici une ordonnance; portez-la chez le pharmacien. (Il la lui donne.) Restez chez vous aujourd'hui et ne vous levez pas demain.   Faites-moi savoir si ça ne va pas mieux.

— Bien, merci, docteur.   Je vais me reposer.   Au revoir, docteur.

(M. Duval le fait sortir.)

Vocabulaire

s'asseoir   sit down

avoir besoin (de)   need, have need (of)

avoir mal à la tête   have a headache

dormir   sleep

examiner   examine

porter   take, carry, Wear

poser une question (à)   ask a question (of)

(se) reposer   rest, relax

rester   stay

un appétit   appetite

la cause   cause, reason

le cœur   heart

la fièvre   fever

Georges   George

la maladie   illness

une ordonnance   prescription

le pharmacien   druggist

le repos   rest

la température   temperature

la tête   head

allons-y!   let's go to it!

asseyez-vous!   sit down!

s'assied   sits down

dites-moi!   tell me!

c'est dommage!   it's a pity!

la lui donne   gives it to him

faites-moi savoir!   let me know!

le fait sortir   shows him out.

portez-la!   take (carry) it!

qu'avez-vous?   what's the matter (with you)?

ça va mal   I don't feel well, things are bad

qu'est-ce qui?   what? (*subject*)

quoi?   what? (*prep. object*)

chaque   each

fatigué   tired

malade   sick

occupé   busy

terminé   finished

demain   tomorrow

mal   badly

mieux   better

Etude de Verbes

1.   recevoir   receive

je reçois	nous recevons
tu reçois	vous recevez
il reçoit	ils reçoivent

s'asseoir   seat oneself

je m'assieds	nous nous asseyons
tu t'assieds	vous vous asseyez
il s'assied	ils s'asseyent

Observe spelling changes in recevoir.   See répéter, page 71; appeler, page 77.

2. Conjugate **dormir** like **partir.**

Remarques

1. *Faites entrer* le premier!   Have the first one come in!
   Il le *fait sortir.*   He has him go (come) out.
   Je vais le *faire monter.*   I'm going to have him come up.

   To have (cause) someone (to) do something: use **faire** and the infinitive of the following verbs (**entrer, sortir, monter**).   Note position of the pronoun object **le** and of the infinitive used after forms of **faire.**

2. a. **Vous avez besoin de repos.**   You (have) need (of) rest.
      Vous en avez besoin.   You (have) need (of) it.

   To express *need,* use **avoir besoin de** (literally *have need of*).

3. a. *Qu'est-ce qui* ne va pas?   What is wrong (not going well)?
   b. *Qu'est-ce que* vous avez?   What is wrong with you?
   c. De *quoi* avez-vous besoin?   What do you (have) need (of)?

   What? as subject of the verb is always **qu'est-ce qui.** (a)
   What? as object of the verb is **que** or **qu'est-ce que.** (b)
   Note use of **avoir** to denote ailments: **J'ai mal à la tête.**
   What? after a preposition is **quoi.** (c)
   Note: What is . . . ?, asking for a definition or explanation, is **qu'est-ce que c'est que ... ?**
   Qu'est-ce que c'est qu'une revue?   What is a magazine?

4.   Je vais *me reposer.*   I am going to rest.
      Restez chez vous demain.   Stay at home tomorrow.

   Se reposer means *to rest, relax;* **rester** means *to stay, remain.*

5. a. **J'ai mal à *la* tête.**   My head aches (I've a headache).
   b. **J'écoute *son* cœur.**   I listen to his heart.

   Normally, the definite article (**la**), not the possessive adjective, is used with parts of the body (a). However, if the meaning is unclear, a possessive adjective (**son**) is used (b).

6. Positive formal commands

DIRECT OBJECTS		INDIRECT OBJECTS	
regardez-moi	look at me	parlez-moi	talk to me
regardez-le	look at him, it	parlez-lui	talk to him
regardez-la	look at her, it	parlez-lui	talk to her
regardez-nous	look at us	parlez-nous	talk to us
regardez-les	look at them	parlez-leur	talk to them
restez-y	stay there	parlez-en	talk of it, them

Note that object pronouns (including **y, en**) follow the verb in positive commands but precede the verb in negative commands:

Ne *me* regardez pas! Ne *me* parlez pas!

See page 72 for forms.
This is also true for "*let us*" commands:

regardons-*le* (*la, les*)   ne *le la,* (*les*) regardons pas

parlons-*lui* (*leur*)   ne *lui* (*leur*) parlons pas

Compositions orales

La secrétaire fait entrer les malades

Le médecin reçoit M. Bernard   Il examine M. Bernard

Questions

Qui attend les malades?

Qui les fait entrer?

Comment s'appelle le premier malade?

Quels autres malades fait-on entrer?

Une consultation terminée, que fait-on?

Quelle consultation écoutons-nous?

Comment s'appelle le quatrième malade?

Comment va-t-il?

Qu'est-ce qui ne va pas?

Qui a mal à la tête?

A-t-il de l'appétit?

Est-il fatigué?

Peut-il dormir?

Est-il malade?

Qui fait asseoir M. Bernard?

Qui lui pose des questions?

A quoi répond le malade?

Que lui fait le médecin?

Pourquoi l'examine-t-il?

Quelle maladie trouve-t-il?

De quoi a besoin le malade?

Que lui donne M. Duval?

Que lui dit-il de faire?

Questions Supplémentaires

Exercices

A. *Continuez en série.*

> je les leur lis
> je reçois mes amis
> je les fais entrer
> je fais lire Marie

> je m'appelle Bernard
> j'ai besoin de repos
> je m'assieds sur ma chaise
> je fais répondre les élèves

B. *Mettez à la forme affirmative.*

> n'en parlez pas
> n'en parlons pas

> n'y allez pas
> n'y allons pas

> n'en lisez pas
> n'y restons pas

C. *Donnez les nombres cardinaux avec les nombres ordinaux qui correspondent selon l'exemple:* dix, dixième.

1. 10, 12, 16, 19
2. 20, 21, 28, 30
3. 31, 36, 40, 43
4. 41, 47, 50, 52
5. 51, 59, 60, 65
6. 61, 66, 70, 72
7. 71, 79, 80, 84
8. 81, 88, 90, 99
9. 91, 1, 2, 3, 100

D. *Faites des séries à l'impératif selon l'exemple:*

> Faites entrer le premier!
> Ne faites pas entrer le premier!

> Faites-le entrer!
> Ne le faites pas entrer!

1. faire entrer le premier
2. faire asseoir la première
3. faire dormir les enfants
4. faire reposer ce malade
5. faire rester vos amis
6. faire attendre cette malade

E. *Faites des séries avec me, te, etc. selon l'exemple:*

Me fait-il sortir?   Il me fait sortir.   Il ne me fait pas sortir.

1. il fait sortir
2. Jean fait partir
3. ils font rentrer
4. elle fait asseoir
5. on fait descendre
6. Marie fait écouter

F. *Employez* qu'est-ce qui? que? qu'est-ce que? *ou* quoi?

1. _____ ne va pas?
2. _____ avez-vous?
3. _____ Jean lit?
4. _____ les arrête?
5. _____ reçoit-elle?
6. Avec _____ le fait-il?
7. _____ nous attendons?
8. A _____ réponds-tu?
9. _____ voient-elles?
10. De _____ parle-t-on?
11. _____ nous savons?
12. _____ mange-t-on?
13. _____ lavez-vous?
14. _____ je regarde?
15. _____ la réveille?

G. *Remplacez les mots en italique par* en.

1. Avez-vous besoin *de repos?* 2. Je n'ai pas besoin *de me reposer.* 3. Qui a besoin *d'une ordonnance?* 4. Nous avons besoin *de travail.* 5. Jean a-t-il besoin *de temps?* 6. Il n'a pas besoin *de chaises.* 7. Elles ont besoin *d'étudier.* 8. Ils n'ont pas besoin *de téléphone.*

H. *Employez tous les pronoms possibles avec les impératifs suivants aux formes affirmatives et négatives selon l'exemple:*

    attendez-moi ne m'attendez pas
    attendez-le   ne l'attendez pas, etc.

 1. attendez-moi   4. dites-moi   7. donnons-lui
 2. attendons-le   5. disons-lui   8. écoutez-moi
 3. répétez-moi   6. donnez-moi   9. écoutons-le

I. *Faites des résumés oraux à toutes les personnes avec*

être prêt, attendre (ses) malades, faire entrer le premier, le recevoir, s'asseoir, l'examiner, lui poser des questions, prendre sa température, écouter son cœur, lui donner une ordonnance, lui dire de la porter chez le pharmacien, lui dire de se reposer, le faire sortir

La Place de l'Opéra *French Government Tourist Office*

QUINZIÈME
LEÇON

La Récréation

Le temps passe. Il est dix heures moins le quart. La classe de français est finie. Les élèves ont quelques minutes de récréation annoncée par une sonnerie. Tous les jeunes gens quittent leurs classes. Ils les quittent et sortent. Tout le monde va s'amuser un peu dans la cour. Les uns jouent à la balle, les autres se promènent et bavardent. Voici Maurice avec sa sœur Pauline. Nous les rencontrons avec Jean et Marie, qu'ils connaissent bien.

Maurice est plus jeune que Jean, mais il est plus âgé que Marie. Quel âge a-t-il? Il a plus de seize ans. Jean a dix-sept ans; il est plus âgé que son ami. Pauline n'est pas si âgée que Marie; elle est moins âgée que son amie et plus petite qu'elle. Maurice est aussi grand que son ami Jean. Pauline a moins de seize ans; elle n'a que quinze ans et demi.

Ces jeunes gens font beaucoup de choses ensemble. Maintenant ils bavardent. Ecoutons-les:

—Jean, que fais-tu après les classes cet après-midi? lui demande Maurice.

—Je vais rentrer chez moi. Ma mère vient nous prendre, ma sœur et moi. Nous devons préparer nos leçons pour demain. J'ai plus de dix pages à lire et Marie en a plus de quinze. On doit passer un examen. Le nouveau professeur d'anglais nous le fait passer.

—C'est dommage, lui dit Maurice. Je vais jouer au tennis. Tu ne veux pas venir avec moi?

—Je te le dis, je ne peux pas, mon vieux, lui répond l'autre. Je dois étudier. Une autre fois, n'est-ce pas? (Il est dix heures moins cinq. On entend la sonnerie et les jeunes gens doivent rentrer en classe.)

Vocabulaire

amuser   amuse
  s'amuser (à)   have fun (at)
avoir seize ans   be sixteen (years old)
bavarder   chat
devoir   must, owe
entendre   hear
jouer (à)   play (*game*)
passer   pass, go by
  passer un examen   take an examination
quitter   leave
rencontrer   meet
venir   come

nous le donne   gives it to us
te le dis   tell it to you
doit   must
doivent   must
vient nous prendre   is coming to get us

l'âge *m.*   age
un an   year
l'anglais *m.*   English (*lang.*)
un après-midi   afternoon
la balle   ball
une chose   thing

la cour   yard
un examen   examination
une fois   a time, once
la récréation   recess
la sonnerie   ringing
le tennis   tennis
mon vieux   old chap, pal

les uns ... les autres   some ... others

annoncé   announced
fini   finished
nouveau   (nouvel),   nouvelle; nouveaux, nouvelles   new
quelque(s)   some

après   after
aussi grand que   as big (tall) as
pas si âgé que   not as old as
plus (moins) âgé que   older (younger) than
plus (moins) de seize ans   more (less) than 16 years (old)
ensemble   together
moins cinq   five of (the hour)
un peu   a little

Etude de Verbes

1.
	devoir must		venir come
je dois	nous devons	je viens	nous venons
tu dois	vous devez	tu viens	vous venez
il doit	ils doivent	il vient	ils viennent

2. Conjugate **entendre** like **descendre**.

Remarques

1. Observe the patterns when there are two pronoun objects of a verb. These objects precede the verb governing them, except in positive commands. **Y** and **en** follow all other pronouns:

    a. Il *me le* lit.   He reads it to me.

       Il *me la* lit.   He reads it to me.

       Il *me les* lit.   He reads them to me.

       Il *m'en* lit.   He reads some to me.

Dans la cour de la Sorbonne *French Government Tourist Office*

b. **Il** *le lui* **lit.**   He reads it to him (her).

Il *la lui* **lit.**   He reads it to him (her).

Il *les lui* **lit.**   He reads them to him (her).

Il *lui en* **lit.**   He reads some to him (her).

Practice substitution in (a) of **te, nous, vous, se** in place of **me** and in (b) of **leur** (*to them*) in place of **lui** (*to him, to her*).

interrogative	*affirmative*	*negative*
me le lit-il?	il me le lit	il ne me le lit pas
etc.	etc.	etc.
le lui lit-il?	il le lui lit	il ne le lui lit pas
etc.	etc.	etc.

2. a. **Elle est** *plus âgée* **que moi.**   She is older than I.

b. **Je suis** *moins âgé* **qu'elle.**   I am younger (less old) than she.

c. **Il est** *aussi âgé* **qu'eux.**   He is as old as they.

d. **Il en a** *plus de* **quinze.**   He has more than fifteen.

e. **Il en a** *moins de* **dix.**   He has less than ten.

To make comparisons of greater degree, use **plus** with an adjective (a); of lesser degree, use **moins** (b); of equal degree, use **aussi** (c), which becomes **si** after a negative: **Elle n'est pas** *si âgée* **que Marie.**   She's not as old as Mary.

In comparisons, *than* before people or things is **que** (a–c), but is **de** before numbers (d, e). Note use of strong pronouns after **que** (a, c).

3.   **Quel âge a-t-il?**   How old is he?

Il a seize ans.   He is sixteen.

Use **avoir** to indicate age and **quel âge** to ask *what age*.

4. a. **J'ai dix pages à lire.**   I have ten pages to read.

b. **Il faut se dépêcher.**   It is necessary to hurry.

c. **Je dois les étudier.**   I must study them.

Generally, **avoir à** indicates unfinished tasks (a), **il faut** necessity (b) and **devoir** duty (c).

Note: **Il ne faut pas** means *one must not.*

Il n'est pas nécessaire (de) means *it's not necessary (to).*

5. **Le temps passe.**   Time passes.
   Quelle heure est-il?   What time is it?
   Il va jouer une autre fois.   He's going to play another time.

Temps refers to continuous time or weather; **heure** to time of day; **fois** to an occasion.

6. a. **Il est une heure dix.**   It is ten minutes past one.
   b. **Il est deux heures moins cinq.**   It is five minutes to two.
   c. **Il est trois heures moins le**   It is a quarter to three.
      (un) quart.

To express *minutes past* an hour, use the number alone (a); for *quarter* and *half past*, see p. 43. After *half past* the hour, use **moins** with the number of minutes before the next hour (b), and **moins le (un) quart** for *quarter of* (c).

7.   **un nouveau professeur**   a new professor
   un nouvel ami   a new friend
Before a vowel sound, **nouveau** becomes **nouvel.** Cf. **beau, bel.**

Compositions orales

Les plus grands et les plus âgés

La récréation   Que faire après les classes?

Questions

Quelle classe est finie?
Quelle heure est-il?
Qu'est-ce qui annonce la récréation?
Que quittent les élèves?
Que vont-ils faire?
Où s'amuse-t-on?
Comment s'amuse-t-on?
Qui est plus jeune que Jean?
Qui est plus âgé que Marie?
Quel âge a Maurice?
Qui est plus petite que Marie?

Qui est aussi grand que Jean?
Que font ces jeunes gens ensemble?
Que fait Jean après les classes? et Marie?
Qui vient les prendre?
Que doivent-ils faire?
Combien de pages ont-ils à lire?
Qui va leur faire passer un examen?
A quoi va jouer Maurice?
A quelle heure doit-on rentrer en classe?

Questions Supplémentaires

Exercices

A. *Continuez en série.*

je m'amuse

j'en reçois

je dois le lui dire

je viens les leur montrer

B. *Conjuguez.*

je suis plus petit que lui

je suis moins âgée qu'elle

je suis aussi grand qu'eux

j'ai plus de quinze ans

j'en sais plus de huit

j'en vois moins de cinq

C. *Continuez avec* moi, toi, etc.

ils sont aussi occupés que moi

elle est moins gentille que moi

elle n'est pas si belle que moi

il est plus âgé que moi

ils sont aussi gros que moi

il est plus fatigué que moi

D. *Continuez en série avec* me, te, lui, etc., *aux formes interrogatives, affirmatives et négatives selon l'exemple.*

Me le dit-il?   Il me le dit.   Il ne me le dit pas.

Te le dit-il?   Il te le dit.   Il ne te le dit pas.

etc.   etc.   etc.

1. il me le dit   2. il me les montre   3. il m'en demande

E. *Mettez* que *ou* de.

1. Ils sont aussi bons ____ nous.
2. Est-elle plus jolie ____ vous?
3. C'est moins cher ____ le café.
4. Qui est plus gentil ____ elle?
5. J'en entends plus ____ un.
6. J'en compte moins ____ trois.
7. En veut-il plus ____ dix?
8. Y en a-t-il plus ____ cinq?

F. *Mettez des formes de* nouveau.

1. un ____ examen
2. une ____ partie
3. un ____ exercice
4. de ____ questions
5. un ____ ami
6. de ____ élèves

G. *Mettez* qu'est-ce qui, qu'est-ce que, qui, que *ou* quoi.

1. ____ ne va pas?
2. ____ voit-il?
3. ____ les amuse?
4. De ____ parle-t-on?
5. A ____ lisez-vous?
6. ____ joue au tennis?
7. ____ elle étudie?
8. ____ dites-vous?
9. ____ fait-on entrer?

H. *Employez* avoir à, il faut *ou* devoir.

1. Je ____ passer un examen.
2. ____ manger lentement.
3. Il ____ un livre ____ lire.

4. On ____ faire son travail.
5. ____ se reposer un peu.
6. Ils ____ une leçon ____ faire.

I. *Mettez* temps, heure *ou* fois.

1. Jean le lit trois ____.
2. Elle parle tout le ____.
3. Il travaille huit ____.
4. Je le fais une ____.
5. A quelle ____ viennent-ils?

6. Quelle ____ est-il?
7. Il y joue quelques ____.
8. Il est cinq ____.
9. Le ____ passe.
10. Il le dit deux ____.

J. *Faites des résumés oraux à toutes les personnes avec*

avoir quelques minutes de récréation, entendre la sonnerie, quitter (sa) classe, sortir dans la cour, s'amuser un peu, jouer à la balle, se promener, bavarder, rentrer en classe, devoir préparer (ses) leçons pour demain, avoir plus de dix pages à lire, devoir passer un examen, ne pas pouvoir jouer au tennis

TROISIÈME
RÉVISION

A. *Parlez en classe de*

vos amis	une visite chez un ami	votre médecin
votre âge	le travail de votre père	votre famille
votre école	le travail de votre mère	votre adresse
votre jardin	la voiture de la famille	vos amusements

B. *Continuez en série.*

je sais ma leçon	j'y vois de bons amis	je les connais bien
je la lui dis	je fais compter Jean	je le fais entrer
j'en reçois peu	je viens le leur dire	je les leur répète
je dois me lever	je les comprends bien	je m'appelle Martin

C. *Continuez avec* moi, toi, etc.

Il vient chez moi.	Elle est plus belle que moi.
Qui le sait? — Moi!	Rentré(e) chez moi, j'étudie.
Qui est-ce? — C'est moi.	Ils sont aussi malades que moi.

D. *Continuez en série avec* me, te, lui, etc.

il me la montre	ils veulent me le dire
elles m'en lisent	ils peuvent m'en parler
il me les répète	elles vont me les donner

E. *Mettez à la forme affirmative.*

n'en mangez pas	n'y attendez pas	n'y jouons pas
n'en mangeons pas	n'y attendons pas	n'en demandez pas

F. *Employez tous les pronoms possibles avec les impératifs suivants aux formes affirmatives et négatives selon l'exemple.*

demandez-moi	ne me demandez pas
demandez-lui	ne lui demandez pas, etc.

demandez-moi	répondez-moi	réveillez-moi	conduisez-moi
demandons-lui	répondons-lui	réveillons-le	conduisons-le

G. *Conjuguez.*

je lui demande d'en parler   je lui téléphone d'y aller

je leur dis de la trouver

H. *Continuez avec* me, te, etc.

il me demande de les attendre   ils me disent de l'étudier

elle me téléphone d'y rester

I. *Faites de ces phrases toutes les questions possibles.*

Ex.: Qui finit son ménage?   Que finit Mme. D.?   Que fait Mme. D.?

1. Mme. D. finit son ménage.
2. Je m'appelle Jean.
3. Nous voyons une revue.
4. Il est dix heures moins cinq.
5. Paul joue avec nous.
6. Vous connaissez Pauline.
7. Je ne vais pas bien.
8. J'ai mal à la tête.
9. Il y a beaucoup de malades.
10. Le numéro du bureau est dix.
11. Il écoute ses malades.
12. Ces malades remplissent l'anti-chambre.
13. J'ai un grand nombre d'amis.
14. Vous regardez les journaux.
15. M. Duval attend l'ascenseur.
16. Je m'assieds dans le salon.
17. Marie a besoin de repos.
18. Ils peuvent rester chez eux.
19. Nous avons plus de vingt pages à lire.
20. Jean a moins de seize ans.
21. Ce bâtiment est haut.
22. Ils rentrent pour étudier.
23. Nous sortons de l'école à trois heures moins le quart.
24. Vous le lisez plusieurs fois.
25. Elle se promène sur la pelouse devant la maison.

J. *Mettez* qui *ou* que.

1. la personne _____ je vois
2. l'ascenseur _____ monte
3. l'élève _____ est debout
4. le travail _____ elle fait
5. un garçon _____ je connais
6. un garçon _____ me connaît
7. la pelouse _____ est verte
8. les nombres _____ on répète

K. 1. *Mettez des formes de* beau.

1. un _____ ami
2. une _____ amie
3. de _____ amis
4. de _____ amies
5. un _____ arbre
6. de _____ arbres
7. une _____ table
8. de _____ tables
9. un _____ garçon
10. de _____ garçons
11. une _____ pièce
12. de _____ pièces

2. *Mettez des formes de* nouveau.

1. un _____ an
2. de _____ amis
3. une _____ amie

4. un _____ élève
5. de _____ écoles
6. un _____ examen

7. un _____ malade
8. une _____ leçon
9. de _____ blouses

L. *Employez* connaître, savoir *ou* pouvoir.

1. Nous _____ Marie.
2. On _____ y monter.
3. Je _____ bien Paris.

4. Il ne _____ pas dormir.
5. _____-vous y jouer?
6. Qui _____ compter vite?

M. *Faites des séries de nombres.*

1. 99, 89, 79, etc.
2. 98, 88, 78, etc.
3. 97, 87, 77, etc.

4. 96, 86, 76, etc.
5. 95, 85, 75, etc.
6. 94, 84, 74, etc.

7. 93, 83, 73, etc.
8. 92, 82, 72, etc.
9. 91, 81, 71, etc.

N. *Donnez l'heure selon l'exemple:* il est deux heures.

1. 2:00
2. 1:15
3. 3:45

4. 8:30 A.M.
5. 7:57 A.M.
6. 5:15 A.M.

7. 10:40
8. 11:22
9. 11:45

10. 9:38
11. 6:16
12. 4:19

13. 12:00 N.
14. 11:46
15. 8:12 A.M.

O. *Mettez* que *ou* de.

1. Elle est plus âgée _____ lui.
2. Il est moins grand _____ toi.
3. Tu n'es pas si belle _____ moi.

4. Jean a moins _____ seize ans.
5. Tu es aussi gentil _____ eux.
6. Nous en avons plus _____ six.

P. *Remplacez les mots en italique par* y *ou* en.

1. Il sort *du salon.*
2. Il va *au bureau.*
3. Il y a *de belles fleurs.*
4. Elle rentre *chez elle.*
5. Vous lisez *des journaux.*
6. Je joue *au tennis.*
7. Il a besoin *de repos.*
8. Nous montons *au sixième.*

9. Je réponds *aux questions.*
10. Il demeure *dans cette rue.*
11. Elles étudient *en classe.*
12. Ils ont beaucoup *de travail.*
13. Elles ont un peu *de temps.*
14. Je veux parler *de ce repas.*
15. Elle peut aller *en ville.*
16. On s'amuse *sous les arbres.*

SEIZIÈME
LEÇON

L'Après-Midi

A deux heures moins dix, le médecin appelle sa secrétaire. Elle a entendu et la voilà qui vient:

— Oui, docteur? Vous avez sonné?

— Combien de malades se trouvent encore dans l'antichambre?

— Combien y en a-t-il? Il y en a deux, docteur. Voulez-vous les recevoir?

— Non, je n'ai pas le temps. Mettez la liste sur ma table et dites-leur de revenir une autre fois. Dites-le-leur gentiment.

— Bien, monsieur, je vais le leur dire. Vous partez déjà?

— Oui, mademoiselle. Je me rappelle que je dois aller à l'hôpital. Un ami m'a demandé d'examiner avec lui un de ses nouveaux malades. Hier je lui ai promis de le faire.

M. Duval a fini ses consultations. Il prend son chapeau et son pardessus, dit au revoir à Mlle. Martin et quitte le bureau.

Les jeunes gens ont déjeuné à midi. Il est deux heures de l'après-midi. Jean et Marie ont pris leurs places dans la classe de géographie. Le professeur s'appelle M. Blanchard. De quoi parle-t-il? Ecoutons-le:

— Parlons cet après-midi de notre pays. Le voici sur cette carte. (Il la leur montre.) Si l'on aime bien son pays, on doit le connaître. Nous savons combien d'états il y a aux Etats-Unis, n'est-ce pas, Jean? Rappelez-le-nous, s'il vous plaît.

— Oui, monsieur, il y en a cinquante.

— Bien. Et quel est le plus grand état?

— L'Alaska est maintenant le plus grand état des Etats-Unis.

— C'est ça! Yvonne, quelle est la population de la plus grande ville des Etats-Unis?

— New York a plus de huit millions d'habitants, monsieur.

La classe continue et l'on parle aussi d'autres choses: les villes les plus importantes du pays, etc.

Vocabulaire

aimer like, love
déjeuner breakfast, lunch
promettre (de) promise (to)
rappeler remind someone of
  se rappeler remember
revenir come back (again)
sonner ring

dites-le-leur tell them it (so)
écoutons-le let's listen to him
rappelez-le-nous recall it to us

la carte map
un chapeau hat
un état state
  aux Etats-Unis in the U. S.
la géographie geography
un habitant inhabitant

un hôpital hospital
  des hôpitaux hospitals
la liste list
un million (de) million
un pardessus overcoat
une place seat, place
un pays country
la population population

important important

c'est ça! that's it!
déjà already
encore still, yet, again
gentiment nicely
hier yesterday
midi noon

Etude de Verbes

1. Le passé composé (*the present perfect* or *preterite tense*)

ont déjeuné	(have) lunched	**ont pris**	have taken, took
a entendu	(has) heard	**ai promis**	(have) promised
a fini	(has) finished	**avez sonné**	have rung, rang

These verb forms are composed of two parts: the past participle (*le participe passé*) of the verb (**donné, entendu, fini**) preceded by a form of the present tense of **avoir**. This compound form is called the *passé composé*.

Inf.: donner	Inf.: finir	Inf.: entendre
j'ai donné	j'ai fini	j'ai entendu
tu as donné	tu as fini	tu as entendu
etc.	etc.	etc.

This tense indicates an act or state completed in the past and means: (1) *I gave, I finished, I heard,* (2) *I have given, I have finished, I have heard* or (3) *I did give, I did finish, I did hear.*

To form regular past participles, drop the infinitive ending and substitute:

–é for –er	–i for –ir	–u for –re

Participles not following this regular pattern will hereafter be listed in the vocabulary after the infinitive (**faire/fait**). Irregular participles of some common verbs are:

être	été	prendre	pris	dire	dit
avoir	eu	promettre	promis	faire	fait

2. **mettre** *au présent:* **mets, mets, met, mettons, mettez, mettent**

Promettre is like **mettre** in its forms; **revenir** is like **venir,** and **rappeler** is like **appeler.** Watch for such compounds of known verbs.

Remarques

1. a. **Cette ville est** *grande.*   This city is big.
   b. **Cette ville est** *plus grande.*   This city is bigger.
   c. **C'est** *la plus grande ville* **des Etats-Unis.**   It's the biggest city in the United States.
   d. **C'est** *mon plus cher* **ami.**   He's my dearest friend.
   e. **Ce sont** *les* **villes** *les plus importantes* **du pays.**   They are the most important cities in the country.
   f. **C'est** *ma* **classe** *la plus importante.*   It's my most important class.

To form the superlative (c–f) of an adjective, use **le, la, les** or **mon, ma, mes,** etc. plus the comparative (b).

Whether the definite article (**le, la, les**) or the possessive adjective (**mon, ma, mes,** etc.) is used before the noun, the definite article must be included to form superlatives after nouns (e, f).

In after a superlative (c, e) is **de.**

2. **Plus d'un million d'habitants.**   More than a million inhabitants.
De is used after **million** before another noun.

3.   a. **Rappelez-le-nous!**   Recall it to us!
            b. **Ne nous le rappelez pas!**   Don't recall it to us!

The forms and position of object pronouns in negative commands (b) follow the pattern on pages 89–90.

Positive commands:

Donnez-le-moi!	Give it to me!
Donnez-le-lui!	Give it to him (her)!
Donnez-le-nous!	Give it to us!
Donnez-le-leur!	Give it to them!

Practice substitution of **la** and **les** for **le** above.

Donnez-m'en!	Give me some!
Donnez-lui-en!	Give him (her) some!
Donnez-nous-en!	Give us some!
Donnez-leur-en!	Give them some!

"*Let us*" commands follow the above patterns:

Donnons-le (-la, -les) -lui!	Let's give it (them) to him (her)!
Donnons-le (-la, -les) -leur!	Let's give it (them) to them!
Donnons-lui (-leur) -en!	Let's give him *or* her (them) some!

Remember that **lui** means *to him, to her.*

4.   **Combien y en a-t-il?**   How many (of them) are there?
            Il y en a cinquante.   There are fifty (of them).

Referring to a definite or indefinite quantity of things or persons already mentioned, **en** (*some, of it, of them*) must be used.

5.   **Si l'on aime ... et l'on parle**

The **l'** is often inserted before **on** for pronunciation purposes after **et, ou, où, que** and **si.**   See use of **-t-,** page 22.

Compositions orales

Le médecin quitte son bureau   La classe de géographie

Questions

Qui a sonné?

Qui est-ce que le médecin a appelé?

Qui a entendu le médecin?

Combien de malades restent encore?

Le médecin veut-il les recevoir? Pourquoi?

Que dit-on aux malades?

Que se rappelle M. Duval?

Qu'est-ce qu'un ami lui a demandé de faire?

Quand le médecin a-t-il promis de le faire?

Qui a fini ses consultations?

Qu'a-t-il pris pour partir?

Qu'a-t-il dit à Mlle. Berger?

A quelle heure les jeunes gens ont-ils déjeuné?

Quelle classe a-t-on à deux heures de l'après-midi?

Qui y a pris sa place?

Comment s'appelle le professeur de géographie?

De quoi a-t-on parlé dans la classe de géographie?

Que doit-on connaître?

Combien d'états y a-t-il aux Etats-Unis?

Quel est le plus grand état des Etats-Unis?

Quelle est la plus grande ville des Etats-Unis?

Combien d'habitants a New York?

Questions Supplémentaires

Exercices

A. *Conjuguez.*

j'ai dit à Jean d'entrer

j'ai fait mon travail

j'ai été très malade

j'ai promis de le faire

j'ai entendu la sonnerie

j'en ai donné cinq à Marie

j'ai rappelé cet examen à Jean

je n'en ai que dix

j'en vois beaucoup

j'en reçois moins

j'ai pris ma place

j'en lis un peu

j'ai eu de la fièvre

j'ai fini ma leçon

B. *Faites des comparaisons selon l'exemple.*

C'est une grande ville.   C'est une plus grande ville.

C'est la plus grande ville (du pays).

1. grande ville (le pays)
2. gros garçon (l'école)
3. belles fleurs (le jardin)

4. petits jardins (notre rue)
5. état important (Etats-Unis)
6. personne malade (la famille)

C. *Mettez aux formes affirmatives et négatives en employant tous les pronoms indirects qui conviennent.*

> *Ex.:* dites-le-moi!   Ne me le dites pas!
>   dites-le-lui!   Ne le lui dites pas!
>   etc.

1. dites-le-moi
2. donnez-m'en
3. disons-le-lui
4. montrez-les-moi
5. donnons-lui-en
6. demandons-la-lui

D. *Faites des résumés oraux à toutes les personnes du passé composé avec*

a. finir (ses) consultations, appeler (sa) secrétaire, prendre (son) chapeau, dire au revoir à (sa) secrétaire, quitter le bureau, promettre d'examiner un malade.

b. déjeuner, prendre (sa) place, parler de (son) pays, rappeler tous les états, parler d'autres choses

E. *Mettez les verbes en italique au passé composé.*

1. Je *quitte* ma classe.
2. Elle *joue* au tennis.
3. Ils *sont* très malades.
4. Nous *avons* de la fièvre.
5. Elles *prennent* leurs places.
6. Vous *promettez* d'y aller.
7. Nous *disons* «bonjour».
8. Tu *fais* très bien.
9. J'*ai* besoin de repos.
10. Ils *ont* mal à la tête.
11. Elle *dort* huit heures.
12. Qui *pose* ces questions?
13. Il *examine* la malade.
14. Nous *trouvons* la balle.
15. Vous *appelez* vos amis.
16. On *attend* le professeur.
17. Je *montre* le journal à Jean.
18. Elles *remplissent* le salon.
19. Ils *comprennent* les nombres.
20. On *compte* de un à cent.
21. Nous *répétons* l'examen.
22. Tu *téléphones* à Marie.
23. Vous *arrêtez* l'autobus.
24. Elle *donne* du café à Jean.
25. J'*oublie* de le leur dire.
26. On *répare* la voiture.
27. Ils *traversent* la rue.
28. Je *commence* la consultation.
29. Vous *continuez* la leçon.
30. Nous *écoutons* le médecin.
31. Elles *finissent* le déjeuner.
32. Il *demande* au fils d'entrer.
33. Ils *étudient* la géographie.
34. Nous *habitons* les Etats-Unis.
35. Tu *parles* français en classe.
36. Je la *porte* chez mon amie.
37. Elle *travaille* à la maison.
38. Elles *regardent* les meubles.
39. Je *trouve* mon pardessus.
40. Ils *mangent* des œufs.

DIX–SEPTIÈME
LEÇON

On Va Rentrer

Il est maintenant trois heures vingt. Mme. Duval s'est levée. Elle descend du premier étage au rez-de-chaussée. Elle a dormi et s'est reposée. Elle se regarde dans une glace, s'arrange les cheveux et met son chapeau avant de partir. — Est-ce que j'ai oublié quelque chose? se demande-t-elle. Non, j'ai tout ce qu'il me faut.

Elle ferme la porte de derrière et sort par la porte de devant, qu'elle ferme à clef. Elle va au garage où elle prend sa belle voiture et la voilà partie pour aller chercher ses enfants.

Il est trois heures et demie. La sonnerie a annoncé la fin des classes. Tous les élèves se sont dépêchés de sortir. Ils sont libres. Il fait beau temps et ils sont tous contents de quitter l'école et d'oublier leurs études pour le moment. Jean et Marie ont dit au revoir à leurs amis Maurice et Pauline; après quoi ils sont allés au coin de la rue attendre leur mère. Mais elle est arrivée à cet endroit avant eux. On est monté tout de suite dans la voiture et Mme. Duval les conduit chez eux.

M. Duval a fini sa consultation avec son confrère. Il lui a donné son avis professionnel. Maintenant il va visiter quelques malades à l'hôpital avant de rentrer chez lui. Cet hôpital est très moderne; c'est un bel hôpital, un des hôpitaux les plus modernes de l'état. Il y voit plusieurs malades, les examine et leur parle. A quatre heures il a fini. Comme il est un peu fatigué, il a décidé de prendre un taxi pour rentrer. Il y a des taxis qui attendent devant l'hôpital. Il en prend un.

Vocabulaire

(s')arranger   fix, arrange (for oneself)
chercher   seek, look for
  aller chercher   go (and) get
décider (de)   decide (to)
se demander   wonder, ask oneself
faire beau (temps)   be pleasant
  (weather)
fermer   close
  fermer à clef   lock (by key)
visiter   visit

lui a donné   has given (gave) him
la voilà partie   she's off, away
tout ce qu'il me faut   all (that) I need
un avis   opinion
les cheveux *m.*   hair (*of head*)
le confrère   colleague
un endroit   place

une étude   study;   les études *f.*
  studies
la fin   end
une glace   mirror
la porte de derrière   back door
  (de devant)   (front door)
le moment   moment
un taxi   taxi

quelque chose   something
quoi   which, what

content (de)   glad (to, of)
libre   free
professionnel, professionnelle   professional

avant (de partir)   before (leaving)
par   by, through

Une vue de l'Arc de Triomphe   *French Government Tourist Office*

Etude de Verbes

1.
a.		b.	
se sont dépêchés	(have) hurried	sont allés	have gone, went
s'est levée	(has) got up	est arrivée	(has) arrived
s'est reposée	(has) rested	est monté	(has) entered

In L. 16 we saw that the *passé composé* of transitive verbs is a combination of a present tense form of **avoir** and a past participle (**j'ai donné**, etc.).

The *passé composé* of reflexive verbs (a) and some intransitive verbs (b) is a combination of a present tense form of **être** and a past participle:

a.			b.	
je me suis	levé(e)		je suis	arrivé(e)
tu t'es	levé(e)		tu es	arrivé(e)
il s'est	levé		il est	arrivé
elle s'est	levée		elle est	arrivée
nous nous sommes	levé(e)s		nous sommes	arrivé(e)s
vous vous êtes	levé(e)	*sing.*	vous êtes	arrivé(e)
vous vous êtes	levé(e)s	*plur.*	vous êtes	arrivé(e)s
ils se sont	levés		ils sont	arrivés
elles se sont	levées		elles sont	arrivées

When the **me, te,** etc. of reflexive verbs (a) are direct objects, the past participles agree with such direct objects, just as adjectives agree with nouns and pronouns.

If they are indirect objects, there is no agreement:

Elle s'est *arrangé* les cheveux. She fixed (for herself) her hair.

Here the direct object is **les cheveux** and **se** is the indirect. Distinguish hereafter between direct and indirect reflexives.

2. The intransitive verbs which form their *passé composé* with **être** usually involve motion (except **rester**). The past participles of such verbs agree with the subject:

arriver — partir   entrer — sortir
monter — descendre   aller — venir

Since **vous** may refer to one or more persons of both genders, note variations in past participle agreements in Section 1 above.

3. Other irregular past participles:

conduire — conduit   mettre — mis   asseoir — assis

Remarques

1.   Elle s'arrange *les* cheveux.   She fixes her hair.
       Je me lave *la* tête.   I wash my head.
   When a part of the body obviously belongs to the subject, use **le, la, l', les** and not **mon, ma, mes**, etc.   See page 83.

2. a. Je n'ai pas le temps.   I don't have the time.
   b. Il *fait* beau temps.   It's fine weather.
   Note use of **faire** to describe weather conditions (b).   For (a), see page 91.

3.   Allons chercher les enfants.   Let's go (and, to) get the children.
       Entrons attendre Marie.   Let's go in and (to) wait for Mary.
   When a verb of motion (**aller**, etc.) serves as a mere preliminary to the principal action (**chercher**, etc.), use no preposition between the verbs.

4. a. J'ai *tout* ce qu'il faut.   I have everything necessary.
   b. Ils sont *tous* contents.   They (*m.*) are all glad.
   c. Elles sont *toutes* contentes.   They (*f.*) are all glad.
   As a pronoun, **tout** means *everything;* **tous** and **toutes** mean *all (persons* or *things)*.   Sound the **s** of the pronoun **tous** (b).
   As an adjective:

tout le pays	*toute* la ville
tous les pays	*toutes* les villes

5. a. Il me faut étudier.   I must study.
   b. Tout ce qu'il me faut.   Everything I need (necessary to me).
   c. Il lui faut un jour pour y aller.   He needs (takes) a day to go there.
   Il faut is useful to express need (b) as well as necessity (a) or requirements (time, money, etc.) for fulfilling an action (c).   Note that it takes the indirect object of the person involved (b, c).

Compositions orales (au passé)

Mme. D. va chercher les enfants

La fin des classes   M. Duval à l'hôpital

Questions

Qui est descendu du premier étage? Quand?

Qui s'est regardé? Où?

Qu'est-ce qu'elle a fait devant la glace?

Qu'a-t-elle mis avant de partir?

Quelle porte Mme. D. a-t-elle fermée avant de sortir?

Par quelle porte est-elle sortie?

Où Mme. D. est-elle allée prendre sa voiture?

Qui est-elle allée chercher?

Qu'est-ce qui a annoncé la fin des classes?

Qui s'est dépêché de sortir?

Quel temps fait-il?

De quoi est-on content?

Qu'a-t-on dit aux amis avant de quitter l'école?

A quel endroit les enfants ont-ils attendu leur mère?

Qui est arrivé avant eux?

Quand est-on monté dans la voiture?

Qu'est-ce que M. D. a fini à l'hôpital? Avec qui?

Que lui a-t-il donné?

Qui est-il allé visiter? Quand?

Comment est l'hôpital?

A quelle heure a-t-il fini?

Qu'a-t-il décidé de prendre pour rentrer? Où?

Questions Supplémentaires

Exercices

A. *Conjuguez.*

je me suis levé(e) à 6 h.

je me suis lavé la tête

je viens les voir

je descends la chercher

j'ai mis ma blouse blanche

je suis arrivé(e) chez moi

je me suis demandé pourquoi

je me suis assis(e) à ma place

je me suis arrangé les cheveux

je sors jouer au tennis

je les ai conduit(e)s chez moi

je suis allé(e) les chercher

je me suis dépêché(e) d'y aller

je suis monté(e) dans ma voiture

B. *Continuez avec* me, te, etc.

il faut me lever

il faut m'en parler

il me faut des journaux

il me faut dix heures pour y aller

C. *Mettez* heure, temps *ou* fois.

1. Il a fait beau _____.

2. Quelle _____ est-il?

3. Elle a peu de _____.

4. Répétez-le six _____.

5. Quel _____ fait-il?

6. Je l'ai dit trois _____.

7. Combien de ____ as-tu?

8. Une ____ est passée.

9. Faites-le cette ____!

10. On le finit à deux ____.

D. *Mettez* tout, toute, tous *ou* toutes.

1. ____ en sont contents.

2. Je vois ____ la ville.

3. J'aime ____ les femmes.

4. Il y passe ____ son temps.

5. ____ va bien chez eux.

6. ____ veulent en boire.

7. Elles sont ____ assises.

8. ____ ces repas sont bons.

E. *Faites des résumés oraux à toutes les personnes du passé composé avec*

1. (*à la maison*) dormir une heure, se reposer un peu, se lever, descendre au rez-de-chaussée, se regarder dans la glace, mettre (son) chapeau, sortir de la maison, fermer la porte, aller au garage, monter en voiture, aller chercher les enfants, les conduire à la maison

2. (*à l'école*) finir (ses) classes, se dépêcher de sortir, quitter l'école, oublier les études, dire au revoir à (ses) amis, aller au coin de la rue, attendre (sa) mère, monter en voiture, rentrer chez (soi)

3. (*à l'hôpital*) finir la consultation, donner (son) avis, aller visiter des malades, décider de prendre un taxi, en prendre un, rentrer chez (soi)

F. *Mettez les verbes en italique au passé composé.*

1. Nous nous *levons* à six heures.

2. Elles *descendent* à la cuisine.

3. Ils *dorment* dans ma chambre.

4. Vous vous *reposez* chez vous.

5. Je me *regarde* dans la glace.

6. Elle s'*arrange* les cheveux.

7. Tu *oublies* de la fermer.

8. Ils se *demandent* pourquoi.

9. Il *a* une consultation ici.

10. On *ferme* la porte à clef.

11. Je *vais* chercher des amis.

12. Vous *prenez* la grande voiture.

13. Nous *partons* à dix heures.

14. On *annonce* la fin des classes.

15. Elle se *dépêche* de sortir.

16. Tu *dis* «au revoir» à tous.

17. Il *arrive* au coin de la rue.

18. Ils *montent* en voiture.

19. Elles s'*asseyent* à table.

20. Qui *conduit* Marie en ville?

21. Nous *sommes* contents de lire.

22. Je *promets* de les attendre.

23. Vous *finissez* le ménage.

24. Je me *lave* les cheveux.

25. Il *fait* beau temps.

26. Elle *décide* de le prendre.

27. Nous *partons* à huit heures.

28. On *sort* à trois heures.

29. Tu *attends* un confrère.

30. Il s'*habille* avant eux.

DIX-HUITIÈME
LEÇON

Le Retour

Il est environ quatre heures et quart. La mère vient de rentrer à la maison avec ses deux enfants, qui sont très heureux d'être de retour. Madame Duval est heureuse de revoir son fils et sa fille. Depuis une demi-heure Jean et Marie sont chez eux. Ils ont dû se laver et puis sont descendus à la cuisine. Jean doit avoir faim car c'est un garçon très actif. Sa mère lui a déjà fait un sandwich au fromage. Comme il a soif, il boit un grand verre de lait tout en mangeant. Marie ne mange pas parce qu'elle veut rester svelte comme sa mère. Elle ne boit qu'un verre de coca-cola, c'est tout. Le goûter fini, on est allé au salon où l'on s'est assis.

Mme. D. — Votre père n'est pas encore rentré. Il a dû rester au bureau. Qu'est-ce que vous allez faire maintenant?

J. — Je ne sais pas. J'ai envie de sortir faire une partie de tennis. Il fait si beau aujourd'hui!

Mme. D. — As-tu étudié tes leçons? Si tu n'as pas bien préparé tes leçons pour demain, il faut le faire. Toi aussi, Marie!

M. — Oui, je dois étudier, je le sais. Travaillons, Jean, avant de nous amuser.

J. — Tu as raison, mais c'est dommage. Je pensais jouer au tennis une heure et travailler plus tard. J'aime bien le tennis et on apprend à jouer en jouant.

M. — Eh bien, allons-y! Faisons une partie. As-tu tout ce qu'il faut?

Les deux jeunes gens ont pris leurs raquettes et des balles. Ils sont en tenue de sport et viennent de sortir. A ce moment, M. Duval arrivait chez lui.

Vocabulaire

aimer bien   be fond of
apprendre (à)/appris   learn (to)
avoir envie (de)   feel like (doing)
avoir raison (de)   be right (to)
être de retour   be back
être en tenue de sport   be dressed for sports
faire une partie (de   play a game
penser à think
revoir/revu   see again
venir de   have just *+ inf.*

le goûter   snack
une raquette   racket
le retour   return
un sandwich au fromage   cheese sandwich
un verre   glass

actif, active   active
heureux, heureuse (de)   happy, glad (to)
svelte   slim

doit avoir faim   must be hungry
en jouant   by playing
(tout) en mangeant   while eating

car   as, for, since, because
comme   as, like, *how*
depuis   since
eh bien!   O.K., well
environ   about
ne ... pas encore   not yet
tard   late

arrivait   was arriving
pensais   was thinking

une demi-heure   half (an) hour

Etude de Verbes

1.   Le Participe Présent (*the present participle*)

   a. **On apprend** *en jouant.*   You learn by playing.

   b. **Il boit un verre de lait (tout)** *en mangeant.*   He drinks a glass of milk while eating.

   c. **Il le boit (tout)** *en les mangeant.*   He drinks it while eating them.

   d. *S'asseyant,* **il le boit.**   Sitting down, he drinks it.

When one action contributes to the accomplishment of another action (a), or if the two actions occur together (b, c), use **en** + the verb form ending in –ant (the present participle). If the form in –ant precedes the other verb, **en** is often omitted (d). **Tout** may be added to emphasize the combination of actions (b, c).

Object pronouns precede this verb form (c). See pages 89–90.

nous parlons	nous descendons	nous finissons
en parlant	en descendant	en finissant

Use the first person plural of the present tense to derive this form except:

avoir — ayant	être — étant	savoir — sachant

Note: **en** is the only preposition followed by the present participle. Use the infinitive form of the verb after other prepositions.

2. Other irregular past participles

boire — bu	pouvoir — pu	lire — lu
devoir — dû	savoir — su	voir — vu

3. Conjugate alike: apprendre — prendre   revoir — voir

4. **arrivait** was arriving   **pensais** was thinking

These are forms of the imperfect tense (*l'imparfait*), soon to be studied.

Remarques

1.

n'ont pas attendu	have not waited
n'est pas rentré	has not returned
n'as pas préparé	have not prepared

To make a verb negative in the *passé composé*, put **ne** before the auxiliary verb (**avoir** or **être**) and **pas** after it.

In general, short adverbs (**bien, encore, déjà, plus, vite**, etc.) come just before the past participle:

Il n'est pas *encore* rentré.	He hasn't returned yet.
Elle lui a *déjà* fait un sandwich.	She has already made him a sandwich.
Tu n'as pas *bien* préparé tes leçons.	You have not prepared your lessons well.

2. **Elle vient de rentrer.**   She has just returned.

If a person "comes from doing something," he obviously has just done it.

3. a. **Ils *sont* chez eux depuis une   demi-heure.**
They have been home for half an hour (and still are).

   b. **Il *est* une heure et demie.**   It's half past one.

After **depuis** (*since*), the present tense (**sont**) shows that what has been going on is still going on.

Note: When **demi** is prefixed to a noun, it is invariable (a).   Otherwise it agrees with the preceding noun (b).

4. **Il a dû rester au bureau.**   He must have stayed at the office.
                                          He had to stay at the office.

   Jean doit avoir faim.   John must be hungry.
   Ils ont dû se laver.   They must have washed.
                                          They had to wash.

   Je dois étudier.   I must study.

We know that **devoir** means *duty*, but it can also indicate *probability*.

5. **Nous *nous* amusons.**   We are having a good time.
   Travaillons avant de *nous* amu-   Let's work before having a good time.
   ser.

Be careful to use the proper reflexive pronoun object agreeing with the subject (**nous**), whether the verb is an infinitive (**amuser**) or not.

6. **J'ai envie *de* sortir.**   I feel like going out.
   Elle est heureuse *de* les revoir.   She is glad to see them again.

Use **de** before the infinitive to show the source or nature of an emotion.

Compositions orales (au passé)

Mme. D. revient avec les enfants   On veut jouer au tennis

Questions

Que vient de faire Mme. D.?

Avec qui vient-elle de rentrer?

Qui est heureux d'être de retour?

Pourquoi la mère est-elle heureuse?

Depuis quand les enfants sont-ils chez eux?

Ont-ils attendu pour descendre?

Où sont-ils descendus?

Qui doit avoir faim? Pourquoi?

Qu'est-ce que sa mère lui a fait?

Que boit-il? Pourquoi?

Que fait-il tout en buvant?

Qui ne veut pas manger? Pourquoi?

Que boit-elle?

Où est-on allé après le goûter?

Qui n'est pas encore rentré?

Qu'est-ce que Jean a envie de faire? Pourquoi?

Les enfants ont-ils préparé leurs leçons?

Que doit-on faire avant de s'amuser?

Jean, que pensait-il faire?

Quand pensait-il travailler?

Combien de temps pensait-il jouer au tennis?

Qui voulait jouer avec Jean?

Qu'est-ce que les jeunes gens ont pris pour jouer?

Comment étaient-ils habillés?

Qui arrivait comme ils sortaient jouer au tennis?

Questions Supplémentaires

Exercices

A. *Continuez en série dans toutes les formes affirmatives et négatives.*

j'ai dû les étudier

j'ai bu de l'eau

j'ai lu une revue

j'ai pu en trouver

j'ai su où il demeure

je suis rentré chez moi

j'ai déjà vu cet homme

j'ai bien joué au tennis

B. *Continuez en série.*

j'ai envie de la revoir

je viens de les trouver

j'ai envie d'en boire

j'ai raison de le dire

C. *Conjuguez.*

je suis de retour depuis ce matin

je les cherche depuis hier

j'ai bu mon lait tout en mangeant

je vais me lever et puis m'habiller

je veux m'amuser et puis me reposer

j'aime bien faire une partie de tennis

si je n'ai pas mangé, je dois avoir faim

je me repose en dormant

j'apprends en étudiant

D. *Complétez.*

1. A-t-il envie ＿＿ dormir? 2. Ils viennent ＿＿ rentrer. 3. Où est la porte ＿＿ devant? 4. C'est un sandwich ＿＿ fromage. 5. Elle est heureuse ＿＿ me revoir. 6. Je ne veux pas jouer ＿＿ tennis. 7. Boit-il ＿＿ mangeant? 8. ＿＿ ce moment elle est rentrée. 9. Qui descend ＿＿ premier étage? 10. Elle se regarde ＿＿ la glace. 11. Mettez votre chapeau avant ＿＿ sortir! 12. Sortons ＿＿ cette porte! 13. Fermez-la ＿＿ clef! 14. Est-elle contente ＿＿ étudier? 15. Dépêchez-vous ＿＿ vous lever! 16. Allons ＿＿ coin ＿＿ la rue! 17. Ils sont montés ＿＿ l'autobus. 18. Je les conduis ＿＿ moi. 19. Il a consulté ＿＿ son confrère. 20. J'ai décidé ＿＿ me reposer ＿＿ moi.

E. *Faites des résumés oraux à toutes les personnes du passé composé avec*

rentrer chez (soi), se laver, ne pas attendre pour descendre, faire un sandwich au fromage, boire un verre de lait, finir le goûter, aller au salon, s'asseoir, préparer (ses) leçons, vouloir jouer au tennis, prendre (sa) raquette, sortir

L'Ile de la Cité et L'Ile Saint-Louis   *French Government Tourist Office*

DIX-NEUVIÈME
LEÇON

Le Retour du Père

M. Duval vient de payer le chauffeur à qui il a donné un pourboire. Il le lui a donné et maintenant il va vers la maison. Ses deux enfants l'ont vu et se sont arrêtés pour lui parler.

M. — Voilà papa qui rentre! Bonsoir, papa! (Jean le lui dit aussi. Tout en parlant, on s'embrasse.)

M. D. — Je suis content de vous revoir, mes enfants! Vous allez jouer au tennis?

J. — Oui, papa, on pensait jouer avant le dîner, tout de suite.

M. D. — Quoi? Vous n'avez pas même étudié? Ne devez-vous pas travailler avant de vous amuser? Vous ne devez jamais vous amuser avant d'étudier!

M. — Oui, mais mon frère voulait jouer avant de préparer ses leçons.

J. — Oui, je veux m'amuser; il fait si beau. Est-ce que j'ai tort?

M. D. — Jeune homme, tu as tout à fait tort! Tout de même, va jouer au tennis, mais n'oublie jamais tes devoirs, n'est-ce pas? Toi, aussi, ma fille. A bientôt, jeunes gens. Ne vous fatiguez pas trop et ne rentrez pas trop tard.

Les jeunes gens disent au revoir au père et tous deux partent en courant avec leurs balles et leurs raquettes. M. Duval les regarde partir en se disant: — Ah, cette jeunesse!

Mme. Duval vient d'ouvrir la porte à son mari et lui dit: — Albert, comment vas-tu?

— Ça va bien, Louise. Je suis content de te voir. (Ils s'embrassent.

M. Duval a ôté son veston et son chapeau.   Il les a ôtés, puis il est entré dans le salon.   Sa femme l'a accompagné.)

— Eh bien, Albert, as-tu vu beaucoup de malades?   Tu as l'air fatigué.

— Oui, ma chérie, j'en ai vu beaucoup.   J'ai dû même dire aux derniers de revenir une autre fois.   Ils n'en étaient pas contents. Avons-nous reçu du courrier? J'attends une lettre de France.

— Oui, Albert, voici les lettres que nous avons reçues aujourd'hui.

Vocabulaire

accompagner accompany	**le devoir** homework, duty
avoir l'air (de) seem (to)	**le dîner** dinner
avoir tort (de) be wrong (to)	**la France** France
dîner dine	**la jeunesse** youth
(s)embrasser kiss, hug (each other)	**une lettre** letter
se fatiguer get tired	**un pourboire** tip
ôter remove	**le veston** coat, jacket
ouvrir/ouvert open	
payer pay	**tous (les) deux, toutes (les) deux** both
	dernier, dernière last
en courant running	
ne devez-vous pas? mustn't you?	**bonsoir** good evening
il y avait there was, were	**même** even
étaient were	**tout de même** even so, anyway
pensait was thinking (of)	**ne ... jamais** never
voulait wanted, wished	**tout à fait** completely
	trop (de) too, too much, too many (of)
le chauffeur driver	**vers** toward
chéri, chérie dear	
le courrier mail	

Etude de Verbes

1. a. *Vas*-y! *Va* jouer au tennis!   Go to it!   Go play tennis!
   b. N'*oublie* pas tes devoirs!   Don't forget your homework!
   c. *Assieds*-toi! Ne t'*assieds* pas!   Sit down!   Don't sit down!

Most singular familiar commands have the same form as the second person singular of the present tense (**tu**) forms, except that we keep final −s of the −er type (a, b) only when linked by a hyphen to following **y** or **en** (vas-y!):

| **tu vas** | **tu oublies** | **tu descends** | **tu finis** | **tu pars** |
| va(s)! | oublie(s)! | descends! | finis! | pars! |

Object pronouns follow the same pattern as in formal commands. See page 100. In positive commands, note use of the strong form (**toi**) of the reflexive object (c).

2. Note the form and meaning of the *passé composé* of **il faut** (*it is necessary*):

Il a fallu le faire hier soir.   It was (became) necessary to do it yesterday evening.

3. Other irregular past participles:

recevoir — reçu   **venir — venu**

connaître — connu   **vouloir — voulu**

4. **ouvrir** et **payer** au présent:

| **ouvre** | **ouvres** | **ouvre** | **ouvrons** | **ouvrez** | **ouvrent** |

The present tense of **ouvrir** follows the −er pattern.

| **paie** | **paies** | **paie** | **payons** | **payez** | **paient** |

The present tense of **payer** changes −y− to −i− in four forms. What pattern does this follow? See page 77.

Remarques

1. **Avons-*nous* reçu?**   Have we received?

   As-*tu* étudié?   Have you studied?

To make questions in any compound tense, put subject pronouns (**nous, tu**, etc.) after the auxiliary verbs (**avons, as**, etc.) or use **est-ce que** with normal order:

Est-ce que nous avons reçu?   Have we received?

2. a. **Ils se sont *arrêtés*.**   They stopped (themselves).

   b. **Il les a *ôté(e)s*.**   He removed them.

   c. **Voici les lettres que nous**   Here are the letters (which) we re-
      avons *reçues*.   ceived.

d. **Combien en a-t-il** *reçues?*	How many (of them) did he receive?
But: e. **Il en a** *trouvé.*	He found some (of them).

In compound tenses, the past participles (**arrêtés, ôtés, reçues,** etc.) agree with direct objects (**se, les, que, combien,** etc.) preceding them (a–d), but not with en alone (e). If a relative clause is involved, the participle agrees with the preceding direct object **que,** which depends on its antecedent (**les lettres**) for gender and number (c).

3. **Il** *la lui* **a donnée.**	He gave it to him (her).
Il ne *la lui* **a pas donnée.**	He didn't give it to him (her).
J'*en* **ai vu beaucoup.**	I saw many of them.
Je n'*en* **ai pas vu beaucoup.**	I haven't seen many of them.

In compound tenses, put object pronouns (**la, lui, en,** etc.) before the auxiliary verbs (**a, ai,** etc.) in the pattern learned on pages 89–90.

In the negative, put **ne** before any object pronouns and **pas** after the auxiliary verb.

INTERROGATIVE

est-ce que je les lui ai donné(e)s?

les lui as-tu donné(e)s?

les lui a-t-il donné(e)s?

etc.

AFFIRMATIVE	NEGATIVE
je les lui ai donné(e)s	je ne les lui ai pas donné(e)s
tu les lui as donné(e)s	tu ne les lui as pas donné(e)s
il les lui a donné(e)s	il ne les lui a pas donné(e)s
etc.	etc.

4. a. **C'est papa** *qui* **rentre.**	It's dad (who is) returning.
C'est le taxi *qui* **arrive.**	It's the taxi (which is) coming.
b. **C'est papa** *que* **je vois.**	It's dad (whom) I see.
C'est le taxi *que* **j'attends.**	It's the taxi (that) I'm expecting.
c. **Le chauffeur à** *qui* **il donne un pourboire.**	The driver to whom he gives a tip.
Je sais de *quoi* **il a besoin.**	I know what he needs (has need of).
d. *Quoi?* **Tu n'as pas étudié?**	What? You haven't studied?

Do not omit the relative pronoun as in the English of (a) and (b)! When the relative pronoun (*who, whom, which, what, that*) is

    a. subject of its verb (**rentre, arrive**), use **qui.**

    b. direct object of its verb (**vois, attends**), use **que.**

    c. prepositional object of its verb (**donne**), use **qui** for persons; for indefinite things use **quoi.**

    d. **Quoi** (*what*) is used alone as a question or an exclamation.

5. a. **Ne devez-vous pas étudier?**   Mustn't you study?
   b. **N'est-elle pas arrivée?**   Hasn't she arrived?
   c. **N'avez-vous pas dîné?**   Haven't you dined?

In formal style, to make a verb both negative and interrogative in a simple tense, the interrogative form (verb + pronoun) is put between **ne** and **pas** (a).

In a compound tense, put the interrogative form of the auxiliary verb (**est-elle, avez-vous**) between **ne** and **pas** (b, c).

Conversationally, we more frequently use the everyday patterns of the negative interrogative already studied, especially (b) and (c):

    a. **Est-ce que vous ne devez pas travailler?**

    b. **Elles sont arrivées, n'est-ce pas?**

    c. **Vous n'avez pas étudié?**

6. **Il les regarde** *partir.*   He watches them leave.

To *watch, see, hear,* etc., someone do something, put the second verb (**partir,** etc.) in the infinitive. See page 83.

7. **J'ai dû dire aux** *derniers ...*   I had to tell the last ones . . .
   Faites entrer nos *malades.*   Have our patients come in.

Adjectives (derniers, malades, etc.) are often used as nouns.

8. **Nous** *nous* **regardons.**   We look at ourselves (*or* each other).

Verbs combined with reflexive pronouns may be used in a reflexive or a reciprocal sense.

Compositions orales (au passé)

    M. Duval rentre et parle avec ses enfants
    Les enfants partent pour jouer au tennis
    Mme. Duval reçoit son mari

Questions

Qui vient de payer le chauffeur?

Que lui a-t-il donné?

Qui s'est arrêté pour lui parler?

Qui se sont embrassés?

Qui M. Duval est-il content de revoir?

Que veulent faire les enfants? Quand?

Qu'est-ce qu'ils n'ont pas fait?

Que doit-on faire avant de s'amuser?

Qui a tort? Pourquoi?

Qu'est-ce qu'on ne doit pas oublier?

Quand le père dit-il aux enfants de rentrer?

Comment sont-ils partis? Avec quoi?

Qui les a regardés partir?

Qui lui a ouvert la porte?

Qu'est-ce que les parents ont fait en se voyant?

Qui a été content de revoir M. Duval?

Qu'a-t-il ôté? Où?

Quel air a-t-il? Pourquoi?

Combien de malades a-t-il examinés? Où?

Qu'est-ce qu'il a dû dire aux derniers?

En étaient-ils contents?

Quelle lettre attendait M. Duval?

D'où venait cette lettre?

Questions Supplémentaires

Exercices

A. *Continuez en série.*

je l'ai ouverte	je le leur ai dit	j'ai voulu y aller
je les ai reçus	je les ai connus	je suis venu les voir

B. *Continuez en série avec* me, te, etc.

il m'en a demandé	on me les a rappelés
elles me l'ont dit	ils me les ont données

C. *Conjuguez.*

je l'ai regardé jouer	j'ai tort d'en vouloir
je les ai vus arriver	je l'ai entendue monter
j'ai raison d'y rester	je les ai écoutées lire

D. *Mettez au passé composé.*

se regardent-elles?   elles ne se revoient plus
vous vous consultez   vous cherchez-vous?
nous nous écoutons   se connaissent-ils?
vous ne vous parlez pas   nous nous revoyons
nous nous embrassons   ils ne se quittent jamais

E. *Mettez à la forme négative.*

vas-y!   demande-les-nous!   lis-nous-en!
lève-toi!   ouvre-la-lui!   donne-m'en!
dis-le-moi!   rappelle-la-leur!   assieds-toi!

F. *Mettez* qui, que *ou* quoi.

1. l'amie _____ nous avons vue
2. voilà papa _____ est rentré
3. _____! Vous ne le savez pas?
4. je sais avec _____ il la ferme
5. le médecin _____ on a consulté
6. l'homme avec _____ on a parlé
7. les gens chez _____ il demeure
8. le confrère _____ me l'a promis

G. *Faites des résumés oraux à toutes les personnes du passé composé avec*

payer le chauffeur, lui donner un pourboire, aller vers la maison, voir (ses)
enfants, s'arrêter pour leur parler, ouvrir la porte, entrer dans le salon, ôter (son)
veston, s'asseoir, demander le courrier

VINGTIÈME
LEÇON

Vive le Sport!

Mme. Duval dit que la lettre de France, une lettre de son frère, n'est pas encore arrivée. Elle ajoute:

— Mon pauvre ami, assieds-toi, tu es fatigué! D'abord, ôte tes souliers et mets tes pantoufles. (Il s'est assis et elle lui a apporté ses pantoufles; il les a mises, aidé par sa femme.)

— Tu sais ce que je veux, Louise? Apporte-moi un petit verre de quelque chose avec mon journal du soir, veux-tu? Etre à mon aise, c'est mon sport favori. Assez de travail! Vive le sport! Le tennis, c'est pour les jeunes!

— Quelle idée, Albert! Tu n'es pas vieux, mais pas du tout! Repose-toi. Je reviens tout de suite.

Elle l'a quitté pour aller à la cuisine. Elle savait ce que voulait son mari; il avait soif, il était fatigué; il avait souvent envie de se reposer après sa journée de travail.

Et que faisaient les jeunes gens à ce moment? Eh bien, ils s'amusaient. On venait de terminer une partie de tennis. Il faisait beau; une belle journée pour le sport. Devinez qui avait gagné. Jean? (Il battait toujours sa sœur.) Mais non, ce n'était pas lui cette fois; c'est la sœur qui avait battu le frère! Quelquefois les filles battent les garçons.

— J'ai perdu. Tu as bien joué, Marie. Mais on s'est bien amusé quand même, n'est-ce pas? C'est la première fois que je perds en jouant avec toi. Quelle honte!

—Enfin! Voilà une partie que j'ai gagnée, Jeannot! Ce qui me fait plaisir, c'est de te battre au moins une fois. On fait une seconde partie?

—Non, ne jouons plus. Rentrons ou on va être en retard.

Tous les deux sont rentrés à la maison à bicyclette. Ils y sont arrivés en cinq minutes. Leur mère les attendait à la porte.

—Vous saviez que nous vous attendions, mes enfants! Enfin, vous voilà! Dépêchez-vous! Votre père est très fâché! On dîne dans quelques minutes.

Vocabulaire

ajouter add
apporter bring
battre beat
deviner guess
être à son aise be comfortable
faire plaisir (à) give pleasure (to)
gagner win, earn
perdre lose
terminer finish

avait battu had beaten
avait gagné had won
vive! (long) live!

Jeannot Johnny
une pantoufle slipper
le soir evening
un soulier shoe
le sport sport, sports

quelle honte! what a disgrace!
quelle idée! what an idea!

ce qui, ce que what, that which

aidé (par) helped (by)
fâché angry
favori, favorite favorite
pauvre poor
second second
vieux (vieil), vieille; vieux, vieilles
   old

à bicyclette by bicycle
assez (de) enough (of) *rather*
au moins at least
d'abord (at) first
dans dix minutes in (after) ten
   minutes
en cinq minutes in (within) five
   minutes
enfin finally, *at last*
mais why, now
pas du tout not at all
quand même anyway, even so
quelquefois sometimes
souvent often
toujours always

Etude de Verbes

1. L'IMPARFAIT (*the imperfect tense*)

elle savait she knew	vous saviez you knew
il voulait he wanted	ils faisaient they were doing
il avait he had	ils s'amusaient they were having a good time
il était he was	il faisait beau it was fine
il battait he used to beat	elle attendait she was waiting
c'était it was	nous attendions we were waiting

These are forms of the imperfect tense. Use the stem of the first person plural (nous) form of the present tense to derive the imperfect of all regular and irregular verbs except être:

a.	b.	c.	d.
(être)	nous avons	nous faisons	nous savons
j'étais	j'avais	je faisais	je savais
tu étais	tu avais	tu faisais	tu savais
il était	il avait	il faisait	il savait
nous étions	nous avions	nous faisions	nous savions
vous étiez	vous aviez	vous faisiez	vous saviez
ils étaient	ils avaient	ils faisaient	ils savaient

As seen above (a–d), there is only one set of endings for all verbs in this tense.

In contrast with the *passé composé* (the preterite, or present perfect tense, in which *perfect* means *completed*), imperfect means *not completed*.

The imperfect tense (*l'imparfait*) expresses an action or state in the past, either continuous, repeated or habitual, extending over an indefinite time, and means (a) *was, used to be,* (b) *had, was having, used to have,* (c) *did, was doing, used to do,* and (d) *knew, used to know,* etc.

interrogative	*affirmative*	*negative*
est-ce que j'étais?	j'étais	je n'étais pas
étais-tu?	tu étais	tu n'étais pas
était-il?	il était	il n'était pas
etc.	etc.	etc.

2. Note the use of the imperfect tense of il y a and il faut:

Il y *avait* un journal sur la table.	There was a newspaper on the table.
Il *fallait* souvent le faire.	It was often necessary to do it.

3. **battre** au présent:

  bats   **bats**   **bat**   **battons**   **battez**   **battent**

4. **avait battu**   had beaten   **avait gagné**   had won

These are forms of the pluperfect tense (*plus-que-parfait*), soon to be studied.

Remarques

1. a. **Voici** *ce qui* **me fait plaisir.**   Here's what (that which) gives me pleasure.

  b. **Elle savait** *ce que* **voulait M. Duval.**   She knew what (that which) Mr. Duval wanted.

In clauses begun by **que** (b), noun subjects (**M. Duval**) commonly follow the verb (**voulait**).

What, as a relative pronoun subject of a verb (**fait**) is **ce qui** (a), as object of a verb (**voulait**), *what* is **ce que** (b).   **Ce** is used to provide an antecedent. Compare:

  Voici le sport *qui* **me fatigue.**   **C'est** *ce qui* **me fatigue.**
  Voici le sport *que* **je préfère.**   **C'est** *ce que* **je préfère.**

2. **Quelle idée!   Quelle honte!**   What an idea!   What a disgrace!

  Use the proper form of **quel** alone with a noun to make exclamations.   (*Do not* insert **un** or **une!**)

3. **Ils y sont arrivés** *en* **cinq minutes.**   They got there in five minutes.

  On dîne *dans* **quelques minutes.**   We're dining in a few minutes.

  En indicates time taken to achieve a result, while **dans** indicates time after which an action begins.

4. **Je reviens tout de suite.**   I am (will be) coming back right away.

The present tense is often used to indicate an act expected to occur in the immediate future.

5. **Un vieil ami** *venait de* **rentrer.**   An old friend had just returned.

If a person "was coming from" doing something, he obviously had just done it.   See page 112.

Note: Before a vowel sound, **vieux** (*sing.*) becomes **vieil.**   Recall similar use of **bel** and **nouvel.**

Compositions orales (au passé)

Monsieur Duval se repose   Les jeunes gens s'amusent

Questions

Qu'est-ce qui n'est pas arrivé de France?

Qu'est-ce que Mme. D. a dit à son mari d'ôter?

Pourquoi s'est-il assis?

Qu'est-ce que sa femme lui a apporté?

Qui a mis ses pantoufles?

Qu'a-t-il demandé à sa femme de lui apporter?

Quel est le sport favori de M. Duval?

Qu'a-t-il dit du sport? du tennis?

Que pense Mme. D. de ces idées?

Pourquoi est-elle allée à la cuisine?

Qu'est-ce que M. Duval avait envie de faire?

Que faisaient les enfants à ce moment?

Que venaient-ils de terminer?

Quel temps faisait-il?

Est-ce Jean qui avait gagné?

Qui a perdu au tennis?

Qui a bien joué au tennis?

Qui s'est bien amusé?

Combien de fois Jean a-t-il perdu en jouant avec Marie?

Qu'est-ce qui a fait plaisir à Marie?

Va-t-on faire une autre partie?   Pourquoi?

Qui les attend à la maison?

Comment tous les deux sont-ils rentrés chez eux?

En combien de temps y sont-ils rentrés?

Qui les attendait?   Où?

Que devaient savoir les enfants?

Le père était-il content?

Quand allait-on dîner?

Questions Supplémentaires

Exercices

A. *Continuez en série.*

j'en étais content   je m'amusais chez moi
je le leur disais   j'y attendais mes amis
je venais de les voir   je me levais à six heures

B. *Continuez en série avec me, te, etc.*

il me l'ouvrait souvent   il me les lisait tous les soirs
elle me recevait chez elle   elle m'en parlait tous les jours

C. *Mettez les mots qui conviennent.*

1. De ＿＿ parlions-nous?
2. ＿＿ ils ajoutaient?
3. ＿＿ était à son aise?
4. ＿＿ sport préférez-vous?
5. ＿＿ leur faisait plaisir?
6. Devinez ＿＿ j'ai gagné!
7. Voici ＿＿ va bien!
8. Avec ＿＿ y allait-il?
9. ＿＿ on buvait? Avec ＿＿?
10. ＿＿ terminaient-elles?
11. ＿＿ places preniez-vous?
12. Voilà ＿＿ elle cherchait!

D. *Complétez.*

1. Elle venait ＿＿ le battre. 2. Je l'ai lu ＿＿ un jour. 3. Il est aidé ＿＿ sa femme. 4. Etiez-vous ＿＿ votre aise? 5. Ce n'est pas ＿＿ les vieux! 6. Revenez tout ＿＿ suite! 7. Je ne le dis pas ＿＿ tout! 8. Avait-il envie ＿＿ y jouer? 9. Elle est rentrée ＿＿ cinq jours. 10. On le commence ＿＿ dix heures. 11. On se fatigue ＿＿ travaillant. 12. J'avais tort ＿＿ m'amuser. 13. Nous apprenions ＿＿ le parler. 14. Etaient-ils ＿＿ retour? 15. Il parlait tout ＿＿ mangeant. 16. J'ai décidé ＿＿ les écouter. 17. Qui l'a fermée ＿＿ clef? 18. Finissez-le avant ＿＿ partir! 19. Il a promis ＿＿ en trouver. 20. Jouaient-elles ＿＿ tennis? 21. Ils sont arrivés ＿＿ eux. 22. Le jardin était ＿＿ la maison. 23. Elle l'a mis ＿＿ la table. 24. La pelouse était ＿＿ l'école. 25. Assez ＿＿ travail!

E. *Faites des résumés oraux à toutes les personnes du passé avec*

1. (*le retour*) venir de rentrer chez (soi), être fatigué, avoir envie de se reposer, s'asseoir, ôter (ses) souliers, mettre (ses) pantoufles, avoir soif, prendre un petit verre, lire (son) journal.

2. (*la partie*) venir de terminer une partie, faire beau, jouer bien, gagner cette fois, battre (son) ami, ne pas perdre, s'amuser bien, rentrer à bicyclette, arriver chez (soi) en cinq minutes, se dépêcher de se laver, dîner enfin

QUATRIÈME
RÉVISION

A. *Parlez en classe de*

votre journée

la journée de votre père   la journée de votre mère

B. *Continuez en série.*   (1)

j'en suis sorti	je le lui ai promis	je l'ai faite
je l'ai su hier	j'ai dû y rester	j'en ai déjà eu
je les ai reçues	je l'ai déjà entendu	je me suis levé

(2)

j'étais chez moi	je le lui payais toujours
je la leur lisais	je m'y asseyais souvent
j'en savais beaucoup	je lui en donnais quelquefois

C. *Continuez en série avec* me, te, *etc.*

il m'en a apporté	il me les montrait
elle me l'a demandé	il m'en donnait souvent
il me le répétait	elle me le disait

D. *Mettez aux formes affirmatives et négatives, en employant tous les pronoms indirects qui conviennent.*

Ex.: dites-le-moi   ne me le dites pas

dites-le-lui   ne le lui dites pas

etc.

dites-le-moi	donnons-la-lui	lisez-m'en
donnez-la-moi	rappelons-les-lui	montrez-m'en

E. *Mettez à la forme affirmative.*

ne le bois pas   ne le buvez pas   ne le buvons pas
ne le mets pas   ne le mettez pas   ne le mettons pas
ne les fais pas   ne les faites pas   ne les faisons pas
ne les attends pas   ne les attendez pas   ne les attendons pas

F. *Conjuguez.*

je viens de l'étudier   j'avais envie de le lui dire
je venais de les voir   j'ai eu raison de m'amuser
je la regarde jouer   j'en ai déjà fait une partie
je me demande pourquoi   je suis de retour depuis hier
je suis allé la chercher   j'ai eu tort de leur en demander
je l'ai lu avant de partir   j'ai été content de gagner

G. *Donnez des mots suggérés par (suggested by)*

garçon	monter	beaucoup	finir	venir
femme	oublier	trouver	vite	partir
oui	entrer	premier	matin	arriver
jeune	aller	demander	perdre	assis
grand	quitter	s'amuser	content	bien
très	plus	terminer	jouer	hier
devant	raison	se reposer	donner	rester

H. *Mettez à l'imparfait et au passé composé.*

il fait beau   il y en a plus de dix   il faut le dire
il y en a peu   il y en a moins de six   il faut le faire

I. *Mettez au pluriel.*

un vieil ami   une vieille école   un gros livre
un bon journal   une fille heureuse   un bel état
un bel arbre   un bel hôpital   un vieil homme

J. *Mettez à l'imparfait et au passé composé.*

nous nous regardons   vous ne vous quittez plus
ils s'embrassent   se disent-ils bonjour?
se connaissent-elles?   ils ne se cherchent jamais
se revoient-elles?   elles ne se parlent plus
nous nous consultons   nous ne nous écoutons plus

K. *Continuez en série selon l'exemple:*

> je me levais toujours à six heures
> je me suis levé hier à six heures
> je me lève aujourd'hui à six heures
> tu te levais toujours à six heures, etc.

se lever	aller en chercher	descendre dîner
la finir	les y attendre	vouloir partir
s'habiller	devoir l'étudier	rentrer chez soi

L. *Faites des comparaisons selon l'exemple:*

> c'est un garçon fort, c'est un garçon plus fort,
> c'est le garçon le plus fort (de la classe)

1. garçon fort (la classe)
2. bel arbre (le jardin)
3. vieille maison (la rue)
4. belles femmes (l'état)
5. hommes pauvres (le pays)

6. leçon importante (le jour)
7. classe active (l'école)
8. filles sveltes (la ville)
9. mère heureuse (la France)
10. médecin fatigué (l'hôpital)

M. *Mettez des formes de* tout.

1. ____ étaient belles.
2. Il en savait ____.
3. ____ sont rentrés.
4. J'aime ____ les repas.
5. Il a vu ____ le pays.
6. ____ la classe le sait.
7. As-tu ____ les balles?

8. J'ai ____ ce qu'il faut.
9. ____ les trois sont actifs.
10. J'écoute ____ ce qu'il dit.
11. ____ le monde le répétait.
12. ____ en ont été contents.
13. On y allait ____ les jours.
14. ____ les deux sont gentilles.

N. *Mettez les mots interrogatifs qui conviennent.*

1. ____ vient d'arriver?
2. ____ elles buvaient?
3. ____ lui fait plaisir?
4. ____ veniez-vous de lire?
5. Savez-vous ____ l'a fait?

6. ____ leçons préparait-il?
7. ____ maison est plus grande?
8. De ____ était-elle contente?
9. ____ garçons l'ont mangée?
10. ____ sport préférez-vous?

O. *Complétez.*

1. Combien _____ malades a-t-il? 2. Lève-toi _____ huit heures! 3. C'est _____ la table. 4. On l'a fait_____ un jour. 5. Elle est_____. classe. 6. Allons-y _____ eux! 7. Demandons-lui_____ rester. 8. J'ai promis _____ le faire. 9. Déjeunons _____ midi! 10. _____ quoi parle-t-il? 11. Ils sont _____ Etats-Unis. 12. Je suis heureux _____ le voir. 13. J'en avais moins_____ six. 14. Parlons _____ autres choses! 15. Descends _____ premier étage! 16. Sortons _____ cette porte! 17. Elle est allée _____ garage. 18. Allons _____ coin _____ la rue! 19. J'étais content_____ y aller. 20. Dépêche-toi_____ sortir! 21. Rentrons_____ nous! 22. Elle vient_____ dîner. 23. Quel sandwich _____ fromage! 24. J'ai eu envie _____ sortir. 25. Il parlait _____ mangeant. 26. On apprend _____ jouant. 27. Ils sont entrés _____ le salon. 28. Qui est sorti _____ la maison? 29. Ils sont partis _____ courant. 30. Mets ce chapeau _____ ton lit! 31. Allons jouer_____ tennis! 32. J'étudie avant _____ m'amuser. 33. Il dit _____ Jean _____ y aller. 34. C'était le journal _____ soir. 35. Elle est aidée _____ Paul. 36. Etait-il _____ son aise? 37. Le tennis est _____ les jeunes. 38. J'en ai vu plus _____ onze. 39. _____ bientôt, mes amis! 40. Fermez cette porte _____ clef! 41. Tu as tout _____ fait tort! 42. Buvez-vous assez _____ lait?

P. *Mettez* qui, ce qui, que, ce que *ou* quoi.

1. C'est _____ les amuse.
2. Je sais _____ a gagné.
3. Il a vu _____ je faisais.
4. Voilà _____ me fait plaisir!
5. _____? Elle est déjà partie?
6. Voici l'ascenseur _____ monte!
7. Dites-moi _____ vous lisiez.
8. C'est lui _____ elle a battu.
9. Où est le taxi _____ j'ai pris?
10. Sais-tu de _____ j'ai besoin?

Q. *Faites des résumés oraux à toutes les personnes du passé avec*

1. déjeuner à midi, quitter l'école, faire beau, aller au coin de la rue, monter en voiture, rentrer, avoir faim, manger du pain, avoir soif, boire de l'eau, avoir envie de s'amuser, prendre (sa) raquette et des balles, sortir en courant, s'amuser bien, terminer la partie, rentrer à bicyclette

2. quitter le bureau, aller à l'hôpital, voir des malades, donner (son) avis, prendre un taxi, rentrer, ôter (son) veston, s'asseoir, mettre (ses) pantoufles, lire (son) journal, être à (son) aise

VINGT ET UNIÈME
LEÇON

Le Dîner en Famille

M. Duval avait quitté son fauteuil; il était entré dans la salle à manger. En haut, Jean et Marie s'étaient lavés et habillés; puis tous les deux étaient descendus et avaient suivi leur père. Si nous les suivions pour savoir ce qu'ils vont manger ce soir? Depuis quelques moments la mère était à la cuisine; sa fille y était allée aussi. Toutes deux allaient apporter le dîner. Les voici; elles sont revenues à la salle à manger.

— A table, mes amis! Le dîner est servi!

On s'assied et on commence à manger. Tous ont bon appétit, surtout les jeunes gens. Pendant le dîner on bavarde:

— Cette soupe est délicieuse, dit le père. Qu'est-ce que c'est?

— Oh, ce n'est rien, une soupe aux légumes que j'ai faite.

— Oui, c'est délicieux, ajoute le fils, mais comme c'est chaud!

— Souffle dessus si c'est trop chaud, lui dit sa mère.

Un bon bifteck avec des pommes de terre frites et des petits pois à la française suit la soupe.

— Que c'est bon! La sauce aux champignons est délicieuse aussi. (En regardant manger le fils, on pouvait voir qu'il avait faim.)

— N'est-ce pas? Maman est une excellente cuisinière, dit Marie.

— Mes enfants, ajoute le père, il n'y en a pas de meilleure.

D'habitude, les parents prenaient du vin rouge avec leur bifteck, comme les Français. Leurs enfants n'en buvaient pas, mais on leur

permettait d'en goûter. Une bonne salade de tomates a suivi le bifteck.

— Qu'y a-t-il pour le dessert? demande Jean, j'ai encore faim.

— Nous avons une tarte aux pommes. Tu en prends, Marie?

— Merci, maman, pas moi. On sait bien pourquoi.

— Ah, oui! Je me rappelle maintenant. Albert?

— Pas ce soir. Je n'ai plus faim. Je ne prends que du café, s'il te
plaît.

Le repas terminé, on s'est levé de table et on est allé au salon où
Mme. Duval servait le café pour elle et son mari.

On mange, on se repose au Louvre *France Actuelle*

Vocabulaire

goûter (de) taste
permettre (à)/permis allow
servir serve
souffler blow, puff
suivre/suivi follow

était ... depuis had been . . . since
que (comme) c'est bon! how good
  it is!
si nous les suivions? suppose we
  follow them?

un bifteck steak
un champignon mushroom
le cuisinier, la cuisinière cook
le dessert dessert
le fauteuil armchair
le légume vegetable
un petit pois green pea
une pomme apple
une pomme de terre potato
une salade salad
la sauce gravy, sauce

la soupe soup
une tarte pie
une tomate tomato
le vin wine

à la française French style
aux champignons with mushrooms
aux légumes with vegetables
aux pommes with apples

chaud hot
délicieux, délicieuse delicious
excellent excellent
frit fried
meilleur better
rouge red

dessus on (it, them)
d'habitude usually
en haut upstairs
ne ... rien nothing
surtout especially

Etude de Verbes

1. LE PLUS-QUE-PARFAIT (*the pluperfect tense*)

avait quitté had left
avaient suivi had followed
était entré had entered

était allée had gone
étaient descendus had come down
s'étaient lavés had washed

These verb forms are composed of two parts: the past participle of the verb
(quitté, suivi, etc.) preceded by a form of the imperfect tense of avoir or être.
This compound form is called the *plus-que-parfait.*

a.	b.	c.
j'avais quitté	je m'étais lavé(e)	j'étais entré(e)
tu avais quitté	tu t'étais lavé(e)	tu étais entré(e)
etc.	etc.	etc.

This tense indicates an action or state completed before another in the past and means (a) *I had left*, etc., (b) *I had washed (myself)*, etc., (c) *I had entered*, etc.

As in the *passé composé*, reflexive verbs (b) and intransitive verbs of motion (c) use the auxiliary verb **être**. Transitive verbs (a) use **avoir**.

As in the *passé composé*, the past participle agrees with any direct object preceding it (b) or with the subject of an intransitive verb of motion (c).

Put object pronouns before auxiliary verbs and form questions and negatives as in the *passé composé*.

interrogative

est-ce que je les lui avais donné(e)s?

les lui avais-tu donné(e)s?

etc.

affirmative	*negative*
je les lui avais donné(e)s	je ne les lui avais pas donné(e)s
tu les lui avais donné(e)s	tu ne les lui avais pas donné(e)s
etc.	etc.

2. suivre au présent:

suis   suis   suit   suivons   suivez   suivent

3. Conjugate **servir** like **partir**.

Remarques

1. Comparison of the *passé composé* and the *imparfait*:

A.

a. Il en a bu parce qu'il avait soif.	He drank some because he was (still) thirsty.
b. Je l'ai étudié cinq ans.	I studied it (for) five years.
c. Il a fait beau hier.	It was fine yesterday.
d. Hier il faisait si beau que j'ai voulu m'amuser.	Yesterday it was (still) so fine I "got the desire" to have some fun.
Enfin elle a pu gagner.	Finally she managed to win.
Je l'ai su ce matin.	I found it out this morning.
e. Que faisaient-ils quand vous les avez vus?	What were they (still) doing when you saw them?

f. **Il la battait souvent.**	He often used to beat her.
g. **Qui savait ce qu'il voulait?**	Who knew what he wanted?
Qui pouvait le faire?	Who was able to (could) do it?

The *passé composé* expresses an action completed in the past (a), regardless of time taken to complete it (b); a state of affairs viewed as over (c); a point of past decision or achievement (d).

The *imparfait*, expressing continuing (e) or repeated (f) actions or states (a, d, g) in the past, often provides a setting for a completed action (a, d, e); it is the *descriptive* past tense.

With verbs expressing physical or mental states in the past, use the *imparfait* (g). Compare with the meaning of such verbs in the *passé composé* (d).

B.

Elle a été malade hier.	She was ill yesterday (but is over it).
Elle était malade quand je l'ai vue.	She was (still) ill when I saw her.
Il a eu mal à la tête hier.	He had (got) a headache yesterday (but is well now).
Il avait mal à la tête quand je l'ai vu.	He had (still) a headache when I saw him.
Il y a eu une partie hier.	There was (completed) a game yesterday.
Il y avait des amis à la partie quand j'y suis arrivé.	There were (still) some friends at the game when I got there.

The English past tense (*was*, *saw*, *had*, etc.) as seen in examples above, has two meanings: perfect (completed) or imperfect (not completed).

To distinguish between them in French, rely not on the English form, but on analysis of the actual meaning involved.

2. **Si nous les suivions?**   Suppose we follow them?
   Si (*if*) with the *imparfait* expresses a suggestion or proposal.

3. **Depuis quelques moments elle** **était à la cuisine.**   For (since) some moments she had been in the kitchen.
   After **depuis** (*since*), the *imparfait* (**était**) shows that what had been going on before was still going on.   See page 112.

4. Une soupe *aux* légumes.   A vegetable soup.
   Des petits pois *à la* française.   Green peas French style.
   La femme *aux* cheveux blonds.   The woman with blond hair.

   A is often used to introduce personal attributes and the descriptive features, manner, style or fashion of food, clothing, etc.

5. **Comme c'est chaud!**   How hot it is!
   Que c'est bon!   How good it is!
   Qu'il mange vite!   How fast he eats!

   Use **comme** or **que** before a descriptive statement to make an exclamation.

6. **Il n'y en a pas de *meilleure*.**   There is none better.

   The comparative of **bon, bonne** is the irregular **meilleur(e)**.

7. **On leur permettait *d'*en goûter.**   They allowed them to taste some.

   Observe the use of **de** after a verb of permission before a following infinitive. See page 72.

Compositions orales (au passé)

Avant le dîner   Le dîner

Questions

Qu'est-ce que M. Duval avait quitté?
Où était-il allé?
Qui s'était lavé et habillé?
Où étaient-ils descendus?
Qui avaient-ils suivi?
Où était Mme. D. depuis quelques moments?
Qui y était allé aussi?
Qui allait apporter le dîner?
Où sont-elles revenues?
Une fois assis, qu'a-t-on fait?
Qui avait bon appétit?
Qu'a-t-on mangé?

Que dit Jean de la soupe?
Que peut-on faire si elle est trop chaude?
Qu'est-ce qui suit la soupe? le bifteck?
Quel vin prenaient les parents?
Qui n'en buvait pas?
Que leur permettait-on?
Qu'y avait-il pour le dessert?
Marie en a-t-elle pris? Pourquoi?
Le père en a-t-il pris? Pourquoi?
Le repas terminé, qu'a-t-on fait?
Où Mme. D. servait-elle toujours le café? Pour qui?

Questions Supplémentaires

Exercices

A. *Continuez en série.*

je m'étais lavé(e)   j'y étais déjà allé(e)
j'en étais descendu(e)   j'en avais souvent eu
je le lui avais permis   je les avais quitté(e)s

B. *Continuez en série avec* me, te, *etc.*

il m'en avait demandé   elle m'y avait vu(e)
elle me les avait lu(e)s   il me l'avait servi(e)

C. *Faites des suggestions avec les sujets donnés:*

Ex.: Si nous jouions au tennis?

(nous) jouer au tennis   (je) les suivre
(vous) m'en donner   (vous) venir nous voir
(je) apporter le dîner   (nous) en goûter

D. *Conjuguez.*

j'en mangeais depuis midi   je le leur payais depuis longtemps
je les suis depuis le dîner   je me repose depuis une heure
j'y étais depuis dix minutes   je les sers depuis six ans

E. *Faites des exclamations.*

elle a bien joué   sauce aux champignons   c'est délicieux
il faisait beau   j'avais bon appétit   tu manges vite
gentils garçons   excellente cuisinière   il s'amuse bien
tarte aux pommes   je voulais les revoir   soupe aux légumes

F. *Faites des comparaisons selon l'exemple:*

Ce repas est grand; ce repas est plus grand;
ce repas est le plus grand de tous

grand repas   bonne cuisinière   bonne salade
bonne voiture   petits fauteuils   vieil homme
soupe chaude   tomate délicieuse   bon bifteck
bonnes pommes   petits champignons   bons légumes

G. *Faites des résumés oraux à toutes les personnes du passé avec*
quitter le salon, entrer dans la salle à manger, s'asseoir, avoir faim, commencer
à manger, manger beaucoup, ne plus avoir faim, se lever de table.

H. *Mettez au passé (à livre ouvert).*
Ce matin je me réveille à six heures. Puis, je me lève, me lave et m'habille.
Il est six heures et demie quand je descends. Nous nous asseyons pendant
que notre mère prépare le repas. Notre père prend du café et nous mangeons
des œufs parce que nous avons faim. Parce que nous avons soif, nous buvons
du lait mais nos parents nous disent de le boire plus lentement. Quand je
finis, je prends mes livres et on monte dans la voiture pour aller à l'école. Quelquefois on y va à pied quand il fait beau. Nous disons au revoir à notre père,
qui part pour son bureau. Il ne va pas bien, mais il veut voir ses malades, qui
ont besoin de lui. Il prend l'autobus parce qu'on répare son auto. Arrivé au
bâtiment où se trouve son bureau, il entre dans l'ascenseur. Souvent il y lit
son journal. Il monte à son bureau où il reçoit ses malades. Il y en a beaucoup.

VINGT-DEUXIÈME
LEÇON

La Soirée en Famille

Il est sept heures du soir. On a fini le café. Mme. Duval emporte à la cuisine les tasses vides sur un plateau d'argent. M. Duval s'est installé dans son fauteuil et reprend la lecture de son journal. Il se repose du travail de la journée en fumant sa pipe et en lisant.

— Toujours de mauvaises nouvelles! dit-il, le journal en est plein, surtout cette année.

Jean doit préparer ses leçons; il ne les a pas encore étudiées. Marie aussi va étudier, mais avant de le faire, elle va aider sa mère. Tous les deux vont monter dans leurs chambres et ne descendront que plus tard, leurs leçons terminées. La mère a desservi la table et lave la vaisselle, aidée par sa fille. Il y a une demi-heure qu'elle est à la cuisine.

Tout à coup, on entend sonner le téléphone en bas. Marie, qui est en train de traduire des phrases d'anglais en français, laisse tomber le crayon qu'elle tient à la main, se lève et sort de sa chambre en courant. Elle descend vite l'escalier et court au téléphone:

— Allô? ... Qui? ... Oui, c'est moi, Marie ... Oh! bonsoir, Pauline! ... Quoi? ... Mais non, c'est impossible! Comment? ... je dois finir mes devoirs. Je te donnerai un coup de téléphone demain matin, si tu veux ... C'est ça. Eh bien, bonsoir! (Elle raccroche.)

Au moment où Marie raccrochait, sa mère venait de sortir de la cuisine et lui demandait: — Qui était-ce?

— C'était Pauline, maman. Elle voulait venir bavarder un peu. Je lui ai dit que je ne pouvais pas parce que j'avais trop à faire.

— Tu as eu raison de le lui dire, approuve la mère.

Le temps passe. Il est maintenant neuf heures du soir. Les jeunes gens ont enfin terminé leurs devoirs et les voilà au salon. M. Duval est resté dans son fauteuil confortable et regarde la télévision. Ses enfants se sont assis près de lui, la mère aussi. On va passer une heure à écouter et à regarder un programme assez amusant. Ensuite, vers dix heures, tout le monde se couchera.

Vocabulaire

aider (à) help (to)
approuver approve
se coucher go to bed
courir/couru run
desservir clear away
emporter take (carry) away
être en train de be busy (doing)
fumer smoke
s'installer get settled
laisser tomber drop (let fall)
laver la vaisselle wash (the) dishes
passer (à) spend (*time*) (at)
raccrocher hang up (*phone*)
reprendre/repris resume, take up
  again
tenir/tenu hold
traduire/traduit translate

il y a ... que since
se couchera will go to bed
descendront will go (come) down
donnerai will give

une année year (*activity*)
un coup de téléphone telephone
  call
un crayon pencil

un escalier staircase
la lecture reading
une nouvelle piece of news
une phrase sentence
la pipe pipe
un plateau d'argent silver tray
un programme program
la soirée evening (*activity*)
une tasse cup
la télévision T. V.

amusant amusing
confortable comfortable
(im)possible (im)possible
mauvais bad
vide empty

à la main in (one's) hand
assez fairly, rather
au moment où at the moment that
  (when)
en bas downstairs, (down) below
ensuite then, next
mais non! no indeed!
près de near
tout à coup suddenly

Etude de Verbes

1. courir au présent:

cours   cours   court   courons   courez   courent

2. Conjugate alike:

mettre — permettre   venir — tenir   prendre — reprendre
partir — desservir   conduire — traduire

3. Tout le monde se couchera.   Everyone will go to bed.

Je te donnerai un coup de télé-   I will give you a phone call.
phone.

Ils ne descendront que plus   They will not come down until later.
tard.

The above are examples of the future tense (*le futur*), soon to be studied.
Note: ne ... que (*only*) in time expressions means *not until*.

Remarques

1.   a. Elle est à la cuisine *depuis* une heure.
     Il y a une heure *qu'*elle est à la cuisine.
   b. Elle était à la cuisine *depuis* une heure.
     Il y avait une heure *qu'*elle était à la cuisine.
   a. She has been in the kitchen for an hour (and still is).
   b. She had been in the kitchen for an hour (and still was).

Depuis and **il y a ... que** here mean the same thing and are used in only two
tenses: (a) the present, showing that an action begun in the past is still going
on; (b) the imperfect, showing that an action begun further back in the past
was still going on at a later point in the past. See page 136.

Voici ... que and **voilà ... que** are sometimes used emphatically for **il y a ...
que.**

2. On passe une heure *à* écouter et   They spend an hour listening to and
    à **regarder un programme.**   watching a program.

After **passer**, use **à** before a following infinitive (écouter, regarder) to show
to what the given time is devoted.

3. **Quelle journée!**   What a day!
   Une soirée en famille.   A family evening.
   Une matinée de travail.   A morning of work.
   Une année de français.   A year of French (study).

In time expressions, the suffix –**ée** stresses activity.

4. **Au moment _où_ elle raccrochait.**   At the moment (when) she was hang-
                                             ing up.

Use **où** (lit. _where_) to express _when_ or _that_ in time expressions.

5. **plateau d'argent**   silver tray   **salade de tomates**   tomato salad
   coup de téléphone   phone call   **classe de français**   French class
   But: **un bifteck aux champignons**   a steak with mushrooms
   De + noun is used in French to create descriptive phrases showing the
material composition or essential nature of a person or a thing. Contrast this
with the use of **à** + noun (page 137) showing the additional features or inci-
dental nature of a person or thing.

Compositions orales (au passé)

On dessert la table   Un coup de téléphone
M. Duval après le dîner   On termine les devoirs

Questions

Qu'a-t-on bu? Quand? Où?

Qui a emporté les tasses vides? Où?
   Sur quoi?

Où M. Duval s'est-il installé?

Quelle lecture a-t-il reprise?

De quoi se repose-t-il? Où? Comment?

Quelles nouvelles voit-il toujours dans
   les journaux?

Jean a-t-il préparé ses leçons?

Que fait Marie avant d'étudier?

Où va-t-on pour étudier?

Quand descendront-ils?

Qu'est-ce que la mère a fait?

Combien de temps y a-t-il qu'elle est
   à la cuisine?

Qu'a-t-on entendu tout à coup?

Qu'est-ce que Marie était en train de
   faire?

Que tenait-elle à la main?

Qu'a-t-elle laissé tomber?

Comment est-elle sortie de sa chambre?

Qu'est-ce qu'elle descend?   Pourquoi?

Qui lui avait téléphoné?

Quand donnera-t-elle un coup de téléphone à Pauline?

Pourquoi ne pouvait-elle pas voir
Pauline?

Qu'est-ce qu'elle lui avait dit?

Qui a approuvé ce qu'elle lui avait dit?

Quand a-t-on terminé les devoirs?

Comment passera-t-on une heure?

Où les jeunes gens se sont-ils assis?

A quelle heure se couchera-t-on?

Questions Supplémentaires

Exercices

A. *Continuez en série.*

| je cours en bas | je les laisse tomber | je le lui permets |
| je tiens ma pipe | je reprends mon journal | je dessers la table |

B. *Mettez au plus-que-parfait, à l'imparfait, au passé composé et au présent à la personne indiquée:*

Ex.: j'avais aidé, j'aidais, j'ai aidé, j'aide

aider — je	suivre — elle	servir — je
tenir — on	courir — nous	devoir — on
voir — vous	avoir — elles	perdre — je
boire — ils	s'asseoir — elle	venir — nous
aller — elle	recevoir — on	pouvoir — je
être — vous	savoir — elles	dire — vous
ouvrir — il	se coucher — vous	dormir — ils
faire — ils	s'arrêter — elle	prendre — je

C. *Mettez* à *ou* de *pour faire des phrases descriptives:*

Ex.: elle apporte un plateau d'argent

plateau _____ argent	sauce _____ champignons	salle _____ manger
soupe _____ légumes	coup _____ téléphone	tarte _____ pommes
salade _____ tomates	petits pois _____ française	partie _____ tennis
classe _____ français	sandwich _____ fromage	tenue _____ sport
journal _____ le soir	classe _____ géographie	chambre _____ coucher
sauce _____ tomates	bifteck _____ champignons	porte _____ devant

D. *Mettez au passé* (*à livre ouvert*).

M. Duval arrive à son bureau et Mme. D. revient chez elle. Elle entre dans la maison parce qu'il faut faire le ménage. Elle le finit et sort dans le jardin où il y a de belles fleurs et de grands arbres. Elle est fatiguée et se promène sur la pelouse devant la maison. Puis, elle téléphone à une amie qu'elle connaît bien et qui demeure dans la même rue. Elle lui dit que les enfants sont à l'école mais qu'elle va les prendre plus tard. Elle a beaucoup de travail à faire et dit au revoir.

E. *Employez* depuis une heure *et* il y a une heure que *dans chaque exemple pour faire des phrases au présent et à l'imparfait.*

     1. être de retour chez nous
     2. faire une partie de tennis
     3. être à son aise dans un fauteuil
     4. s'amuser à regarder la télévision
     5. être en train de laver la vaisselle
     6. passer mon temps à regarder ce programme

F. *Faites des résumés oraux à toutes les personnes du passé avec*

venir de dîner, n'avoir plus faim, desservir la table, emporter les tasses, laver la vaisselle, devoir préparer, monter dans (sa) chambre, y être depuis dix minutes, être en train de traduire, entendre sonner, tenir un crayon, le laisser tomber, se lever, sortir en courant, courir au téléphone, parler avec, dire qu'on a trop à faire, raccrocher, reprendre (ses) études, terminer (ses) devoirs, passer une heure à, être fatigué, se coucher

VINGT-TROISIÈME
LEÇON

Samedi Matin Chez les Duval

C'est samedi, la fin de la semaine. Depuis lundi matin le père
s'occupe de ses malades, dont il connaît les besoins; les enfants
vont à l'école et la mère doit travailler. La semaine est longue: lundi,
mardi, mercredi, jeudi et vendredi sont des jours de travail. Ce
samedi-ci Mme. Duval pensait au tour qu'elle devait faire en ville
avec son amie Suzanne Martin (dont on a déjà parlé); toutes deux
devaient faire des courses; on allait faire le tour des magasins.

Il est sept heures et demie. Les enfants ne sont pas encore levés
puisqu'ils ne sont pas obligés d'aller à l'école le samedi et le dimanche;
ces jours-là sont des jours de congé. M. Duval ne devra aller au
bureau que vers neuf heures et demie. Mais la mère est obligée de
se lever seule et de s'habiller plus tôt pour être prête quand Suzanne
viendra vers neuf heures moins le quart. Les grands magasins ouvriront leurs portes à neuf heures.

Madame Duval est descendue en bas et prépare son déjeuner; elle
a dû se lever avant les autres. Elle fait ce qu'elle a l'habitude de faire
pendant la semaine, mais elle ne sera pas si pressée aujourd'hui.
Monsieur Duval vient de se lever à son tour, lui aussi. Il pense à
ses malades. Il quittera la maison un peu après sa femme. Les
jeunes gens ne se lèveront que vers huit heures; ils resteront chez
eux jusqu'à dix ou onze heures et étudieront leurs leçons pour lundi
prochain.

Le mari est en bas maintenant; le voilà; il embrasse sa femme:

— Bonjour, ma chérie. (Il regarde à la fenêtre.) Je crois qu'il fera beau aujourd'hui. Le ciel est clair et il fait frais. A quelle heure partirez-vous?

— Nous nous sommes donné rendez-vous pour un peu avant neuf heures. Nous prendrons la voiture française, la petite.

— Je pourrai vous conduire toutes deux dans la grande voiture, mais il faudra alors revenir en autobus ou en taxi. Que penses-tu de cela?

— Merci bien, Albert, mais je crois qu'il vaut mieux prendre l'autre voiture; tu ne seras donc pas obligé de venir nous chercher après notre tour en ville; cette fois-ci ce sera peut-être un peu long. (A ce moment on sonne à la porte. C'est Madame Martin qui arrive; elle est à l'heure au rendez-vous.)

Au Jardin du Luxembourg *French Government Tourist Office*

Vocabulaire

croire/cru   believe, think
se donner rendez-vous   make a date
être obligé (de)   be obliged (to), have to
faire des courses   go shopping, run errands
faire le tour (de)   tour, visit
s'occuper (de)   take care (of), be busy (with)
penser (à) or (de)   think (of)
regarder à la fenêtre   look out the window
valoir/valu   be worth
venir chercher   come and get

je crois   I believe
devait   was (supposed) to
il vaut mieux   it is better

le besoin   need
le ciel   sky
un congé   holiday, day off
une habitude   habit, custom
le (grand) magasin   (department) store
le rendez-vous   date, appointment
la semaine   week

le tour   trip, tour

dont   of whom, of which

(le) lundi   Monday
(le) mardi   Tuesday
(le) mercredi   Wednesday
(le) jeudi   Thursday
(le) vendredi   Friday
(le) samedi   Saturday
(le) dimanche   Sunday

clair   clear, bright
frais, fraîche   fresh, cool
long, longue   long
pressé   in a hurry
prochain   next
seul   alone, only

à l'heure   on time
alors   in that case, then
cette fois-ci   this time
ces jours-là   those days
donc   then, therefore
peut-être   perhaps
puisque   since, because
si   so
tôt   soon, early

Etude de Verbes

1.   LE FUTUR (*the future tense*)

il devra   he will have to
elle viendra   she will come
ils ouvriront   they will open
elle sera   she will be
il quittera   he will leave

il fera beau   it will be fine
nous partirons   we will leave
nous prendrons   we will take
je pourrai   I will be able
il faudra   it will be necessary

ils se lèveront　they will get up	tu seras　you will be
ils resteront　they will stay	ce sera　it will be
ils étudieront　they will study	

These are examples of the future tense (*le futur*) found in this lesson. As in English, this tense denotes an action or state subsequent to the present and means *will* (*shall*) *give*, etc.　Compare page 58.

The future of regular verbs in (a) –er, (b) –ir, (c) –re:

a.	b.	c.
donner	finir	descendre
je donnerai	je finirai	je descendrai
tu donneras	tu finiras	tu descendras
il donnera	il finira	il descendra
nous donnerons	nous finirons	nous descendrons
vous donnerez	vous finirez	vous descendrez
ils donneront	ils finiront	ils descendront

To form the future, use the same set of endings for all verbs.　Add these endings to the final –r of the infinitive.　Drop final –e of –re verbs (c).

The future stem to which we add the endings always ends in –r, and is unchanging for any given verb.

Only a few common verbs have irregular stems in the future.　Those studied to date are grouped below by types:

avoir — aurai	aller — irai	tenir — tiendrai
savoir — saurai	asseoir — assiérai	venir — viendrai
être — serai	courir — courrai	voir — verrai
faire — ferai	pouvoir — pourrai	devoir — devrai
	valoir — vaudrai	
	vouloir — voudrai	
	falloir — il faudra	

2.

a.	b.
appeler — appellerai, etc.	lever — lèverai, etc.
rappeler — rappellerai, etc.	promener — promènerai, etc.

Observe the spelling changes in the future forms of –er verbs whose infinitive stems end in unaccented –e– + one consonant.　Some double the stem consonant (a), others accent the stem vowel –e– (b).

As there is no rule to determine which type of shift will occur, each verb of this class must be learned separately.

3.

	y avoir exist	falloir be necessary
PRÉSENT	il y a	il faut
PASSÉ COMPOSÉ	il y a eu	il a fallu
IMPARFAIT	il y avait	il fallait
PLUS-QUE-PARFAIT	il y avait eu	il avait fallu
FUTUR	il y aura	il faudra

4.   **croire** et **valoir** au présent:

crois	crois	croit	croyons	croyez	croient
vaux	**vaux**	**vaut**	**valons**	**valez**	**valent**

Remarques

1. Ce garçon-*ci* (c')est Jean.   This boy is John.
   Ce garçon-*là* (c')est Paul.   That boy is Paul.

Ce(t), cette, ces mean either *this, these* or *that, those*. Add to the given noun (**garçon**) -ci for *this, these* and -là for *that, those*. These forms are used for clarity, contrast or emphasis.

   In popular speech, **ce** is often added before forms of **être** to emphasize a preceding idea.

2. a. J'y irai (ce) mercredi.   I shall go there (on this) Wednesday.
   b. J'y vais *le* jeudi.   I go there (on) Thursdays.

   Use the article with days of the week to indicate repeated action or state (b). Omission of the article indicates one specific occasion (a).

   On with days of the week (a, b) or parts of the day (**ce matin**, etc.) is not expressed.

3. Il vient de se lever, *lui* aussi.   He too has just gotten up.

   When the subject pronoun is stated emphatically or is separated from its verb, use the strong pronoun forms (**moi, toi,** etc.).

4. C'est une amie (un pays) *dont* on   It's a friend (a country) we've already
   a déjà parlé.   talked about.
   Voici le malade *dont* je connais   Here's the patient whose son I know
   le fils.   (of whom I know the son).

Dont (*of whom, whose, of which*) refers to persons or things and must come first in its clause and right after the person(s) or thing(s) referred to (**amie, pays, malade**).

5.	A qui pense-t-il?	Whom is he thinking of?
a.	Il pense à ses malades.	He's thinking of his patients.
	Il pense *à eux*.	He's thinking of them.
	A quoi pense-t-il?	What's he thinking of?
b.	Il pense à son travail.	He's thinking of his work.
	Il *y* pense.	He's thinking of it.

Penser à (*think of*) shows to whom or to what thoughts are directed (a, b). Use **à** with strong pronouns (**eux**, etc.) to refer to people (a), but the pronoun **y** (*to it, to them*) to refer to things (b).

c.	Que penses-tu de Marie?	What do you think of Mary?
	Que penses-tu *d'elle?*	What do you think of her?
d.	Que penses-tu de cela?	What do you think of that?
	Qu'*en* penses-tu?	What do you think of it?

Penser de (*think of*) asks for an opinion of persons or things (c, d). Use **de** and strong pronouns (**elle**, etc.) to refer to people (c), but the pronoun **en** (*of it, of them*) to refer to things (d).

6. a.	Elles devaient faire des courses.	They were (supposed) to go shopping.
b.	Jean doit avoir faim.	John must be hungry.
c.	Je dois étudier.	I must study.

We know that **devoir** can refer to duty (c) and probability (b). See page 112. It can also mean *be supposed, expected* or *scheduled to* (a).

Compositions orales

Samedi matin: les enfants

Samedi matin: Mme. D.   Samedi matin: M. D.

Questions

Quels sont les jours de la semaine?

Quels sont les jours de travail?

Quels sont les jours de congé?

De quoi s'occupe M. Duval? Depuis quand?

A quoi pense Madame Duval?

Avec qui devait-elle aller?

Où devait-elle aller?

Quels sont les jours de congé pour les parents?

A quelle heure Mme. Martin viendra-t-elle chercher Mme. D.?

A quelle heure les grands magasins ouvriront-ils leurs portes?

Quand Mme. D. doit-elle se lever?

Qu'a-t-elle l'habitude de faire tous les matins?

Sera-t-elle pressée aujourd'hui? Pourquoi pas?

A quelle heure se lèveront les enfants?

A quelle heure partira M. D. pour son bureau?

A qui pense-t-il?

Que feront les jeunes gens quand ils se lèveront?

Pour quelle heure Mme. D. et son amie se sont-elles donné rendez-vous?

Comment Mme. D. va-t-elle en ville?

Qui a offert de la conduire en ville?

Qu'en pense Mme. Duval?

Pourquoi prendra-t-elle la voiture française?

Qui sonne à la porte?

Qui est arrivé à l'heure au rendez-vous?

Questions Supplémentaires

Exercices

A. *Continuez en série.*

je les lui donnerai jeudi

j'en prendrai dimanche

je la recevrai samedi

je l'ouvrirai vendredi

B. *Conjuguez.*

j'en aurai besoin mardi

je viendrai le chercher

j'y ferai des courses

je le tiendrai toujours

je pourrai le faire mardi

je m'assiérai à table

je le saurai dimanche

j'y serai mercredi

je les y verrai lundi

j'irai en ville jeudi

C. *Mettez au passé composé, au présent et au futur à la personne indiquée selon l'exemple:*

Hier il s'est occupé de ses malades.   Aujourd'hui il s'occupe de ses malades.
Demain il s'occupera de ses malades.

s'occuper de ses malades (il)
se donner rendez-vous (elles)
courir nous le demander (on)
pouvoir les y conduire (nous)
se promener avec des amis (tu)
se lever vers huit heures (je)
vouloir leur en parler (vous)

devoir travailler chez moi (je)
faire le tour des magasins (nous)
croire toutes ces nouvelles (tu)
y avoir une partie de tennis (il)
faire beau dans tout l'état (il)
s'asseoir sur cette chaise (je)
falloir en revenir en taxi (il)

rester ici jusqu'à six heures (elles)
se rappeler le numéro de Marie (ils)
valoir mieux prendre l'autobus (il)
venir chercher les jeunes gens (on)
faire des courses en ville (vous)
être obligés d'y arriver à l'heure (ils)

D. *Conjuguez.*

je viens de me lever, moi aussi
j'étudiais le français, moi aussi
j'étais arrivé à l'heure, moi aussi
j'ai regardé à la fenêtre, moi aussi

E. *Faites des comparaisons avec* -ci *et* -là *selon l'exemple:*

Cette rue-ci est plus longue que cette rue-là.

rue longue	grands fauteuils	soirs clairs
eau fraîche	monsieur malade	petite commode
garçon fort	langue importante	homme pressé
fille svelte	médecins fatigués	ville pauvre
enfant actif	lectures amusantes	vieilles femmes

F. *Employez* qui, que, ce qui, ce que *ou* dont.

1. les malades ____ il s'occupe
2. le travail ____ il avait fait
3. les étudiants ____ sortent
4. je crois ____ il fera beau
5. une amie ____ elle attendait
6. la ville ____ je fais le tour
7. l'ami ____ il connaît la sœur
8. l'autobus ____ s'arrêtera
9. la leçon ____ j'ai parlé
10. il regarde ____ je fais
11. une femme ____ je connais
12. je sais ____ vous amuse
13. c'est lui ____ est rentré
14. l'homme ____ j'achète l'auto

G. *Mettez au présent avec* toujours *pour indiquer que l'action se répète et au futur pour indiquer une seule (single) action.*

Ex.: je vais toujours en ville le lundi; j'irai en ville lundi

1. aller en ville lundi (je)   2. faire des courses mardi (on)   3. faire le tour des magasins jeudi (elle)   4. venir me chercher samedi (ils)   5. s'occuper de ses malades samedi (vous)   6. se reposer du travail dimanche (nous)   7. devoir aller au bureau lundi (elles)   8. être obligé d'étudier vendredi (il)   9. se lever vers huit heures mercredi (je)   10. passer une heure chez elle vendredi (il)

H. *Mettez les prépositions et les pronoms qui conviennent.*

1. ＿＿ qui pensez-vous? Je pense ＿＿ Marie. Je pense ＿＿ elle.
2. Que pense-t-il ＿＿ ces nouvelles? Qu'＿＿ pense-t-il?
3. Que penses-tu ＿＿ jeunes gens? Que penses-tu ＿＿ eux?
4. ＿＿ quoi pense-t-on? On pense ＿＿ ses études. On ＿＿ pense.
5. Que pense-t-elle ＿＿ ce repas? Qu'＿＿ pense-t-elle?
6. ＿＿ qui pensons-nous? Nous pensons ＿＿ Jean. Nous pensons ＿＿ lui.
7. ＿＿ quoi pensent-ils? Ils pensent ＿＿ la partie. Ils ＿＿ pensent.
8. Que pensez-vous ＿＿ Paul? Que pensez-vous ＿＿ lui?
9. ＿＿ qui pense-t-il? Il pense ＿＿ ses malades. Il pense ＿＿ eux.
10. ＿＿ quoi est-ce que je pense? Je pense ＿＿ la leçon. J'＿＿ pense.

I. *Faites des résumés oraux à toutes les personnes du futur avec*

être obligé de se lever, descendre, préparer (son) déjeuner, penser à (son) tour en ville, se donner rendez-vous, être prêt quand (son) amie viendra, quitter la maison, prendre la voiture, aller en ville, faire le tour des magasins, faire des courses, rentrer, se reposer

VINGT-QUATRIÈME
LEÇON

Un Tour en Ville

— Bonjour, Suzanne, dit Mme. Duval, en ouvrant la porte à son amie.

— Bonjour, Louise, ça va bien? J'espère que je n'arrive pas trop tôt.

— Entrez, donc! Je serai prête dans une seconde. Faites comme chez vous!

— Bien, j'attendrai. (Mme. Martin voit le docteur.) Quand vous serez prête, dites-le-moi. (Mme. Duval monte au premier.)

— Bonjour, M. Duval. Vous nous accompagnez?

— Bonjour. Louise m'avait dit que vous alliez en ville toutes les deux. Faire des courses, c'est pour les femmes! Moi, ça me fatigue, car il y a toujours trop de monde. Je n'aime pas les foules. D'ailleurs, cette fois-ci je dois travailler, j'ai mes malades. En attendant, asseyez-vous ici. Ma femme ne tardera pas.

Madame Martin s'est assise dans le fauteuil que lui a offert le docteur. Un quart d'heure plus tard, les deux dames quittent la maison; les voilà parties.

Quand elles seront arrivées en ville, les grands magasins commenceront à s'ouvrir. A ce moment-là, Jean et Marie se seront levés. M. Duval aura fini de déjeuner et sera en train de s'en aller. Aussitôt que les deux amies auront trouvé un endroit où elles pourront garer la voiture, elles iront à pied chez Lambert. Ce magasin-là est le plus grand de la ville; on y fera des emplettes. Mme. Duval achètera quelque chose dont elle a besoin, des chemises et des chaussettes pour son fils.   Mme. Martin veut choisir plusieurs choses pour sa fille.   Dès qu'elles auront acheté ce qu'elles veulent, elles iront faire des emplettes dans un autre magasin, moins grand que le premier, mais un des meilleurs, avec un très bon choix.

Un peu plus tard, voici Mme. Duval qui parle avec une vendeuse:

— Mettez tous ces achats à mon compte, lui dit-elle.

— Bien, madame, voulez-vous les prendre avec vous ou les faire livrer à domicile?

— Faites-les livrer à mon adresse, 220 Rue Claude, Belleville.   Le numéro de mon compte est 471.

— Bien, madame, on vous les fera livrer.   Je vous remercie et au revoir, mesdames.

Les deux dames descendent, sortent du magasin et se trouvent sur le trottoir:

— Si j'avais plus de temps et d'argent, dit Mme. Duval, je resterais ici pour faire d'autres achats.   On y vend tout à bon marché.   Et toi, tu n'as besoin de rien?

— Si, je voudrais trouver une jupe et des bas pour Pauline.   Nous devrions nous dépêcher, n'est-ce pas?

— Oui, si nous allions chez Bonton?   Les journaux y annoncent une vente aujourd'hui.   Je ne voudrais pas la manquer.

— Bien, allons-y! (On sera bientôt fatigué de faire toutes ces courses, bien entendu.)

Vocabulaire

acheter buy	livrer deliver
aller à pied go on foot, walk	manquer miss
s'en aller go away, leave	s'ouvrir open, be opened
*choisir choose	remercier (de) thank (for)
espérer hope	tarder (à) be long, delay (doing)
faire des emplettes go shopping	vendre sell
garer (la voiture) park (the car)	

devrions   we should

faites comme chez vous   make yourself at home

resterais   I'd stay

voudrais   I'd like

un achat   purchase

une adresse   address

l'argent *m.*   money

un bas   stocking

une chaussette   sock

une chemise   shirt

un choix   choice

un compte   account

une dame   lady

une foule   crowd

une jupe   skirt

mesdames   ladies

Rue Claude   Claude St.

une seconde   second

trop de monde   too many people

le trottoir   sidewalk

un vendeur   salesman
  une vendeuse   saleslady

une vente   sale

à bon marché   at a bargain, cheap

à domicile   to (at) one's home

aussitôt que, dès que   as soon as

bien entendu   of course

d'ailleurs   moreover, besides

en attendant   meanwhile

si!   yes indeed! (*in reply to negative
remark*)

Etude de Verbes

1.   LE FUTUR ANTÉRIEUR (*the future perfect tense*)

elles seront arrivées   they will have arrived

ils se seront levés   they will have gotten up

il aura fini   he will have finished

elles auront trouvé   they will have found

elles auront acheté   they will have bought

These verb forms are composed of two parts: the past participle (**arrivées,**
levés, etc.) of the verb preceded by a form of the future tense of **avoir** or **être.**
This compound form is called the *futur antérieur.*

a.	b.	c.
j'aurai fini	**je me serai levé(e)**	**je serai arrivé(e)**
tu auras fini	**tu te seras levé(e)**	**tu seras arrivé(e)**
etc.	etc.	etc.

This tense indicates a future action or state completed before another future
action or state.

As in all compound tenses (*passé composé, plus-que-parfait,* etc.), reflexive
verbs (b) and intransitive verbs of motion (c) use the auxiliary verb **être.** Simple
transitive verbs use **avoir** (a).

As in all compound tenses, the past participle agrees with any direct object preceding it (b) or with the subject of intransitive verbs of motion (c).

Put object pronouns before auxiliary verbs and form questions or negatives as in other compound tenses.

interrogative

est-ce que je les lui aurai donné(e)s?

les lui auras-tu donné(e)s?

etc.

affirmative	*negative*
je les lui aurai donné(e)s	je ne les lui aurai pas donné(e)s
tu les lui auras donné(e)s	tu ne les lui auras pas donné(e)s
etc.	etc.

2.   acheter et espérer au présent et au futur

PRÉSENT		FUTUR	
achète	espère	achèterai	espérerai
achètes	espères	achèteras	espéreras
achète	espère	achètera	espérera
achetons	espérons	achèterons	espérerons
achetez	espérez	achèterez	espérerez
achètent	espèrent	achèteront	espéreront

Observe carefully the accent patterns of these verbs.

3. Forms of the conditional tense, to be studied soon:

je resterais   I would stay   **je voudrais**   I would like

nous devrions   we should, ought to

Remarques

1. a. **Quand vous *serez* prête, je descendrai.** — When you are (will be) ready, I will come down.

   b. **Dès qu'elles l'*auront acheté*, elles s'en iront.** — As soon as they (will) have bought it, they will leave.

After **quand** or **lorsque** (*when*) and **aussitôt que** or **dès que** (*as soon as*), use a future if action or state occurs at the same time as another future action or state (a); the future perfect if action or state precedes a future (b).

2.   *ma*dame   *ma*demoiselle   *mon*sieur
        *mes*dames   *mes*demoiselles   *mes*sieurs

Observe the formation of the plural of these composite words.

Compositions orales

Suzanne arrive chez les Duval

Les deux amies feront des emplettes   Mme. D. fait livrer ses achats

Questions

Qui est venu chercher Mme. D.?

Est-elle arrivée trop tôt?

Quand Louise sera-t-elle prête à partir?

Où les amies iront-elles ensemble?

M. D. va-t-il les accompagner? Pourquoi?

Que devra-t-il faire?

Quand les magasins commenceront-ils à s'ouvrir?

Qu'est-ce que Jean et Marie auront fait à cette heure?

Qu'est-ce que M. D. aura fini?

Que sera-t-il en train de faire?

Quand les deux dames iront-elles chez Lambert?

Qu'est-ce que c'est que Lambert?

Qu'est-ce qu'on y fera?

Qu'est-ce que Mme. D. y achètera? et Mme. Martin?

Quand iront-elles à un autre magasin?

Pourquoi veulent-elles aller à cet autre magasin?

Comment Mme. D. paye-t-elle ses achats?

A-t-elle pris ses achats avec elle?

Où les a-t-elle fait livrer?

Qu'est-ce que c'est que le numéro 471?

Que ferait Mme. D. si elle avait plus de temps?

Où vend-on à bon marché?

Que voudrait trouver Mme. Martin? Pour qui?

Qui devrait se dépêcher?

Qu'y a-t-il chez Bonton?

Où avait-on annoncé la vente?

De quoi sera-t-on bientôt fatigué?

Qui payera les achats de Mme. Duval?

Questions Supplémentaires

Exercices

A. *Continuez en série.*

j'en achèterai demain

j'espère en trouver mardi

je m'y promènerai avec eux

j'y serai arrivé(e) avant jeudi

je les lui aurai donné(e)s avant lundi

je me serai levé(e) avant mon père

je les aurai fini(e)s avant samedi

j'appellerai mes amis ce soir

B. *Mettez à tous les temps à la personne indiquée.*

suivre (ils)	mettre (elles)	tenir (vous)
prendre (je)	descendre (tu)	valoir (il)
partir (on)	espérer (nous)	savoir (tu)
aller (vous)	recevoir (elle)	être (nous)
acheter (je)	se promener (je)	faire (on)
devoir (il)	préférer (je)	ouvrir (ils)
voir (elles)	se lever (ils)	croire (je)
falloir (il)	entrer (vous)	finir (nous)
venir (nous)	vendre (elle)	pouvoir (il)
appeler (ils)	battre (elles)	courir (elle)

C. *Faites des comparaisons selon l'exemple:*

Cet arbre est beau.   Cet arbre-ci est plus beau que
cet arbre-là.   Cet arbre est le plus beau de tous.

bel arbre	repas délicieux	soupe chaude	bonnes pipes
pain frais	amis amusants	hommes forts	bon magasin
rue longue	vendeuse active	vieille dame	bonne chemise

D. *Mettez les verbes aux temps futurs qui conviennent.*

1. Quand il (*arriver*), je lui en (*donner*).
2. Dès qu'il (*dîner*), il ne (*tarder*) pas à sortir.
3. Quand elle (*pouvoir*) le faire, elle la (*payer*).
4. Quand je les (*vendre*), je (*quitter*) cette ville.
5. Aussitôt qu'ils (*s'en aller*), je vous le (*dire*).
6. Dès que je (*avoir*) le temps, j'y (*aller*) à pied.
7. Dès que vous les (*acheter*), où les (*faire*)-vous livrer?
8. Aussitôt que nous (*se lever*), nous (*faire*) des emplettes.

E. *Complétez.*

1. ____ ouvrant la porte ____ Jean. 2. Faites comme ____ vous! 3. Je serai prête ____ une seconde. 4. Il a fini ____ déjeuner. 5. Elles iront ____ ville ____ pied. 6. Il y a trop ____ monde. 7. Ils commencent ____ s'ouvrir. 8. Asseyez-vous ____ ce fauteuil. 9. ____ ce moment elle est entrée. 10. Achetons-les ____ notre fils! 11. On y vend ____ bon marché. 12. Nous parlerons ____ la vendeuse. 13. Je n'avais plus ____ temps. 14. Elle est fatiguée ____ marcher. 15. Si nous allions ____ Bonton? 16. Mettez ces achats ____ mon compte! 17. Faites-les livrer ____ domicile. 18. Elles sont sorties ____ ce magasin. 19. Ils se trouvent ____ le trottoir. 20. Elle n'avait besoin ____ rien.

F. *Faites des résumés oraux à toutes les personnes du futur avec*

ouvrir la porte à (son) amie, lui dire bonjour, quitter la maison avec elle, arriver en ville, garer la voiture, aller à pied chez Lambert, entrer, acheter des chemises à bon marché, mettre les achats à (son) compte, les faire livrer à (son) adresse, descendre dans l'ascenseur, se trouver sur le trottoir, rentrer.

VINGT–CINQUIÈME
LEÇON

On Reçoit une Lettre de France

A son retour, Mme. Duval trouve du courrier apporté par le facteur. Celui-ci a laissé quelques lettres, dont une est celle qu'on attendait. De qui est-elle? C'est la lettre du frère de Mme. Duval qui demeure à Paris. Il s'appelle Georges Chevalier, il a quarante-cinq ans et repré-sente une importante compagnie industrielle. M. Duval savait que l'oncle Georges viendrait un jour aux Etats-Unis, si les affaires le lui permettaient. Les Duval le reverraient avec plaisir, car ils ne l'avaient pas vu depuis sept ans pendant un voyage en France.

— Quels beaux timbres! Ceux-ci t'intéressent-ils, Jean? lui de-mande sa mère.

— Oh! oui, celui-ci surtout m'intéresse, répond le fils en le lui montrant. J'ai très peu de timbres comme ceux-là. Je le mettrai dans mon album avec ceux que j'y ai déjà mis. Merci, maman.

La mère se dépêche d'ouvrir la lettre et de la lire aux autres. (Elle donne l'enveloppe à son fils.)

— Cette lettre de notre parent est assez longue; asseyons-nous et je vous la lirai. (On s'assied pour l'écouter.) La voici!

le 21 novembre, 1962

Mes chers enfants:

Je vous écris ceci pour vous annoncer que j'ai l'intention de faire un voyage d'affaires en Amérique; cela sera au mois de décembre. Je serais heureux de vous revoir tous. La dernière fois que je vous ai vus et parlé, c'était il y a sept ans, en juin. A ce moment-là, Jean avait neuf ans et

Marie n'en avait que huit. Cette fois-ci, je trouverai les enfants beaucoup changés.

Si tout va bien, je partirai pour New York vers le 15 décembre; nous pourrions ainsi passer la Noël ensemble. Je dois passer au moins un mois aux Etats-Unis et au Canada, où je resterai peu de temps; je voyagerai dans ces deux pays pour me renseigner sur ce qui se passe dans l'industrie. Je devrai être de retour à Paris avant le 30 janvier.

Si j'avais su plus tôt que je devais venir, je vous aurais écrit il y a un mois... (*Mme. Duval continue la lecture et arrive à la fin de la lettre.*) ... Jean et Marie, soyez sages, n'est-ce pas? Albert, ne te fatigue pas trop et fais un peu de golf. Et toi, Louise, soigne bien ton mari et tes enfants. Je vous embrasse tous bien affectueusement, votre oncle Georges.

GEORGES CHEVALIER

127 Ave. Victor Hugo

Paris XVIe., France

On était content d'apprendre cela. On va tout de suite écrire une lettre pour répondre à celle de M. Chevalier.

Vocabulaire

avoir l'intention (de) intend (to)
changer change
écrire/écrit (à) write (to)
faire du golf play golf
faire un voyage take a trip
intéresser interest
laisser leave (behind)
se passer happen
se renseigner (sur) find out (about)
représenter represent
soigner take care of
voyager travel

soyez! be!

les affaires *f.* business
un album album

une compagnie company
décembre December
une enveloppe envelope
le facteur mailman
une industrie industry
janvier January
juin June
  en juin in June
un mois month
  au mois de in the month of
Noël *m.* Christmas
la Noël Christmas(time)
novembre November
un oncle uncle
un parent relative
un timbre (poste) stamp
un voyage trip

ceci   this (idea, thing)

cela (ça)   that (idea, thing)

celle(s)   the one(s)

celui-ci   this one, the latter

celui-là   that one, the former

ceux   the ones

changé   changed

industriel, industrielle   industrial

sage   good, well-behaved

affectueusement   affectionately

ainsi   so, thus

il y a   ago

peu (de)   little, few

un peu (de)   a little

Etude de Verbes

1. il viendrait   he would come   **ils reverraient**   they would see again

   je serais   I would be   **nous pourrions**   we could, would be able

These are examples of the conditional tense (*le conditionnel*) previously noted on page 158. As in English, this tense denotes an action or state possible in the future (*would come, would see,* etc.), but not bound to be, and often contingent upon another action or state.

rester	avoir	être	vouloir	finir
je resterais	j'aurais	je serais	je voudrais	je finirais
tu resterais	tu aurais	tu serais	tu voudrais	tu finirais
etc.	etc.	etc.	etc.	etc.

The conditional is formed by adding to the future stem the endings of the imperfect tense.

2.   **j'aurais écrit**   I would have written

This is an example of the past conditional tense (*le conditionnel passé*). This tense means: *I would have finished, I would have gotten up, I would have arrived,* etc.

a.	b.	c.
j'aurais fini	je me serais levé(e)	je serais arrivé(e)
tu aurais fini	tu te serais levé(e)	tu serais arrivé(e)
etc.	etc.	etc.

These verb forms are composed of two parts: the past participle preceded by the conditional tense of **avoir** or **être**. As in all compound tenses, reflexive verbs (b) and intransitive verbs of motion (c) use the auxiliary verb **être**; simple transitive verbs use **avoir** (a).

For past participle agreement, position of object pronouns, and formation of questions and negatives, observe the same patterns as in all compound tenses.

interrogative

est-ce que je les lui aurais donné(e)s?

les lui aurais-tu donné(e)s?

etc.

affirmative	*negative*
je les lui aurais donné(e)s	je ne les lui aurais pas donné(e)s
tu les lui aurais donné(e)s	tu ne les lui aurais pas donné(e)s
etc.	etc.

3. écrire au présent:

écris   écris   écrit   écrivons   écrivez   écrivent

Remarques

1.

	a.		b.		c.	
	the one, the ones		this one, these		that one, those	
MASC.:	celui	ceux	celui-ci	ceux-ci	celui-là	ceux-là
FEM.:	celle	celles	celle-ci	celles-ci	celle-là	celles-là

It is evident that these demonstrative pronouns (*pronoms démonstratifs*) derive from the demonstrative adjective **ce** + the strong pronoun forms **lui, elle, eux, elles.** Use the simple forms (a) when they are qualified by a phrase (... de M. Chevalier), or a clause (... que j'y ai déjà mis):

ceux qui m'intéressent   those which interest me

ceux que j'y ai déjà mis   those I've already put in it

When not so qualified, these pronouns add -ci and -là to distinguish between closer (b) or remoter (c) persons or things, or to indicate *the latter* (b) and *the former* (c):

Mme. D. trouve le courrier apporté par le facteur.	Mrs. D. finds the mail brought by the postman.
Celui-ci a laissé des lettres.	The latter left some letters.

2. *Cela* sera au mois de décembre.   That (taking a trip) will be in the month of December.

Je vous écris *ceci*.   I'm writing you this.

The neuter demonstrative pronouns **ceci** (*this*) and **cela** (*that*) refer not to definite people or things, but to indefinite ideas, conditions, actions, etc.

3. a. Si tout va bien, je partirai.   If all goes well, I'll leave.
   b. Si tout allait bien, je partirais.   If all went well, I would leave.
   c. Si tout était bien allé, je serais   If all had gone well, I would have left.
      parti.

These are the commonest types of conditional (*if*) sentences. Observe that the tense combinations commonly used parallel the English (a, c), except for the use of the imperfect in the *if*-clause (b) to balance the conditional in the result clause.

4. le 21 (vingt et un) novembre   (on) the 21st of November
      le 15 (quinze) décembre   (on) the 15th of December
        le 10 (dix) janvier   (on) the 10th of January

To indicate dates, *on* and *of* are omitted in French. Use cardinal numbers (vingt et un, etc.), except for the first (le premier novembre). Months are all masculine and are not capitalized:

janvier	avril	juillet	octobre
février	mai	août	novembre
mars	juin	septembre	décembre

Years are indicated as in English:

800	huit cents	1120	onze cent vingt
1000	mille	1962	dix-neuf cent soixante-deux

Observe the −s on round hundreds only. Compare with 80, 81, etc.

Note: In English, one may say *twenty-one hundred, twenty-two hundred,* etc. In French, one must say deux mille cent, deux mille deux cents, etc. For round thousands: deux mille, trois mille, etc.

5. **Paris XVIᵉ (seizième arrondissement).** Paris, 16th (ward, zone).

The city of Paris is divided into **arrondissements** or zones, each with its own **bureau de poste** (*post office*). A proper address includes this number.

The abbreviation of the ending of ordinal numbers is −e, except for *first*, which is −er, −ère.

6.   a.

   Il irait *à Paris.*   He would go to Paris.
   Il habiterait *à Paris.*   He would live in Paris.

                    b.

   Il viendrait *aux Etats-Unis.*   He would come to the U. S.
   Il resterait *aux Etats-Unis.*   He would stay in the U. S.

c.

Je ferais un voyage *au Canada.*	I would take a trip to Canada.
Je resterais *au Canada.*	I would stay in Canada.

d.

Il ferait un voyage *en France.*	He would take a trip to France.
Il voudrait rester *en France.*	He would like to stay in France.

Express *to* or *in* a city (a) by using à; *to* or *in* masculine countries (b, c) by
à and the definite article; *to* or *in* feminine countries or continents (d) by **en**
with no article.

Names of countries, areas, and continents ending in –e are feminine, except
le.Mexique (*Mexico*).

Compositions orales

On reçoit une lettre   Le voyage de l'oncle Georges

Questions

Qu'est-ce que Mme. Duval a trouvé?
  Quand?

Qui a apporté le courrier?

Qu'est-ce que celui-ci a laissé?

Quelle est une de ces lettres?

Qui est Georges Chevalier et où
  demeure-t-il?

Que représente-t-il?

Que savait M. Duval de son beau-
  frère?

Quand viendrait-il aux Etats-Unis?

La famille serait-elle contente de le
  revoir?

Qui serait-il heureux de revoir?

Quelle était la dernière fois qu'il les
  avait vus?

Quel âge avait Jean à ce moment-là?
  et Marie?

Comment M. Chevalier trouvera-t-il
  les enfants cette fois-ci?

Quand partira-t-il pour New York?

Qu'est-ce que cela lui permettra de
  faire?

Combien de temps devra-t-il passer en
  Amérique?

Dans quels pays voyagera-t-il?

Depuis quand ne l'avait-on pas vu?

Pendant quel voyage l'avait-on vu la
  dernière fois?

Quel timbre a intéressé Jean?   Où le
  mettra-t-il? Avec quoi?

Qu'est-ce que la mère s'est dépêchée
  de faire?

A qui a-t-elle lu la lettre?

A qui a-t-elle donné l'enveloppe?

Que fait-on pour écouter la lettre de
  l'oncle Georges?

Quelle est la date de la lettre?

Qu'est-ce que l'oncle Georges a l'intention de faire?   Quand?

Pourquoi y voyagera-t-il?

Quand devra-t-il être de retour à Paris?

S'il avait su plus tôt qu'il devait venir, quand aurait-il écrit?

Qu'a-t-il dit à M. Duval de faire? et aux enfants? et à sa sœur?

De quoi la famille était-elle contente?

A quelle lettre va-t-on répondre? Quand?

Questions Supplémentaires

Exercices

A. *Continuez en série.*

je la lui écris

j'y ferais un voyage

je m'en suis allé(e)

je les lui aurais donné(e)s

je serais resté(e) chez moi

je me serais levé(e) plus tôt

B. *Conjuguez.*

si je vais bien, je partirai le premier janvier

si j'avais de l'argent, je ferais un voyage

si j'étais rentré(e) à l'heure, je les aurais vu(e)s

C. *Lisez ces dates à haute voix.*

1. Jan. 1, 472
2. Feb. 2, 800
3. Mar. 3, 1610
4. Apr. 8, 1066
5. May 10, 1198
6. June 11, 1775
7. July 16, 1212
8. Aug. 20, 1333
9. Sept. 21, 1853
10. Oct. 22, 1492
11. Nov. 17, 1588
12. Dec. 31, 1962

D. *Mettez les formes de* celui, etc.; celui-ci, celui-là, etc.

1. mon courrier et ＿＿ de Jean
2. ＿＿ sont plus chers que ＿＿
3. nos timbres et ＿＿ de Paul
4. ma chemise et ＿＿ de Henri
5. ＿＿ est plus haute que ＿＿
6. ＿＿ sont plus jolies que ＿＿
7. ＿＿ sont meilleures que ＿＿
8. ＿＿ sont moins chauds que ＿＿
9. Voici M. et Mme.; ＿＿ est belle
10. ses lettres et ＿＿ que j'écris
11. ce voyage et ＿＿ qu'il fera
12. Voilà Jean et Marie; ＿＿ est blond
13. ce mois-là est plus long que ＿＿
14. ＿＿ de Paul est moins claire
15. ＿＿ que j'ai achetées hier
16. ＿＿ sont moins chauds que ＿＿

E. *Mettez* à, au, aux, *ou* en.

1. j'irais _____ New York
2. il serait _____ France
3. on viendrait _____ Canada
4. elle était _____ Amérique
5. allons _____ Mexique

6. qui demeure _____ Paris?
7. ils sont _____ Etats-Unis
8. je resterais _____ Rome
9. voyageons _____ Europe
10. allez _____ Etats-Unis

F. *Mettez* peu de *ou* un peu de.

1. Ce malade a besoin de _____ repos.
2. Notre collection a _____ timbres.
3. Il faut _____ temps pour y arriver.
4. J'ai faim; donne-moi _____ ce pain.

5. Un médecin a _____ repos.
6. Il a fait très _____ voyages.
7. Fais _____ golf quand tu peux.
8. Un homme occupé a _____ temps.

G. *Mettez au passé.*

Nous sommes en classe. C'est une classe de français. Le professeur est M. Dupont et il est assis devant nous. Il nous dit de compter et nous prononçons les nombres parce que nous les savons bien. Henri dit qu'il sait le faire mieux et il le fait, mais il s'arrête à 61 et ne peut pas continuer. Puis, tous prononcent les nombres et les répètent.

H. *Faites des résumés oraux à toutes les personnes du futur avec*

faire un voyage d'affaires, être heureux de revoir (ses) amis, partir pour New York vers le 15 décembre, devoir passer un mois aux Etats-Unis et au Canada, voyager pour se renseigner, devoir être de retour à Paris le 10 janvier, leur écrire encore une fois avant de partir

CINQUIÈME
RÉVISION

A. *Continuez en série.*

je l'avais suivi(e)	j'y courrais	je les aurai vendu(e)s
je m'en étais allé(e)	j'en prendrai	j'en aurais écrit
j'en achèterais	j'y penserai	j'y serais entré(e)

B. *Continuez en série avec* me, te, etc.

il m'en avait servi	elle me l'aurait traduit(e)
elle me la laisserait	il me les aura donné(e)s

C. *Mettez au passé composé, au présent et au futur à la personne indiquée selon l'exemple:*

Hier je les ai suivis, aujourd'hui je les suis et demain je les suivrai.

les suivre (je)	faire des emplettes (je)
lui en servir (elle)	tarder à arriver (on)
se coucher tard (nous)	y aller à pied (ils)
courir en ville (ils)	devoir y penser (elle)
faire des courses (vous)	s'occuper de ce travail (il)
le laisser tomber (on)	venir les chercher (tu)
écrire des lettres (tu)	faire le tour de Paris (ils)
faire du golf (nous)	être obligé d'étudier (il)
acheter des bas (elles)	se donner rendez-vous (ils)

D. *Conjuguez.*

voici les chemises dont j'ai besoin
je m'en occupais depuis plus d'un mois
si j'en goûtais, j'en serais content(e)
je n'y arriverai que beaucoup plus tard
il y a moins d'une heure que je l'écoute

170

dès que je les aurai finis, je le lui dirai

je devrais finir mes leçons avant de m'amuser

si je m'étais couché(e), je ne l'aurais pas vu

si je fais ce voyage, il me faudra de l'argent

j'y vais le jeudi mais je n'y vais pas ce jeudi

je voudrais faire un voyage en France au mois de mai

j'aurais passé toute la soirée à regarder ce programme

je lui donnerai un coup de téléphone au moment où je rentrerai

E. *Donnez deux mots suggérés par les expressions suivantes, selon l'exemple:*
aujourd'hui — hier et demain.

aujourd'hui	dixième	deuxième	la journée
soixante-dix	midi	le matin	maintenant
quatre-vingts	le soir	novembre	trente fois
se réveiller	février	dimanche	peut-être
le premier étage	mai	six heures	pendant
le déjeuner	août	le garçon	meilleur
être à table	cent	la fille	apprendre
faire le travail	rester	s'habiller	le bifteck
avoir quinze ans	même	être assis	le dessert
aussi grand	avoir	être dans	seizième
quelque chose	ce mois	être couché	la semaine

F. *Employez des pronoms démonstratifs pour faire des contrastes selon l'exemple:*
celle-ci est chaude mais celle-là est froide.

cette soupe est chaude	ces champignons sont petits
cette sauce est mauvaise	ce fils a perdu son livre
ce professeur est jeune	ces fleurs sont devant toi
ce voyage sera impossible	ces messieurs ont raison
ces femmes achètent peu	ces étudiants parleront bien
cette fille était blonde	ce repas a été le premier
ces malades sont entrés	ces achats sont bon marché
ces garçons mangent vite	cet ascenseur est descendu
ce facteur arrivera tôt	ces étudiantes seront assises
ce médecin s'est reposé	ce chauffeur a déjà dîné
cette branche est grosse	ces dames ont gagné la partie

G. *Mettez au plus-que-parfait, au futur antérieur et au conditionnel passé à la personne indiquée.*

se reposer chez lui (il)   quitter le magasin (elle)
venir nous chercher (on)   entrer dans le bureau (nous)
faire ce voyage (je)   courir au téléphone (elles)
devoir y penser (vous)   traduire ces phrases (ils)
se coucher tard (vous)   s'occuper de ce malade (il)
vouloir en parler (je)   écrire ces lettres (nous)

H. *Faites des exclamations.*

longue leçon   programme amusant   ils sont sages
eau claire   il fait frais   belle cravate
c'est amusant   bifteck délicieux   je suis pressé

I. *Mettez au comparatif et au superlatif selon l'exemple.*

Ce garçon est grand. Ce garçon-ci est plus grand que ce garçon-là. Ce garçon est le plus grand de tous.

ce garçon est grand   ces bas sont bons
cette soupe est bonne   cet arbre est petit
ces tours sont longs   cet homme est bon
ces dames sont belles   cette femme est svelte

J. *Continuez avec tous les mois selon l'exemple:* en janvier, au mois de janvier, etc.

K. *Répétez les dates suivantes avec les mots:* c'est aujourd'hui ...
1. lundi, 1 janvier, 1958   7. jeudi, 14 juillet, 1969
2. mardi, 2 février, 1959   8. lundi, 16 août, 1970
3. mercredi, 2 mars, 1960   9. dimanche, 21 septembre, 1971
4. jeudi, 1 avril, 1961   10. mercredi, 22 octobre, 1975
5. vendredi, 9 mai, 1962   11. mardi, 30 novembre, 1978
6. samedi, 11 juin, 1963   12. vendredi, 31 décembre, 1980

L. *Complétez.*

1. Entrons ＿＿ salon! 2. Les voilà ＿＿ haut! 3. Mettons-nous ＿＿ table! 4. Commençons ＿＿ manger! 5. Voici une soupe ＿＿ légumes. 6. Voilà des pommes ＿＿ terre. 7. Petits pois ＿＿ la française. 8. On

bavarde ____ mangeant. 9. Il n'y a pas ____ meilleure. 10. ____ habitude il prend du vin. 11. Permettez-moi ____ en goûter. 12. Quelle salade ____ tomates! 13. Qu'y a-t-il ____ le dessert? 14. C'est une tarte ____ pommes. 15. Levons-nous ____ table! 16. Il est sept heures ____ soir. 17. Voici un plateau ____ argent. 18. Il s'installe ____ son fauteuil. 19. Il se repose ____ son travail. 20. Je m'amuse ____ lire cela. 21. Toujours ____ mauvaises nouvelles! 22. On étudie avant ____ s'amuser. 23. Elle est aidée ____ sa fille. 24. Elle était ____ la cuisine. 25. Tout ____ coup on l'entend. 26. La voilà ____ bas! 27. Il est ____ train ____ étudier. 28. Traduisez-le ____ français! 29. Je le tenais ____ la main. 30. Elle est sortie ____ la chambre.

M. *Remplacez les mots en italique par* ceci *ou* cela (ça).

1. Je préfère *m'amuser* à *étudier*. 2. *Faire des courses*, c'est pour les femmes! 3. *Se lever à cinq heures*, ce n'est pas pour moi! 4. J'aime *me reposer dans ce fauteuil-là*. 5. *Préparer des repas*, c'est du travail! 6. Je vous promets *d'arriver à l'heure*. 7. Elle a oublié *de laver la vaisselle*. 8. *Etre à mon aise*, c'est mon sport favori.

N. *Complétez.*

1. Il sortira ____ courant. 2. Il venait ____ s'en aller. 3. Nous avions trop ____ faire. 4. Asseyez-vous près ____ moi! 5. Passons une heure ____ lire! 6. Il s'occupe ____ ses malades. 7. Ce sont des jours ____ travail. 8. Elle pense ____ son ménage. 9. Faisons le tour ____ magasins! 10. J'ai l'habitude ____ le faire. 11. Voici nos leçons ____ lundi! 12. Il regarde ____ la fenêtre. 13. Elle reviendra ____ taxi. 14. Que penses-tu ____ cela? 15. Soyez ____ rendez-vous ____ l'heure! 16. Je serai prête ____ un instant. 17. Faites comme ____ vous! 18. Il y avait trop ____ monde. 19. ____ ailleurs, je dois partir. 20. Je ferai ____ autres achats. 21. Elles y iront ____ pied. 22. Elle est apportée ____ le facteur. 23. Mettez-les ____ mon compte! 24. Faites-les livrer ____ domicile! 25. On se trouve ____ le trottoir. 26. On y vend ____ bon marché. 27. Tu n'as besoin ____ rien? 28. Je suis fatigué ____ étudier. 29. ____ son retour, il dînera. 30. Il demeure ____ Paris. 31. Il viendra ____ Etats-Unis. 32. Elle se dépêche ____ l'ouvrir. 33. J'ai l'intention ____ y aller. 34. Ce sera ____ mois ____ décembre. 35. Tu seras heureux ____ le revoir. 36. Il partira ____ N. Y. le 15. 37. Il y passera ____ moins un mois. 38. Il ira aussi ____ Canada. 39. Quand sera-t-il ____ retour ____ Paris? 40. On est content ____ apprendre cela. 41. Réponds ____ la lettre tout ____ suite! 42. Voilà une femme ____ cheveux blonds! 43. Mets-y un peu ____ sauce! 44. Elle fait peu ____ achats.

O. *Faites des questions basées sur (based on) les mots en italique des phrases suivantes.*

1. Elle a *bien* joué.
2. Il faisait *beau*.
3. C'est *un timbre*.
4. Nous irons *en ville*.
5. *Marie* en mangeait.
6. *Cela* m'amusera.
7. On doit *y* penser.
8. *Voyager*, c'est bon!
9. Il suit *ses amis*.
10. Tu joueras au *tennis*.
11. On attendait *Louise*.
12. Nous parlions à *Jean*.
13. Je me lèverai *à une heure*.
14. Ils appelleront *Maurice*.
15. Je me promènerai *ici*.
16. Elle pensait à *ses achats*.
17. Je préfère *ces* chemises.
18. J'achèterai *des pommes*.
19. Il en trouvera pour *Paul*.
20. On y va *au mois de mars*.
21. Je lis depuis *une heure*.
22. Il étudie pour *savoir*.

P. *Mettez au passé.*

Mon bureau se trouve au sixième étage et j'y monte dans l'ascenseur. Je le prends au rez-de-chaussée et d'autres personnes y entrent aussi et le remplissent. En montant, je lis mon journal. J'arrive à mon étage et l'ascenseur s'arrête. J'en sors et je vais à mon bureau. J'y entre et je dis bonjour à ma secrétaire, qui m'attend. Elle est blonde et s'appelle Berger. Elle me demande comment je vais et me montre la liste des malades qui m'attendent. Elle me dit qu'il y en a plusieurs, que l'antichambre en est pleine et qu'ils lisent des journaux. Je mets ma blouse blanche et dis que je suis prêt à les recevoir. Mlle. Berger fait entrer le premier.

Q. *Faites des résumés oraux à toutes les personnes avec*

(*au futur*) entrer dans la salle à manger, s'asseoir à table, avoir bon appétit, commencer à manger, souffler sur la soupe, manger du bifteck, boire du vin rouge, se lever de table, emporter les tasses vides, aller au salon, prendre du café, s'installer dans (son) fauteuil, reprendre la lecture de (son) journal, fumer (sa) pipe

(*au conditionnel*) aider (sa) mère, desservir la table, laver la vaisselle, monter dans (sa) chambre, entendre sonner le téléphone, laisser tomber (son) crayon, sortir de (sa) chambre, descendre en courant, parler avec (son) ami, raccrocher, terminer (ses) devoirs, s'asseoir au salon, regarder la télévision, se coucher vers dix heures

(*au passé*) se lever tôt, être pressé, s'habiller, avoir faim, descendre en bas, attendre son ami, lui ouvrir la porte, partir avec lui, faire beau, arriver en ville, faire le tour des grands magasins, avoir des emplettes à faire, acheter des chaussettes, mettre (ses) achats à (son) compte, les faire livrer à domicile, rentrer chez (soi)

VINGT-SIXIÈME LEÇON

Un Match de Football

Quel jeu aimez-vous? Le football? Ce samedi après-midi a lieu le grand match entre l'équipe de Belleville et celle d'une ville voisine, Des Plaines. Jean fait partie de l'équipe locale. Naturellement, toute la famille va assister au match. C'est une journée d'automne comme on en voit souvent vers la fin du mois de novembre: le ciel est gris et il fait froid. Il est possible qu'il neige avant la fin de l'après-midi. Il pourrait faire meilleur, mais n'importe! On va s'habiller chaudement ou on aura froid, car on restera assis dans le grand stade pendant plus de deux heures.

Vers une heure et quart, le déjeuner terminé, M. et Mme. Duval, Marie et un ami, Charles Durant, montent en voiture et s'en vont au stade municipal. Quand les Duval y sont arrivés, la foule remplissait déjà presque tout le stade. Pour un match tel que celui-ci, on venait de Belleville, de Des Plaines et de beaucoup d'autres villes voisines. Il est deux heures, les deux équipes ont terminé leurs préparatifs, la partie va commencer.

L'équipe locale marque d'abord six points, mais manque l'essai pour le septième. Belleville mène par six à zéro. Cependant, à leur tour, les adversaires avancent le ballon et marquent trois points par un essai: six à trois. C'est maintenant le tour de Belleville. Malheureusement, un de leurs joueurs laisse tomber le ballon, ce qui permet à un adversaire de le prendre et de courir jusqu'au but. Encore six points pour Des Plaines. L'essai est manqué. Des Plaines mène par neuf à six!

Il n'y a plus que trois minutes. Il faut que Jean et son équipe se dépêchent! On arrive presqu'au but. Plus que vingt secondes! Quelle situation! Que faire? ... Il faut choisir: un essai pour faire match nul? six points pour gagner? Il vaudrait mieux gagner ... tout ou rien! ... Mais regardons! Jean prend le ballon qu'on lui renvoie, court, s'arrête, se retourne, lève le bras et envoie le ballon à un de ses camarades qui le jette à son tour à un autre. Celui-ci l'attrape sur la ligne du but, qu'il traverse sans qu'on puisse mettre la main sur lui. Douze à neuf. L'essai est manqué, mais qu'importe? On a gagné. A-t-on jamais vu une telle partie? Vive le sport! Vive Belleville!

Vocabulaire

assister (à) attend
attraper catch
avancer advance
avoir froid feel (be) cold
avoir lieu take place
envoyer send, pass (*sport*)
faire partie de belong to, be a member of
jeter throw, toss
marquer score
mener lead
mettre la main sur lay a hand on, touch
neiger snow
renvoyer pass (send) back
se retourner turn (around)

ne fasse pas meilleur is not better weather
n'importe! no matter! who cares?
qu'importe? what does it matter?
sans qu'on puisse without anyone being able

un adversaire opponent
un automne autumn, fall
un ballon (foot) ball
le bras arm
le but goal
un camarade comrade, mate, pal
une équipe team
un essai try, attempt
le football football
le jeu game, sport
un joueur player
la ligne line
un match (big) game
    match nul tie (game)
un point point
les préparatifs warm-up, preparation
la situation situation
un stade stadium
un zéro zero

froid cold
gris gray
local, locaux local, home *adj.*

municipal, municipaux municipal,
 city *adj.*
tel, telle such
voisin neighboring

chaudement warmly
malheureusement unfortunately
naturellement naturally

cependant however
encore another, more, again
entre between, among
jamais ever
ne ... plus que no more than
presque almost
sans without

Etude de Verbes

1. To date we have studied these tenses:

le présent	*le passé composé*
l'imparfait	*le plus-que-parfait*
le futur	*le futur antérieur*
le conditionnel	*le conditionnel passé*

These tenses are in the indicative mood (*le mode indicatif*). The word *mood* shows the attitude of the speaker toward the action or state.

      a. Jean est ici.   **b. Je dis que Jean est ici.**

The indicative mood *indicates* an action or state considered as a fact stated alone (a) or following an expression admitting or recognizing the fact (b).

2. Observe carefully each example using the indicative or infinitive paired with a use of the subjunctive mood below it. Note that some subjunctive forms are identical with the indicative:

    Je vois qu'il *neige*.   I see (that) it's snowing.
  a. Il est possible qu'il *neige*.   It's possible (that) it will snow.   It may snow.

    On dit qu'il *fait* beau temps.   They say (that) the weather's fine.
  b. C'est dommage qu'il ne *fasse*   It's too bad (that) the weather isn't
     pas meilleur.   better.

    Tu sais qu'ils se *dépêchent*.   You know (that) they're hurrying.
  c. Il faut qu'ils se *dépêchent*.   It's necessary that they hurry.
      It's necessary for them to hurry.
      They must (have to) hurry.

Il l'a suivi sans *pouvoir* mettre la main sur lui.	He followed him without being able to touch him.
d. Il le traverse sans qu'on *puisse* mettre la main sur lui.	He crosses it without anyone being able to touch him.

Neige, fasse, dépêchent and **puisse** are forms of the present tense of the subjunctive mood (*le mode subjonctif*). We shall study its formation in the next lesson.

Observe in the second sentence of each pair above that the clause containing the subjunctive form begins with **que** and is sub-joined to the preceding (principal) clause. Do *not* omit **que**, even though we sometimes omit *that* in English (a–c).

From now on, learn every expression followed by **que** and the subjunctive to develop a feeling for its use:

a. **il est possible que** ...   c. **il faut que** ...

b. **c'est dommage que** ...   d. **sans que** ...

Note: The French subjunctive clause has a standard, set pattern: **que** + verb. The English version, however, often varies (a, c).

3. **envoyer** et **renvoyer** au présent de l'indicatif et au futur:

PRÉSENT		FUTUR
(r)envoie	(r)envoyons	(r)enverrai
(r)envoies	(r)envoyez	(r)enverras
(r)envoie	(r)envoient	etc.

4. Conjugate alike (see page 149):

jeter — appeler   mener — lever

PRÉSENT DE L'INDICATIF:	jette	jettes	jette	jetons	jetez	jettent
	mène	mènes	mène	menons	menez	mènent
FUTUR:	jetterai, etc.			mènerai, etc.		

Remarques

1.

J'aime le *jeu* de football.	I like the game of football.
Le *jeu* de tennis m'intéresse.	Tennis interests me as a game.
J'ai assisté à un *match* de football.	I attended a football game.
La *partie* va commencer.	The game is about to begin.
Faisons une *partie* de tennis.	Let's play a game of tennis.

Note the various forms and meanings of French words for *game*.

2. a. Un match *tel* que celui-ci.

   b. A-t-on jamais vu une *telle* partie?

A game such as this (one).

Has anyone ever seen such a game?

The adjective tel, telle; tels, telles follows the noun when a descriptive clause or phrase is added (a), but otherwise it precedes the noun (b).

3. **malheureusement** unfortunately
   affectueusement affectionately
   mal; bien; vite badly; well; fast

   lentement slowly
   chaudement warmly
   naturellement naturally

To form most adverbs, add –ment to the feminine form of the adjective. Observe some common exceptions above. Adverbs usually follow the verb, but they may come first for emphasis:

Malheureusement, il le laisse tomber.

Unfortunately, he drops it.

4. a. **Il *n'y a plus que* trois minutes.**

   b. ***Plus que* vingt secondes!**

There are no more than (only) three minutes (left).

Only twenty seconds (left)!

Ne ... plus que is a double negative, a combination of **ne ... plus** and **ne ... que.** It means *no more than* or *only* (a).

In (b), **ne** is omitted because the verb is not expressed.

5. a. **La soupe *est* chaude (froide).**
   b. **Marie *a* chaud (froid).**
   c. **Il *fait* chaud (froid).**

   The soup is hot (cold).
   Marie is hot (cold).
   It's hot (cold). (*weather*)

To describe the temperature of things (a), use **être;** of living beings (b), **avoir;** of the weather (c), **faire.** **Chaud** and **froid** used with **avoir** and **faire** are invariable (b, c).

Compositions orales

Avant la partie

On gagne la partie

Questions

Qu'est-ce qui a lieu ce samedi après-midi?

Quelles équipes vont jouer?

De quoi Jean fait-il partie?

A quoi assistera toute la famille?

Quel temps fait-il?

Qu'est-ce qui est possible?

Pourquoi est-ce dommage?

Comment va-t-on s'habiller? Pourquoi?

Comment va-t-on au stade? A quelle heure?

Comment était le stade quand les Duval sont arrivés?

D'où venait-on pour ce match?

A quelle heure commence-t-il?

Quelle équipe marque les premiers points?

Marque-t-elle le septième point?

Combien de points marquent les adversaires à leur tour?

Comment marquent-ils ces trois points?

Qui laisse tomber le ballon?

Qu'est-ce que cela permet à un adversaire de faire?

Combien de temps reste-t-il?

Que faut-il qu'on fasse?

Que faut-il choisir?

Que vaut-il mieux faire?

Quand Jean reçoit le ballon, que fait-il?

Où son camarade attrape-t-il le ballon?

Comment traverse-t-il la ligne?

Qui a gagné? Par combien?

Questions Supplémentaires

Exercices

A. *Continuez en série.*

je les mène chez moi

j'assisterai à la partie

je faisais partie de l'équipe

je me suis retourné(e) vers lui

B. *Conjuguez.*

je la lui jette

je l'ai laissé tomber

je lui renvoie le ballon

je lui jetterai le ballon

je ne leur en enverrai pas

je ne la mènerai pas au match

C. *Mettez à l'imparfait, au passé composé, au présent et au futur à la personne indiquée, selon l'exemple.*

j'y allais souvent; j'y suis allé(e) hier;

j'y vais aujourd'hui; j'y irai demain

y aller (je)

neiger (il)

falloir choisir (il)

choisir ces places (on)

y courir (nous)   valoir mieux rester (il)
en voir (elles)   avoir lieu (ces matches)
y faire beau (il)   s'en aller à Chicago (tu)
y faire froid (il)   remplir le stade (la foule)

D. *Employez les adverbes qui conviennent.*

retournez-vous   je courrai   nous nous en irons
traduisons-le   il parlait   on les a livrés
ils joueront   il a neigé   elle écrivait
ne fumez pas   on s'avance   vous mangez

E. *Mettez les verbes en italique aux formes qui conviennent.*

1. Je sais qu'il (*faire*) froid demain.
2. Nous pensons qu'il (*aller*) bien.
3. Il est possible qu'il (*faire*) beau.
4. Il se couche sans (*pouvoir*) dormir.
5. Je le fais sans qu'on (*pouvoir*) le voir.
6. Savez-vous qu'elle (*partir*) hier?
7. Je vois que vous (*faire*) du golf.
8. C'est dommage qu'il (*faire*) du golf.
9. Il faut (*étudier*) pour apprendre.
10. On dit qu'ils (*venir*) demain.
11. Ils ont appris que vous (*être*) français.
12. Je vous promets qu'il y (*aller*) demain.
13. C'est dommage qu'il ne (*pouvoir*) pas rester.

F. *Mettez* jeu, partie *ou* match.

1. Le tennis est ____.
2. Assistons à ____!
3. On a fait ____ nul.
4. Faisons ____ de tennis!
5. Celui-ci sera un grand ____.
6. J'ai vu ____ de football.
7. C'est ____ le plus important.
8. ____ de football m'intéresse.

G. *Mettez des formes de* tel.

1. J'aime de ____ parties.
2. Une ____ équipe doit gagner.
3. De ____ joueurs gagneront.
4. Je préfère de ____ voitures.
5. Un ____ essai est impossible.
6. De ____ repas sont délicieux.
7. As-tu jamais vu un ____ stade?
8. Une ____ situation est difficile.

H. *Mettez des formes de* faire, avoir *ou* être.

1. Qui ____ froid?
2. Il ____ chaud en août.
3. Marie ____ chaud.
4. Mon café ____ froid.
5. La soupe ____ chaude.

6. Les élèves ____ chaud.
7. En janvier il ____ froid.
8. Nous ____ froid.
9. ____ vous chaud?

I. *Mettez au passé.*

M. Duval dit qu'il est prêt à recevoir ses malades. Sa secrétaire sort et fait entrer le premier. Elle dit qu'il s'appelle M. Thomas. Après, on reçoit et examine les autres. Le quatrième s'appelle M. Bernard et le médecin lui demande ce qu'il a, ce qui ne va pas. Il répond qu'il va mal, qu'il a mal à la tête, qu'il est fatigué, qu'il n'a pas d'appétit, qu'il ne peut pas dormir, qu'il est malade. Le médecin lui pose des questions, prend sa température, écoute son cœur et veut trouver la cause de sa maladie. Il dit qu'il n'est pas très malade, qu'il a un peu de fièvre, qu'il a besoin de repos. Il lui donne une ordonnance et lui dit d'aller chez le pharmacien. Après, M. Bernard sort, rentre chez lui, se repose et ne se lève pas. Enfin, il téléphone au médecin qu'il va mieux.

J. *Faites des résumés oraux à toutes les personnes avec*

(*au futur*) assister au match, y aller avec (ses) amis, faire froid, s'habiller chaudement, terminer le déjeuner, monter en voiture, s'en aller au stade, trouver (sa) place, s'asseoir.

(*au passé*) avancer le ballon, marquer six points, manquer l'essai, laisser tomber le ballon, permettre à un adversaire de courir au but, regagner le ballon, courir, s'arrêter, se retourner, lever le bras, envoyer le ballon à (son) camarade, gagner la partie

VINGT-SEPTIÈME
LEÇON

On Regarde des Timbres

Jean collectionne les timbres-poste; il en a de partout, de presque tous les pays du monde. C'est un samedi soir. Nous sommes dans la chambre du jeune Duval; celui-ci est en train de montrer sa collection à Maurice, qui n'a pas apporté la sienne. Mais il a quelques timbres avec lui qu'il voudrait échanger contre ceux dont son ami n'a pas besoin. Jean est très content que Maurice soit collectionneur aussi. Voici les deux garçons assis devant une table sur laquelle Jean vient de placer un joli album vert; il l'a ouvert pour que son camarade puisse voir ce qu'il contient. Ecoutons-le:

—Je viens d'y mettre une centaine de timbres que j'ai reçus ces jours-ci. J'en reçois environ cinq cents par mois. Il faut que je te les montre.

—Combien de timbres as-tu dans tes albums? demande Maurice, qui en a plus de sept mille dans les siens.

—Il est possible que j'en aie environ neuf mille. J'en ai aussi plusieurs centaines dans des enveloppes, mais celles-ci n'en contiennent pas plus de huit ou neuf cents, mille peut-être.

—Moi aussi, j'ai des enveloppes dans lesquelles j'ai mis plusieurs centaines de timbres, ajoute Maurice. De quels pays viennent tes nouveaux timbres?

—Eh bien, regarde. (Jean commence à tourner les pages.) En voici d'Espagne, de France, du Portugal, d'Allemagne, d'Italie ... (il continue et arrive à la Russie) ... ceux de Russie sont assez différents, mais j'ai peu de timbres de ce pays.

— Tu as raison. Moi, mes pays préférés sont: la France et la Suisse, en Europe. J'aime aussi ceux du Mexique et de l'Amérique du Sud, le Brésil surtout.

— Les timbres qui m'intéressent, dit Jean, ce sont ceux de l'Afrique du Nord. Quel est ton pays préféré, si tu en a un?

— Le mien? Les Etats-Unis, puis le Canada. Et toi?

— Moi, je n'en ai pas, mais je collectionne surtout la poste aérienne. (Jean voudrait voyager à l'étranger, en France, en Espagne, au Portugal, etc.)

Comment a-t-il obtenu tous ses timbres? C'est en correspondant avec des collectionneurs étrangers (espagnols, portugais, russes, suisses, mexicains, brésiliens, africains, canadiens, etc.), en échangeant ses timbres contre les leurs et en achetant quelques-uns. Un collectionneur peut beaucoup apprendre sur l'histoire et la géographie de tous les pays du monde; les étrangers apprennent, eux aussi, à connaître le nôtre. Mais revenons à nos jeunes gens:

Un bel avion d'*Air France*   *Photo Air France*

— Quelle belle collection! Viens voir la mienne un de ces jours, lui dit Maurice. Je voudrais qu'on se revoie bientôt.

—Je veux bien. Si nous le faisions dimanche prochain? Je n'ai rien à faire dimanche soir.

— Ni moi non plus. Pourquoi pas? répond Maurice. Eh bien, que fait-on maintenant?

— Descendons boire un coke. Il ne faut pas que tu partes sans prendre quelque chose.

—Je veux bien. J'ai soif. Allons-y!

Vocabulaire

collectionner   collect
contenir/contenu   contain
correspondre   correspond, write
échanger (contre)   exchange (for)
obtenir/obtenu   obtain
placer   place, put
tourner   turn
vouloir bien   be willing

aie   have
il ne faut pas   (one) mustn't
partes   leave
puisse   may, can
se revoie   see each other again
soit   is

une centaine   about 100
une collection   collection
un collectionneur   collector
un étranger   foreigner
l'histoire *f.*   history
le monde   world
une page   page
la poste (aérienne)   (air)mail

le mien   mine
la mienne   mine
le nôtre   ours
les leurs   theirs
la sienne   his
les siens   his

lequel, laquelle   which (one)
lesquels, lesquelles   which (ones)
quelqu'un(e)   some one
quelques-un(e)s   some, a few

différent   different
mille   1000
préféré   favorite

à l'étranger   abroad
ces jours-ci   recently
contre   for (*lit.* against)
ni moi non plus   neither do I
par mois   a (per) month
partout   everywhere
pour que   so (that)

l'Afrique du Nord North Africa	africain African
l'Allemagne Germany	allemand German
l'Amérique du Sud South America	américain American
le Brésil Brazil	brésilien Brazilian
le Canada Canada	canadien Canadian
l'Espagne Spain	espagnol Spanish
l'Europe Europe	européen European
l'Italie Italy	italien Italian
le Mexique Mexico	mexicain Mexican
le Portugal Portugal	portugais Portuguese
la Russie Russia	russe Russian
la Suisse Switzerland	suisse Swiss

Etude de Verbes

1. Compare each use below of the infinitive with the subjunctive following it:

Il l'a ouvert pour *pouvoir* voir.	He has opened it to be able to see.
a. Il l'a ouvert pour que son camarade *puisse* voir.	He has opened it so (that) his friend can (may) see.
Il est content d'*être* collectionneur.	He's glad to be a collector.
b. Il est content que Maurice *soit* collectionneur.	He's glad (that) Maurice is a collector.
Je voudrais te *revoir*.	I'd like to see you again.
c. Je voudrais qu'on se *revoie*.	I'd like for us to see each other again.
Il faut *partir*.	It's necessary to leave.
d. Il ne faut pas que tu *partes*.	You mustn't leave.

Puisse, soit, revoie, and **partes** are present subjunctive forms following the expressions:

a. **pour que**	c. **vouloir que**
b. **content que**	d. **il ne faut pas que**

Observe again that each subjunctive form is preceded by **que** and is subjoined or dependent upon the expression of the preceding (principal) clause, whatever its tense. Learn these expressions.

2. The present subjunctive of typical verbs:

montrer	finir	partir	descendre
montre	finisse	parte	descende
montres	finisses	partes	descendes
montre	finisse	parte	descende
montrions	finissions	partions	descendions
montriez	finissiez	partiez	descendiez
montrent	finissent	partent	descendent

To form the present subjunctive of regular verbs and many irregular verbs, drop the ending –ent of the third person plural of the present indicative and add to this stem:

$$-e, \quad -es, \quad -e, \quad -ions, \quad -iez, \quad -ent$$

Note: The endings of the first and second plural are the same as those of the *imparfait;* the other endings are the same as those of the *présent de l'indicatif* of regular –er verbs (**donner,** etc.).

3. The present subjunctive of verbs with stem variations:

a. appeler	b. lever	c. répéter	d. venir
appelle	lève	répète	vienne
appelles	lèves	répètes	viennes
appelle	lève	répète	vienne
appelions	levions	répétions	venions
appeliez	leviez	répétiez	veniez
appellent	lèvent	répètent	viennent

The endings of these verbs follow precisely the regular pattern shown in section 2 above.

The stem changes — double consonants (a), accents (b, c), vowel shifts (d) — follow precisely the pattern of the present indicative. Compare them.

4. Of the nine exceptions to the subjunctive patterns of sections 2 and 3 above, we have seen to date forms of:

être		pouvoir		avoir	
sois	soyons	puisse	puissions	aie	ayons
sois	soyez	puisses	puissiez	aies	ayez
soit	soient	puisse	puissent	ait	aient

5. Conjugate **contenir** and **obtenir** like **tenir**.

Remarques

1. **Il a apporté** *la sienne.*	He (has) brought his.	(*sa* collection)
Viens voir *la mienne.*	Come (and) see mine.	(*ma* collection)
Il échange *les siens*	He swaps his for	(*ses* timbres)
contre *les leurs.*	theirs.	(*leurs* timbres)
Ils apprennent à con-	They learn to know	
naître *le nôtre.*	ours.	(*notre* pays)
Il en a plus de sept	He has more than	
mille dans *les siens.*	7000 in his.	(*ses* albums)

The possessive pronouns (*les pronoms possessifs*) la sienne, la mienne, etc., agree in gender and number with the thing(s) possessed (*sa* collection, *ses* timbres, etc.).

Les pronoms possessifs:

mine:	le mien	la mienne	les miens	les miennes
yours:	le tien	la tienne	les tiens	les tiennes
his, hers, its:	le sien	la sienne	les siens	les siennes
ours:	le nôtre	la nôtre	les nôtres	les nôtres
yours:	le vôtre	la vôtre	les vôtres	les vôtres
theirs:	le leur	la leur	les leurs	les leurs

As seen in previous lessons, **le** and **les** combine with preceding **à** or **de** to form **au, aux** or **du, des**:

Je pense *au(x) mien(s).*	I'm thinking of mine.
Il pense *aux siennes.*	He's thinking of his (*or* hers).
Que penses-tu *du nôtre?* et *des siens*	What do you think of ours? and of his
(*siennes*)*?*	(or hers)?

2. To express simple ownership, it is customary to use the following patterns:

C'est mon (ton, etc.) chapeau.	It's my (your, etc.) hat.
Ce chapeau est à moi (toi, etc.).	This hat is mine (yours, etc.).
Compare:	
A qui est ce lit? Il est à moi.	Whose bed is this? It's mine.
De qui est-il le fils? De Paul.	Whose son is he? Paul's.
De qui est la lettre? De Paul.	Who's the letter from? From Paul.

Use **à** to show possession; **de** to show relationship or source.

3. Names of countries, cities, areas, etc.:

As subject, direct object,
or object of prepositions

other than de or en	from	to, in, at
a. Paris	de Paris	à Paris
b. la France,	de France	en France
l'Espagne	d'Espagne	en Espagne
c. le Canada	du Canada	au Canada
d. les Etats-Unis	des Etats-Unis	aux Etats-Unis
e. l'Afrique du Nord	de l'Afrique du N.	dans l'(en)Afrique du N.

Most names of cities are not accompanied by an article (a). Use the definite article with all names of countries, continents, areas, when they are subjects, direct objects or objects of a preposition other than **de** or **en** (b–e).

To express travel to or from: if such names are simple feminine forms (b), use no article; if the names are masculine or compounds, use the article (c–e).

Note: names of countries, etc., ending in **–e** are all feminine except **le Mexique**. Note also the different prepositions used to express *to, in* or *at* with simple feminine names (b), masculine names (c, d), and compound names (e).

4. Adjectives of nationality are also used as nouns designating the language (*le français*, etc.) of a given country, when nationality and language correspond.

5. **une cent*aine* de timbres**   a hundred or so stamps (about 100)
   plusieurs cent*aines*   several hundred

Drop any final **–e** and add **–aine** to 10, 12, 15, 20, 30, 40, 50, 60, and 100 to express *about* or *approximately* that number. Put **de** before nouns following these forms.

To express other approximate numbers, use **environ** (*about*):

Il est possible que j'en aie environ   It's possible (that) I (may) have about
neuf mille.   nine thousand.

Mille does not change in the plural.

6. a. **Il faut le dire.** }
      Il est nécessaire de le dire. }   It is necessary to say it.

   b. **Il ne faut pas le dire.**   You (one, we, etc.) mustn't say it.
      Il n'est pas nécessaire de le   It isn't necessary (you don't have) to
      dire.   say it.

Observe identical meaning in the affirmative (a), but divergent meanings in the negative (b).

7. J'en reçois 500 *par* mois.   I get 500 a (per) month.
    J'y vais deux fois *par* jour.   I go there twice a (per) day.

To express any amount *per* day, month, etc., use **par.**

Compositions orales

La collection de Jean   Parlez de quelques pays
                Votre collection

Questions

Qu'est-ce que Jean collectionne?
  D'où sont-ils? De quels pays?
A qui Jean montre-t-il sa collection?
Maurice a-t-il apporté la sienne?
Qu'a-t-il apporté? Pourquoi?
Pourquoi Jean a-t-il ouvert son album?
  Où?
Que vient-il d'y mettre?
Quand les a-t-il reçus?
De quoi est-il content?
Que faut-il qu'il montre à son ami?
Combien en a-t-il dans ses albums?
Combien en a Maurice dans les siens?
Combien Jean en a-t-il dans ses en-
  veloppes?
Quels sont les pays préférés de Mau-
  rice?

Quels sont les timbres qui intéressent
  Jean?
Où voudrait-il voyager?
Pourquoi ne le fait-il pas?
Comment a-t-il obtenu ses timbres?
Que peut-on faire pour apprendre la
  géographie?
Qu'est-ce que Maurice invite Jean à
  faire? Pour quand?
Jean a-t-il beaucoup à faire dimanche
  soir?
Qu'est-ce que les amis descendent
  boire?
Qu'est-ce qu'il ne faut pas que Mau-
  rice fasse?
Pourquoi veut-il bien prendre un coke?
Quand les amis se reverront-ils?
  Pourquoi?

Questions Supplémentaires

Exercices

A. *Conjuguez selon l'exemple.*

Est-il possible que je gagne? Est-il possible que tu gagnes, etc.
Est-il possible que je gagne la partie?
C'est dommage que je la finisse mal.

Il faut que je parte tout de suite.

Ils le font sans que je puisse les voir.

Il se retourne pour que je puisse lui répondre.

Sont-elles contentes que je sois leur voisin?

Elle veut bien que je l'appelle «ma chère».

Il ne faut pas que je me lève tard.

C'est dommage que je ne le préfère pas.

Elle est contente que je n'aie pas faim.

Ils ne veulent pas que je vienne les voir.

Il me donne de l'argent pour que j'en achète.

Il n'est pas possible que je la mène au match.

Faut-il que je leur en envoie demain?

B. *Continuez avec* moi, toi, etc.

Ces timbres ne sont pas à moi.   Cet album est-il à moi?

Cette collection est à moi.   Ces chemises sont à moi.

C. *Conjuguez avec les pronoms possessifs* (le mien, etc.) *suggérés par les mots en italique.*

Ex.: Je préfère le mien.   Tu préfères le tien, etc.

1. Je préfère *mon fauteuil.*
2. Je pensais à *mon voyage.*
3. J'ai assisté à *mes classes.*
4. *Ma collection* me fera plaisir.
5. J'ai laissé *mes achats* chez eux.
6. Je m'occuperai de *mes affaires.*
7. J'ai déjà parlé de *mes timbres.*
8. Je n'y mènerai pas *mes sœurs.*

D. *Mettez les verbes en italique aux formes qui conviennent.*

1. Je voudrais que nous nous (*revoir*) bientôt.
2. Il voudrait (*assister*) à cette partie.
3. Il est possible qu'elle (*avoir*) lieu demain.
4. Je crois qu'il (*faire*) partie de cette équipe.
5. Il faut que nous en (*obtenir*).
6. Nous savons qu'elle en (*contenir*).
7. Ils le feront sans que vous leur (*écrire*).
8. Elle a appris que je (*faire*) bientôt ce voyage.
9. Il sait que vous (*être*) renseignés sur cela.
10. Savez-vous qu'ils (*s'en aller*) sans nous le (*dire*)?

E. 1. *Employez ces noms géographiques selon la formule suivante:*

Paris est beau et j'aime Paris; je viens de Paris et je partirai bientôt pour Paris; quand j'arriverai à Paris, je resterai à Paris.

1. Paris	5. l'Afrique du Nord	9. le Mexique	13. l'Espagne
2. Chicago	6. l'Amérique du Sud	10. l'Amérique	14. la Russie
3. l'Europe	7. l'Amérique du Nord	11. le Portugal	15. le Brésil
4. l'Italie	8. la Nouvelle Orléans	12. l'Allemagne	16. la Suisse

2. *Donnez les adjectifs des noms de pays de cette liste.*

F. *Donnez le nombre exact et le nombre approximatif de*

1. 50 minutes	6. 12 œufs	11. 100 pages
2. 36 joueurs	7. 71 jours	12. 800 hommes
3. 20 secondes	8. 88 pays	13. 40 villes
4. 25 chambres	9. 30 amis	14. 10 pommes
5. 1000 timbres	10. 5000 ans	15. 15 tasses

G. *Faites des résumés oraux à toutes les personnes du passé avec*

collectionner les timbres-poste depuis longtemps, en avoir de tous les pays, apprendre à connaître les pays étrangers, obtenir des timbres en les échangeant, échanger les (siens) contre ceux de (ses) amis, inviter (son) ami à voir (sa) collection, lui dire d'apporter la sienne, regarder ses timbres, apporter une centaine des (siens), ouvrir (son) album, lui montrer tous (ses) timbres, tourner les pages lentement, arriver à (ses) pays préférés, retrouver les timbres de la poste aérienne, arriver à la fin de (sa) collection, inviter (son) ami à descendre boire un coke.

H. *Mettez au passé.*

Il est dix heures moins le quart. La classe est finie et nous la quittons. On sort dans la cour et l'on s'amuse. Les uns jouent à la balle, les autres se promènent. Moi, je vois des amis que je connais bien. Ce sont Robert et Pauline. Robert est plus âgé que moi mais moins grand. Pauline est plus petite que ma sœur; elle a moins de seize ans. Nous bavardons et j'invite Robert à jouer au tennis mais il dit qu'il doit préparer des leçons. Il a plus de cent pages à lire et doit passer un examen qu'on va lui donner. Je lui dis que c'est dommage et que je veux jouer, mais il répète qu'il ne peut pas le faire.

VINGT-HUITIÈME
LEÇON

Dimanche Matin Chez les Duval

C'est dimanche matin. Il est dix heures et demie. De quoi s'agit-il? Il s'agit de se préparer pour aller à l'église. Dans sa chambre, Mme. Duval s'habille. Marie, en train de s'habiller aussi, se dit: — Quelle robe faut-il que je choisisse? (Elle ne le sait pas elle-même, car le choix est assez difficile; elle a de très jolies robes. Elle en prend deux dans son armoire.) Demandons à maman laquelle de ces deux robes je dois mettre. (Elle va chez sa mère pour le lui demander.)

— Voici deux de mes plus jolies robes, maman. Je voudrais que tu me dises celle qui me va le mieux. J'ai peur de ne pas bien choisir.

— Celle-là, lui dit la mère, en la lui montrant du doigt. Elle te va comme un gant et d'ailleurs elle me plaît beaucoup. (C'est une belle robe neuve que Mme. Duval lui a achetée il y a environ trois semaines.)

— Merci, maman. Je la mettrai. Tu sais toujours ce qu'il me faut. (Elle revient dans sa chambre et remet l'autre robe dans son armoire.)

Au même moment, M. Duval et son fils s'habillaient, eux aussi, chacun dans sa chambre. Lequel des deux sera prêt le premier? Le père venait de mettre un complet gris foncé; il s'était déjà rasé, lavé et brossé les dents et les cheveux (il en a encore quelques-uns!) Il avait mis une chemise blanche et une jolie cravate verte qui lui allait bien. Il était très satisfait de lui-même:

— Pas mal! se dit-il, en se regardant dans la glace, ça me rajeunit, n'est-ce pas? (Le Docteur Duval a quarante-six ans.)

— Oh papa, lui dit son fils, qui vient d'entrer chez son père, tu n'es pas si vieux que ça, tu sais!

— Qu'est-ce qu'il veut dire? se demande son père, le regardant un moment sans dire un mot.

Jean a mis un complet bleu clair et une cravate rayée rouge et noire. C'est un beau garçon.

M. Duval veut savoir pourquoi les femmes ne sont pas encore prêtes.

— Dépêchons-nous, ne soyons pas en retard! leur dit-il.

Puis, se tournant vers son fils, il ajoute:

— Pourquoi les femmes prennent-elles toujours si longtemps? J'ai peur que nous n'arrivions pas à l'heure à l'église.

Les membres de la famille sortent enfin de la maison et montent

Rue de Montmartre et la Basilique du Sacré-Cœur *France Actuelle*

dans la grande voiture. M. Duval est content de partir enfin! Voici l'église, une des plus belles de la ville. Les Duval y entrent avec les derniers arrivants. Une heure plus tard, à la sortie, il s'agissait de se dépêcher, car le ciel commençait à se couvrir de gros nuages noirs.

— Rentrons vite avant qu'il ne pleuve, dit le père. Nous avons laissé des fenêtres ouvertes.

Une fois rentrés chez eux et les fenêtres fermées, il a commencé à pleuvoir.

— Je suis contente que nous soyons rentrés avant la pluie, déclare la mère. Mais, comme chacun le sait, «après la pluie, le beau temps».

Vocabulaire

*s'agir de   concern, be about, be a question of
aller (à)   be becoming (to)
aller comme un gant   fit like a glove
aller le mieux   be most becoming
avoir peur (de)   be afraid (of), fear
(se) brosser   brush (oneself)
déclarer   declare, state
montrer du doigt   point to (out)
plaire/plu (à) please, be pleasing (to)
pleuvoir/plu   rain
*rajeunir   make (one) look younger
(se) raser   shave (oneself)
remettre/remis   put back, replace
vouloir dire   mean

lui a achetée   bought for her
de quoi s'agit-il?   what's it (all) about? what's going on?
soyons!   let's be!
soyons rentrés   came home

une armoire   clothes closet
un arrivant   person arriving

un complet   (man's) suit
une cravate   necktie
une dent   tooth
une église   church
un nuage   cloud
la pluie   rain
une robe   dress
la sortie   leaving, exit

chacun(e)   each (one), everyone
elle-même   herself
lui-même   himself

bleu clair   light blue
difficile   difficult
gris foncé   dark gray
neuf, neuve   (brand) new
noir   black
rayé   striped
satisfait (de)   satisfied (with, at)

à la sortie   on leaving, at the door
longtemps   a long time
pas mal!   not bad!

Etude de Verbes

1. Compare each use of the infinitive with the subjunctive following it:

J'ai peur de ne pas *arriver* à l'heure.	I'm afraid of not arriving on time.
a. J'ai peur que nous n'*arrivions* pas à l'heure.	I'm afraid (that) we may not arrive on time.
Rentrons avant d'en *parler.*	Let's get home before discussing it.
b. Rentrons vite avant qu'il *pleuve.*	Let's hurry home before it rains.

Arrivions and pleuve are present subjunctive forms following the expressions:

a. avoir peur que   b. avant que

2. Further exceptions to the regular pattern of the present subjunctive:

faire		savoir		vouloir	
fasse	fassions	sache	sachions	veuille	voulions
fasses	fassiez	saches	sachiez	veuilles	vouliez
fasse	fassent	sache	sachent	veuille	veuillent

3. *Soyez* sages! — Be good!
    Ne *soyons* pas en retard! — Let's not be late!
    N'en *ayez* pas peur! — Don't be afraid of it!
    Sachons nos leçons! — Let's know our lessons!
    Veuillez fermer la porte. — (Will you) please close the door.

The only verbs irregular in the imperative:

avoir	être	savoir	vouloir
aie	sois	sache	veuille
ayons	soyons	sachons	veuillons
ayez	soyez	sachez	veuillez

4. Je suis content que nous *soyons rentrés.*   I'm glad (that) we have reached home.

Soyons rentrés is an example of the past subjunctive (*le passé du subjonctif*), soon to be studied.

5. **plaire** au présent de l'indicatif:

     plais   plais   plaît   plaisons   plaisez   plaisent

   pleuvoir au présent de l'indicatif: **il pleut**
       au présent du subjonctif: **il pleuve**
       au futur: **il pleuvra**

Remarques

1. **De quoi s'agit-il?**

   What's going on?   What's it (all) about? (*lit.:* Of what is it a question?)

   Il ne s'agit pas de cela.

   That's not the question.

   Il s'agit de se préparer.

   It's about (concerns, involves, is a question of) getting ready.

   Il s'agissait de se dépêcher.

   It was a matter of hurrying.
   It was important to hurry.

   S'agir de is widely used. Note the variety of English equivalents.

2. **Elle ne sait pas *elle-même*.**

   She herself doesn't know.

   Il est satisfait de *lui-même*.

   He's satisfied with himself.

   Use the strong pronouns combined with **même(s)** to express *myself, himself, yourself*, etc.:

moi-même	**nous-mêmes**
toi-même	**vous-même(s)**
lui-même	**eux-mêmes**
elle-même	**elles-mêmes**
soi-même (*used impersonally*)	

   For emphasis, they may serve as subjects:

   ***Lui-même* l'a dit.**

   He himself (he) said it.

3. **J'ai peur de *ne pas* bien choisir.**

   I'm afraid of not making a good choice.

   Ne and **pas** come together before an infinitive, as do **ne ... jamais, ne ... plus, ne ... rien.**

4. Une robe neuve qu'il a achetée
   à Marie.

   A new dress (that) he bought for Mary.

   Une robe neuve qu'il *lui* a
   achetée.

   A new dress (that) he bought (for) her.

   J'ai acheté cette voiture *pour lui*.   I bought this car for him.

Use the indirect object after **acheter** to show for whom a purchase is made. In cases of doubt, replace **à** by **pour** to indicate *for whom*.

5. *Laquelle* de ces robes doit-elle
   mettre?

   Which (one) of these dresses should she put on?

   Lequel des deux est prêt?   Which (one) of the two is ready?

   Voici les enveloppes dans *lesquelles* il les a mis.

   Here are the envelopes (which) he put them in.

The pronoun forms **lequel, laquelle; lesquels, lesquelles** are masculine or feminine, singular or plural, according to the person(s) or thing(s) referred to. They are combinations of the definite articles **le, la, les** and the interrogative adjectives **quel(s), quelle(s)**.

Le and **les** combine, as usual, with preceding **à** or **de**. See page 188.

a. Used as interrogatives:

Il y a six matches ce mois; *auquel*
(*auxquels*) vas-tu?

There are six games this month; which one(s) are you going to?

Il y a six classes ce matin; *aux-
quelles* vas-tu?

There are six classes this A.M.; which ones are you going to?

Nous avons six professeurs; *duquel*
(*desquels*) s'agit-il?

We have six professors; which one(s) is (are) involved?

Il a plusieurs amies; *desquelles*
s'agit-il?

He has several friends; which ones are involved?

b. Used as relative pronouns after prepositions to refer to definite things:

Les matches *auxquels* il assiste.   The games (that) he attends.

Note: Put prepositions in French at the beginning of the clause. Contrast position of prepositions *to* and *of* in French and English clauses above (a, b). Remember also that **dont** means *of which* or *of whom*. See pages 150–151.

Le magasin auquel (*où*) il va.   The store (that) he's going to.
Le magasin dans lequel (*où*) il est.   The store (that) he's in.

To express the idea of places *to* or *at* (*in*) *which*, **où** often replaces the preposition + **lequel** form. For **où** (*when, at which, on which*) used in time expressions, see page 143.

Compositions orales

Le choix de Marie   On va à l'église

M. Duval et Jean s'habillent

Questions

Quel jour était-ce?

De quoi s'agissait-il?

Que fallait-il que Marie choisisse?

Combien de robes a-t-elle prises? Où?

Chez qui les a-t-elle portées?

Que voulait-elle que sa mère lui dise?

De quoi avait-elle peur?

Laquelle des robes sa mère a-t-elle choisie? Pourquoi?

Marie a-t-elle mis cette robe?

Comment lui allait-elle?

Qui la lui avait achetée? Quand?

Où Marie a-t-elle mis l'autre robe?

Que faisaient M. Duval et Jean? Où?

Lequel venait de mettre un complet gris foncé?

Qui s'était déjà rasé et brossé les dents et les cheveux?

De quelle couleur était sa chemise?

Quelle cravate avait-il mise?

Comment lui allait-elle?

De qui M. Duval était-il satisfait?

Quel âge avait-il alors?

Où s'est-il regardé?

Qu'est-ce qui le rajeunissait?

Lequel de ses complets Jean a-t-il mis?

Laquelle de ses cravates a-t-il mise?

Quels membres de la famille ont tardé à descendre?

Qui faisait attendre M. Duval?

De quoi avait-il peur?

Comment est-on allé à l'église?

Comment était l'église?

Les Duval y sont-ils entrés avec les premiers arrivants?

Quand en sont-ils sortis?

Pourquoi s'agissait-il de se dépêcher?

Quand M. Duval voulait-il que la famille rentre?

Pourquoi avait-on peur de la pluie?

Qu'est-ce qui a commencé après leur retour?

Questions Supplémentaires

Exercices

A. *Conjuguez selon l'exemple:* Il ne veut pas que j'en aie peur. Il ne veut pas que tu en aies peur, etc.

        Il ne veut pas que j'en aie peur.

        Elle vient sans que je l'appelle.

        Il le fait sans que je le voie.

Ils en parlent pour que je le sache.

Faut-il que je me rase chaque jour?

Ont-elles peur que je ne les remette pas?

Il ne voudrait pas que je fasse ce voyage.

Elle s'habille avant que je descende.

On était content que je choisisse ce complet.

A-t-elle peur que je veuille m'en aller?

B. *Conjuguez.*

Je le ferai moi-même.

Celui-ci me va mieux.

Je plais à tout le monde.

Je le choisirais moi-même.

Il s'agissait de me dépêcher.

Je promettrai de ne rien dire.

Voici ce que je lui ai acheté.

Je leur ai écrit de ne jamais revenir.

J'en ai pris trois dans mon armoire.

J'avais peur de ne pas y arriver.

Je lui dirai de ne plus y aller.

Ce complet ne m'allait pas bien.

Il ne s'agit pas de me reposer.

Je bois du lait dans mon verre.

C. *Donnez tous les impératifs.*

1. ne (se lever) pas
2. (être) sage(s)
3. (savoir) ces mots
4. n'en (avoir) pas peur
5. (choisir) cette cravate
6. ne (être) pas en retard

D. *Mettez les verbes en italique aux formes qui conviennent.*

1. Elles sont parties sans les (*trouver*).
2. Elle a peur de ne pas bien (*choisir*).
3. Rentrons avant qu'il (*pleuvoir*).
4. Je me suis rasé avant de (*sortir*).
5. Avait-il peur que nous n'en (*obtenir*) pas?
6. Montrez-la du doigt pour que nous la (*reconnaître*).
7. N'êtes-vous pas content de nous (*revoir*)?
8. Je ne veux pas que vous (*finir*) la partie!
9. Il ne faut pas y (*assister*).
10. Sont-ils contents que je la (*recevoir*) souvent?
11. Il ne faut pas que nous (*être*) en retard.
12. Elle sort sans que je (*pouvoir*) lui en parler.
13. Il aura peur d'en (*parler*).
14. Je m'habille pour (*aller*) dîner.
15. Ils veulent me le (*faire*) dire.
16. N'ayez pas peur que je (*revenir*)!

E. *Complétez.*

1. ____ quoi s'agit-il?
2. Bois ____ ton verre!
3. Demandez-le ____ Paul!
4. Montre-le-moi ____ doigt!
5. Elle lui va ____ un gant.
6. Cela plaît ____ l'oncle.
7. Remets-le ____ l'armoire!
8. Arrivons ____ l'heure!
9. Il se tourne ____ moi.
10. On commence ____ lire.
11. J'apprends ____ y jouer.
12. Qu'as-tu ____ faire?

13. Qui est ____ train ____ lire?
14. J'en reçois 250 ____ mois.
15. Elle le prend ____ l'armoire.
16. J'ai peur ____ ne pas dormir.
17. ____ même moment, il entre.
18. Nous venions ____ en voir.
19. Qui est satisfait ____ lui-même?
20. Il en lit 300 pages ____ jour.
21. Ne soyons pas ____ retard!
22. Soyez prêts ____ partir!
23. Le ciel se couvre ____ nuages.
24. Echangez-les ____ les miens.

F. *Selon les mots entre parenthèses, mettez les formes de* lequel *qui conviennent.*

1. (*robe*) ____ lui va mieux?
2. (*matches*) A ____ penses-tu?
3. (*église*) A ____ irez-vous?
4. (*joueurs*) ____ l'ont perdue?
5. (*langue*) ____ préfèrent-ils?
6. (*nuages*) De ____ a-t-on peur?
7. (*pays*) De ____ s'agissait-il?
8. (*amie*) A ____ l'enverra-t-il?
9. (*complet*) De ____ parle-t-on?

10. (*amis*) Pour ____ les obtiendras-tu?
11. (*armoire*) Dans ____ l'a-t-il pris?
12. (*cravate*) De ____ est-il content?
13. (*chapeaux*) ____ choisissez-vous?
14. (*timbres*) De ____ a-t-il parlé?
15. (*partie*) A ____ assiste-t-elle?
16. (*pages*) A ____ tournerez-vous?
17. (*classes*) ____ y auront lieu?
18. (*complet*) De ____ parle-t-on?

G. *Mettez des formes de* lequel, dont, qui, ce qui, que, ce que, quoi *ou* où.

1. ____? Il est malade?
2. Je sais ____ l'amuse.
3. Sais-tu de ____ je parle?
4. Le complet ____ on parle.
5. Dis-moi ____ tu lis.
6. La cravate ____ il met.
7. Le chapeau ____ lui va.
8. A l'heure ____ je pars.
9. Il voit ____ je fais.
10. Voici ____ me plaît.
11. A ____ pensez-vous?

12. L'équipe avec ____ je joue.
13. Le jour ____ il viendra.
14. ____? Je ne comprends pas.
15. L'église ____ nous irons.
16. Les matches à ____ j'assiste.
17. L'étranger ____ il connaît.
18. La vendeuse ____ me sert.
19. Les pays ____ elle écrit.
20. Le garçon ____ tu as écrit.
21. La ville ____ je resterai.
22. La chaise sur ____ on s'assied.

H. *Mettez au passé.*

(*au bureau*) Il est deux heures moins dix. J'appelle ma secrétaire. Elle m'entend sonner et entre. Je lui demande combien de malades il y a encore et elle me dit qu'il y en a deux. Je lui dis que je ne peux pas les recevoir et que je dois aller à l'hôpital. Je me rappelle qu'un ami m'a demandé d'examiner un de ses malades et que j'ai promis de le faire. Je prends mon chapeau et quitte le bureau.

(*à l'école*) Nous déjeunons et rentrons en classe. Nous prenons nos places et le professeur, qui s'appelle M. Blanchard, nous parle de notre pays. Il dit que tous doivent aimer leur pays. Il nous rappelle combien d'états il y a, quel en est le plus grand et combien il y a d'habitants. Nous l'écoutons parce que nous voulons connaître notre pays.

I. *Faites des résumés oraux à toutes les personnes du passé.*

être dix heures et demie, se préparer à aller à l'église, se laver, se raser, se brosser les dents et les cheveux, choisir un complet (une robe), en prendre un(e) dans (son) armoire, se regarder dans la glace, être satisfait(e) de soi-même, se dépêcher, dire à la famille de sortir, monter en voiture, arriver à l'église, descendre, entrer, y rester une heure, en sortir, s'agir de rentrer vite, arriver chez soi avant la pluie, courir dans la maison, fermer toutes les fenêtres

VINGT-NEUVIÈME
LEÇON

M. Chevalier Traverse l'Atlantique

Il faut que je vous raconte le voyage de l'oncle Georges. Il avait quitté la France le 15 décembre et devait arriver à New York le 20. Il avait décidé de demander quelques jours de congé pour pouvoir prendre le bateau au lieu de faire le voyage en avion. Ses affaires le lui permettaient d'ailleurs. D'ordinaire, il aurait choisi l'avion pour gagner du temps et serait venu en Amérique par Air France, grande compagnie aérienne française.

A six heures donc, ayant pris le train à la Gare St. Lazare, M. Chevalier est allé par chemin de fer de Paris au Havre. Le Havre est un grand port français sur la Manche. C'est là que beaucoup de voyageurs prennent le bateau pour aller en Amérique. Le paquebot sur lequel l'oncle Georges devait faire la traversée s'appelait le *France*. Je voudrais que vous le voyiez. C'est le plus beau navire que vous ayez jamais vu! C'est le paquebot le plus moderne et le plus grand de la Compagnie Générale Transatlantique. C'est aussi le paquebot le plus long du monde. Il fait la traversée en peu de jours. Je regrette que nous ne puissions pas tous aller en France comme passagers sur le *France*.

Suivons M. Chevalier qui monte à bord du paquebot. Après s'être installé dans sa cabine avec ses bagages, il est monté sur le pont pour assister aux préparatifs du départ. Il va y rester jusqu'à ce qu'on ait terminé ces préparatifs. Tout cela ne cesse de l'intéresser. Peu à peu le navire s'éloigne du quai et entre dans la Manche. Le deuxième jour, il est en pleine mer. M. Chevalier vient de faire la connaissance d'un jeune étudiant français de seize ans, Pierre LeRoy. Celui-ci est né à Cadillac, petite ville sur un fleuve, la Garonne, non loin de Bordeaux. Il va passer quelques mois aux Etats-Unis comme étudiant d'échange; il va vivre dans une famille américaine. Celle-ci habite la ville de Massillon dans l'état d'Ohio. Le fils de cette famille, Paul Gilbert, va prendre la place du jeune LeRoy en France.

Bien qu'il ait fait beau temps pendant les premiers jours de la traversée, l'avant-dernier jour le navire a été pris par une tempête avec une grosse pluie et une mauvaise mer. Quelques passagers avaient peur que le navire ne puisse pas résister à la force du vent et de la mer; beaucoup d'entre eux ont souffert du mal de mer. Mais l'oncle Georges et Pierre ont été contents de l'avoir évité eux-mêmes. Enfin, vers la fin du cinquième jour, l'Amérique est en vue et, entrant dans le fleuve Hudson, le paquebot arrive lentement au quai 88 à New York.

Le beau paquebot *France*   *French Line*

Vocabulaire

cesser (de)   stop, cease (doing)
s'éloigner (de)   go away (from)
éviter (de)   avoid (doing)
gagner   gain
naître/né   be born
raconter   tell, relate
regretter   regret, be sorry
résister (à)   resist, withstand
souffrir (de)/souffert   suffer (from)
vivre/vécu   live

être pris (par)   be caught (by, in)
avoir évité   have avoided
ayant pris   having taken
après s'être installé   after having
  settled (oneself)

l'Atlantique *m.*   Atlantic
un avion   (air)plane
les bagages *m.*   baggage
un bateau   boat
une cabine   cabin, stateroom
le chemin de fer   railroad
une compagnie aérienne   airline
la Compagnie Générale Transatlantique   French Line
la connaissance   acquaintance
le départ   departure
un étudiant d'échange   exchange
  student

un fleuve   river
la force   strength, force
une gare   railroad station
le Havre   Havre
la mer   sea, ocean, water
  le mal de mer   seasickness
la Manche   English Channel
un navire   ship
un paquebot   liner, steamship
un passager   passenger
le pont   deck (of a ship)
un port   port
le quai   pier, dock
une tempête   storm
un train   train
une traversée   crossing (*ocean*)
le vent   wind
un voyageur   traveler

l'avant dernier   next to (the) last

à bord (de)   on board, aboard
au lieu de   instead of
bien que   although
d'ordinaire   usually
en avion   by plane, air
en pleine mer   on the high (open)
  seas
en vue (de)   in sight (of)
non loin (de)   not far (from)
peu à peu   little by little, gradually

Etude de Verbes

1. Observe the use of the subjunctive in the second example of each pair of sentences below.

C'est le plus beau navire de tous. — It's the finest ship of all.

a. C'est le plus beau navire que vous *ayez* jamais *vu!* — It's the finest ship (that) you've ever seen!

Il restera jusqu'à demain. — He'll stay until tomorrow.

b. Il restera jusqu'à ce qu'on l'*ait terminé.* — He'll stay until they have finished it.

Puisqu'il *a fait* beau. — Since the weather was fine.

c. Bien qu'il *ait fait* beau. — Although the weather was fine.

Je regrette de ne pas *pouvoir* y aller. — I'm sorry not to be able to go there.

d. Je regrette que nous ne *puissions* pas tous y aller. — I'm sorry (that) we can't all go there.

Ayez vu, ait terminé, ait fait, puissions are subjunctive forms following the expressions:

a. (*any superlative*) que	c. bien que
b. jusqu'à ce que	d. regretter que

Note: **premier** (*first*), **dernier** (*last*), and **seul** (*only*) are superlative (exclusive) in meaning and require the subjunctive when expressing personal feeling or experience.

We see in the subjunctive clauses above (a–c) that the past subjunctive (*le passé du subjonctif*) is used to indicate an action or state completed in the past. Thus its function is similar to that of the *passé composé.*

Form the *passé du subjonctif* exactly as you form the *passé composé,* except that the auxiliary verbs **avoir** and **être** are in the *présent du subjonctif.* Compare:

Je les *ai écrites.*	Il regrette que je les *aie écrites.*
Elle *s'est levée.*	Je suis content qu'elle *se soit levée.*
Elles *sont parties.*	J'ai peur qu'elles (ne) *soient parties.*

In the *passé du subjonctif,* follow the pattern of the *passé composé* and other compound tenses for the choice of auxiliary verb (**avoir** or **être**), the position of object pronouns, and the agreement of past participles.

2. The present subjunctive is used to indicate present or future actions or states:

Je regrette qu'il *vienne*.	I'm sorry he's coming (now or later).
Je regrette qu'il ne *soit* pas ici.	I'm sorry he isn't (won't be) here.

In modern conversational usage, the present subjunctive is also used to indicate continuing actions or states in the past, whatever the tense of the main verb:

Ils avaient peur que le navire ne *puisse* pas résister au vent.	They were afraid the ship could not resist the wind.

3. The last of the irregular present subjunctives:

aller		falloir	valoir	
aille	allions		vaille	valions
ailles	alliez		vailles	valiez
aille	aillent	il faille	vaille	vaillent

4. **vivre** au présent de l'indicatif:

vis vis vit   vivons vivez vivent

5. Conjugate alike: **naître** — **connaître**   **souffrir** — **ouvrir**.

Note: **Elle est née à Paris.** She was born in Paris.

Naître is conjugated with **être** in compound tenses.

Remarques

1. **Tout ça ne cesse de l'intéresser.**   All that keeps him interested.

Cesser, like **pouvoir** and **savoir,** is one of the few verbs which allow omission of **pas** in the negative.

2.
Il monte à bord du paquebot.	He goes aboard the liner.
Il monte sur le pont.	He goes up on deck.
Il monte dans la voiture.	He gets into the car.
Il monte (en haut).	He goes (comes) upstairs.

Note the various prepositions or prepositional phrases used after **monter.**

3. Il est parti du Havre pour la   He left Havre for New Orleans.
Nouvelle Orléans.

Le Havre and la Nouvelle Orléans are examples of names of cities including the definite article.

4. a. Elle est sortie.   She is (has gone) out.
    b. Elle est sortie du bureau.   She has left the office.
    c. Elle a quitté le bureau.   She has left the office.
    d. Elle nous a quittés.   She has left us.
    e. Elle est partie.   She has left (departed).
       Elle s'en est allée.   She has left (departed).
    f. Elle est partie de Paris.   She has left Paris.
    g. Elle a quitté Paris.   She has left Paris.
    h. Elle les a laissés ici.   She left them here.

Sortir (de) means *to go* or *come out* of an enclosure (a, b).

Partir (de) or **s'en aller** means *to go away* from a place (e, f).

Quitter means *to leave* a person or a place, but the person or place must be expressed (c, d, g).

Laisser means to leave something behind (h).

Note: **quitter** and **laisser** take direct objects, which must be expressed (c, d, g, h). **Sortir** and **partir** (or **s'en aller**) may alone complete the thought (a, e.)

5. Elle ne tardera pas à le lire.   She won't be long reading it.
    Ça ne cesse de m'intéresser.   That keeps me interested.
    Faites-le avant de partir.   Do it before leaving.
    Il est sorti sans rien dire.   He left without saying a thing.
    Il faut manger pour vivre.   One must eat to live.
    Je l'ai vu *en arrivant*.   I saw it upon arriving.
    Après avoir mangé, il sort.   After eating, he goes out.

As we have already seen, prepositions are followed by the present infinitive of the verb, with two exceptions: (1) **en**, followed by the present participle in –ant and (2) **après**, followed by the perfect infinitive.

6. To express *having done something*, use either construction below: (a) the perfect participle or (b) **après** and the perfect infinitive:
    a. *Ayant pris* le train.   Having taken the train.
    b. *Après avoir pris* le train.   After taking the train.

a. (*S'étant*) *installé* dans sa ca-   (Having) settled in his cabin.
   bine.

b. *Après s'être installé* dans sa   After settling in his cabin.
   cabine.

a. (*Etant*) *monté* à bord.   Having gone aboard.
b. *Après être monté* à bord.   After going aboard.

Choice of auxiliary verb (avoir or être), position of pronoun objects, and agreement of past participles follow the known pattern.

When using the construction with verbs taking être as the auxiliary (a), the past participle alone suffices.

7. a. Il *devait* faire la traversée sur   He was to make the crossing on the
      le *France.*   *France.*

   Il *doit* arriver aujourd'hui.   He is to arrive today.

   b. Il me *doit* mille francs.   He owes me 1000 francs.

   c. Je *devrais* y penser.   I ought to think about it.
      J'*aurais dû* y penser.   I ought to have thought about it.

   d. C'est son *devoir.*   It's his duty (or, homework).

Review page 112 for devoir indicating duty or probability. Note above its uses to indicate expectation (a), debt (b), the conditional and the conditional perfect to express obligation (c), and its use as a noun (d)..

8. Il va y passer *quelques* mois.   He's going to spend a few months
   there.

   Il va y passer *peu de* temps.   He's going to spend little time there.

   Il va y passer *un peu de* temps.   He's going to spend a little time there.

Note the distinctions in meaning of quelques, peu de and un peu de.

9. Study the expressions of quantity below:

combien? how much? how many?	**assez** enough
beaucoup a lot, much, many	**peu** little, few
trop too much, too many	**un peu** a little
tant so much, so many	**plus** more
autant as much, as many	**moins** less, fewer

Use de after the above when followed by nouns:

Il a beaucoup (assez) d'argent.   He has a lot of (enough) money.

Compositions orales

De Paris au Havre   Le Départ   La Traversée

Questions

Quand l'oncle Georges avait-il quitté la France?

Quand devait-il arriver? Où?

Pourquoi avait-il décidé de demander un congé?

Qu'aurait-il choisi d'ordinaire? Pourquoi?

Qu'est-ce que c'est que Air France?

Où l'oncle Georges a-t-il pris le train?

A quel port est-il allé?

Où se trouve le Havre?

Que font beaucoup de voyageurs au Havre?

Qu'est-ce que c'est que le *France?*

Quelle sorte de navire est-ce? De quelle compagnie?

Où M. Chevalier est-il monté?

Où s'est-il installé?

Pourquoi est-il monté sur le pont?

Combien de temps y est-il resté?

En s'éloignant du quai, où le navire est-il entré?

Où se trouve la Manche?

Quand le navire s'est-il trouvé en pleine mer?

De qui M. Chevalier a-t-il fait la connaissance?

Quel âge avait ce jeune homme?

Où est-il né? Où se trouve cette ville?

Qu'est-ce que Pierre allait faire aux Etats-Unis?

Où allait-il vivre?

Où se trouve la ville de Massillon?

Qui était Paul Gilbert?

Quel temps a-t-il fait pendant la première partie de la traversée?

Qu'est-ce qui s'est passé l'avant-dernier jour?

Quelle sorte de tempête était-ce?

Qui avait peur? De quoi?

De quoi a-t-on souffert?

De quoi l'oncle Georges était-il content?

Quand l'Amérique était-elle en vue?

Où le navire est-il arrivé?

Questions Supplémentaires

Exercices

A. *Conjuguez selon l'exemple:* Il part bien que je sois malade. Il part bien que tu sois malade, etc.

> Il part bien que je sois malade.
> Il regrette que j'en aie souffert.
> C'est le premier que j'y aie perdu.

C'est le dernier que j'y aie trouvé.

Ils partiront avant que je le sache.

C'est le seul médecin que je connaisse.

C'est le meilleur paquebot que j'aie vu.

Elle est arrivée avant que je me sois levé.

C'est la seule fois que je suis allé à Paris.

Elle restera jusqu'à ce que j'en choisisse un.

B. *Mettez au passé.*

Faut-il que vous le sachiez?

On le fait sans que je le sache.

Il le dit pour que vous le croyiez.

Nous regrettons que vous ayez faim.

Prenant le train, elle part du Havre.

Nous ne voulons pas qu'elle sache cela.

Il n'est pas possible qu'ils aient soif.

La voyant au salon, nous disons bonjour.

Est-elle contente que vous alliez mieux?

C'est la seule élève qui veuille étudier.

Se levant tôt, ils sortent sans déjeuner.

C'est le premier paquebot qui soit si beau.

C'est dommage que la robe ne lui aille pas.

Montant à bord, je descends dans ma cabine.

Ont-ils peur que nous ne puissions pas le finir?

Attendra-t-elle jusqu'à ce que nous soyons à table?

C. *Mettez les verbes en italique au passé, au présent et au futur, en employant les mots* hier, aujourd'hui *et* demain.

1. Je regrette que vous (*partir*).
2. Est-il possible qu'ils (*valoir*) moins?
3. Etes-vous content que je (*pouvoir*) gagner?
4. Elle a peur que tu (*perdre*) la partie.
5. C'est dommage qu'elle (*vouloir*) la vendre.
6. Nous regrettons qu'il (*falloir*) en parler.
7. On sera content que nous (*se lever*).
8. Elles n'ont pas peur que vous (*revenir*).
9. Nous resterons bien qu'elle (*sortir*).
10. Il est possible qu'elles (*se coucher*).

D. *Employez au présent* sortir, quitter, partir, s'en aller *ou* laisser.

1. Il ____ Paris.
2. Elle est ____.
3. Ils ____ du Havre.
4. ____ le pont!
5. ____ -les ici!
6. Ne nous ____ pas!
7. Hier elle s'____.

8. ____-vous la France?
9. On va ____ le Mexique.
10. Ils ____ d'Italie.
11. Qui ____ de la gare?
12. Il ____ de cette ville.
13. J'y ____ mes bagages.
14. Demain nous nous ____.

E. *Mettez les expressions de quantité qui conviennent.*

1. Un mauvais garçon a ____ amis.
2. Le fils a ____ force que le père.
3. Malade? Tu as mangé ____ dessert!
4. Un homme fatigué fait ____ travail.
5. J'ai ____ argent pour faire le voyage.
6. J'ai ____ travail que je ne peux pas le finir.
7. Il a ____ livres qu'il ne peut pas les compter.
8. Pour rester svelte, mange ____ pommes de terre.
9. Le père a ____ force que le fils.
10. Il prendra ____ café, pas trop.
11. Un homme occupé a ____ temps.
12. Il a ____ argent que moi.
13. Un bon garçon a ____ amis.
14. Je vais y passer ____ mois.

F. *Mettez des formes de* devoir.

1. Il ____ le finir hier.
2. Elle ____ arriver ce soir.
3. On ____ faire son ____.
4. Je ____ partir demain.
5. Ils ____ perdre hier.
6. Vous ____ y aller un jour.

7. Qui ____ vous visiter hier?
8. Il ____ l'acheter avant de partir.
9. On ____ travailler chez nous!
10. Je ____ étudier pour l'examen.
11. Ils me ____ mille francs.
12. Elles ____ y penser demain.

G. *Complétez.*

1. Cessez ____ en parler!
2. Montons ____ le pont!
3. J'habite loin ____ eux.
4. Il s'éloigne ____ quai.

5. On était ____ pleine mer.
6. Il souffre ____ mal ____ mer.
7. Nous arriverons ____ avion.
8. Il montera ____ haut.

9. Le navire résiste ____ la mer.
10. Il est pris ____ une tempête.
11. Je monte ____ bord ____ paque-
    bot.
12. Fais ceci ____ lieu ____ cela!

13. Peu ____ peu il quitte le port.
14. Nous voici ____ vue ____ port!
15. ____ ordinaire, il parle bien.
16. Elle est montée ____ la voiture.
17. Montons tous ____ voiture.

H. *Mettez les verbes en italique aux formes qui conviennent.*

Il faut que je vous (*dire*) comment mon oncle (*faire*) son voyage en Amérique
le mois prochain.   Il (*décider*) déjà de (*prendre*) le bateau.   Ses affaires le lui
(*permettre*).   Pour (*gagner*) du temps, il (*choisir*) l'avion et (*venir*) par Air France.
Mais il (*prendre*) le train, (*aller*) au Havre et (*monter*) à bord d'un paquebot qui
(*s'appeler*) le *France*.   Je (*vouloir*) que vous (*voir*) ce navire!   C'(*être*) le plus
beau qu'on (*voir*) jamais!   Je (*regretter*) que nous ne (*pouvoir*) tous (*voyager*)
ainsi.

La semaine prochaine, quand il (*être*) installé dans sa cabine, il (*monter*) sur
le pont et y (*rester*) jusqu'au départ.   Quand le navire (*s'éloigner*) du quai il
(*être*) possible qu'il (*faire*) la connaissance de plusieurs voyageurs.   J'(*espérer*)
qu'il (*faire*) beau temps, mais il (*être*) possible que le navire (*être*) pris par une
tempête.   Si cela (*arriver*), les passagers (*avoir*) peur que le navire ne (*pouvoir*)
pas résister au vent et à la mer.   (*Connaître*) mon oncle, je (*savoir*) qu'il ne
(*souffrir*) pas du mal de mer.   J'(*espérer*) aller à New York le 20 de ce mois
pour le (*rencontrer*) quand il (*arriver*).

TRENTIÈME
LEÇON

Au Milieu de la Nuit

Tout le monde s'était couché tôt ce vendredi soir parce qu'on était fatigué. Tous dormaient donc, quand, au milieu de la nuit, le père s'est réveillé tout à coup; il croyait entendre du bruit dehors, près de la maison. S'étant levé, il est allé à la fenêtre pour voir ce qui se passait. En regardant, il a aperçu une lueur rouge et a senti une forte odeur de fumée. Il y avait le feu à côté! Sans perdre un moment, il met sa robe de chambre et descend vite en bas, suivi de Jean, qui s'est levé, lui aussi. Les voilà dehors sur le trottoir.

— Regarde, Jean, c'est la maison des Martin qui brûle!

En effet, on voyait déjà quelques flammes sous le toit et on pouvait en apercevoir d'autres à travers une fenêtre du deuxième étage.

— Les Martin sont-ils sains et saufs? demande le docteur à un voisin qui accourait.

— Oui, heureusement. Les voilà qui sortent de chez eux. Je viens d'appeler les pompiers par téléphone; ils ne tarderont pas.

— Je suis content de le savoir; j'allais le faire moi-même, mais je pensais que quelqu'un l'aurait déjà fait. Ecoutez! Ce sont les pompiers. Qu'ils se dépêchent ou toute la maison va être détruite!

Jean a quitté son père; il est allé voir s'il pouvait aider.

Les voisins étaient accourus très vite. On craignait que le feu (ne) prenne aux maisons voisines. Mais voici des pompiers qui descendent de leurs voitures rouges et entrent pour combattre l'incendie; d'autres apportent des échelles qu'on dresse contre la maison. Pendant que les uns combattent le feu à l'intérieur, les autres montent sur les échelles qui ont été dressées pour attaquer les flammes de l'extérieur. Trois ou quatre agents de police viennent d'arriver et empêchent les gens d'aller trop près; et voici le chef des pompiers lui-même qui est arrivé pour diriger les travaux!

Un gros chat jaune et blanc a été trouvé sous un lit par un pompier; il n'a pas souffert, mais il a peur. On le remet à Mlle. Martin. Après une demi-heure, le feu a été éteint par une vingtaine de pompiers.

— Ça, c'est du bon travail, dit M. Duval. Je pensais que toute la maison serait détruite.

A ce moment le chef, qui connaissait le Docteur Duval, vient à lui.

— Merci, Docteur. Heureusement, personne n'a été blessé et nous avons pu arrêter le feu à temps. On a bien fait de nous appeler tout de suite.

— Je suis content de le savoir, lui répond le médecin. Tout est bien qui finit bien.

Vocabulaire

accourir/accouru run up, rush up
apercevoir/aperçu notice, see, glimpse
attaquer attack
blesser hurt, wound
brûler burn, be afire
combattre fight
craindre (de)/craint fear (to)
détruire/détruit destroy
diriger direct
dresser raise
empêcher (de) prevent (from)
éteindre/éteint extinguish, put out
prendre (à) spread (to), catch (onto)
remettre/remis give back, hand over
sentir smell

il croyait entendre he thought he heard
qu'ils se dépêchent! they'd better hurry!

un agent (de police) policeman
un bruit noise
un chat, une chatte cat
le chef chief, leader
le côté side
une échelle ladder
le feu fire
une flamme flame
la fumée smoke
un incendie conflagration, fire
une lueur glow, gleam
le milieu middle
la nuit night

une odeur   smell, odor
un pompier   fireman
les pompiers   fire dept.
  une voiture de pompiers   fire truck
une robe de chambre   bathrobe
le toit   roof
un voisin   neighbor

fort   strong
jaune   yellow
sain et sauf   safe and sound, unhurt

à côté (de)   nearby, next to
à l'intérieur (de)   on the inside (of)
au milieu (de)   in the middle (of)
à temps   in time
à travers   through
de l'extérieur   from the outside
dehors   outdoors, outside
en effet   sure enough, as a matter of fact
heureusement   fortunately
ne ... personne   no one

Etude de Verbes

1. Compare:

On craignait de *voir* du feu.   They were afraid of seeing fire.
On craignait que le feu (ne)   They were afraid (lest) the fire would
prenne.   spread.

Craindre que, like avoir peur que, requires the subjunctive. Verbs following expressions of fearing (also avant que) are preceded by ne in literary style more than in conversation.

2. Qu'ils se dépêchent!   They'd better (let them) hurry!
  Qu'on le fasse!   They'd better (let them) do it!
  Qu'ils soient forts!   They'd better (let them) be strong!

Je veux is implied before this sort of subjunctive expression of what one wishes to be (done). It usually applies to the third person as an indirect command with exclamatory force.

3. La maison va *être détruite.*   The house is going to be destroyed.
  Les échelles *ont été dressées.*   The ladders have been (were) raised.
  Un chat *a été trouvé.*   A cat has been (was) found.
  Le feu *a été éteint.*   The fire has been (was) put out.
  La maison *serait détruite.*   The house would be destroyed.
  Personne n'*a été blessé.*   No one has been (was) hurt.

Tenses studied to date have been in the active voice (*la voix active*). The above examples of the passive voice (*la voix passive*), in which the subject is acted upon instead of acting upon someone or something else, show that it is formed, as in English, by the appropriate form of **être** and the past participle of the verb concerned (**détruite,** etc.). The participle agrees with the subject (**maison,** etc.).

Do not confuse the passive voice, indicating action, with **être** + a past participle used merely as an adjective, indicating a state:

On était fatigué.	They were tired.
Elle est détruite.	It is destroyed.

Contrast actions (a) and states (b):

a. **Les échelles *ont été* dressées par les pompiers.**   (have been *or* were set up)

b. **Les échelles *étaient* déjà dressées quand j'y suis arrivé.**   (were already set up)

a. **Les échelles sont dressées par les pompiers.**   (are being set up)

b. **Les échelles sont déjà dressées.**   (are already set up)

a. **Les échelles seront dressées par les pompiers.**   (will be set up)

b. **Les échelles seront déjà dressées quand j'y arriverai.**   (will be already set up)

Use **par** to indicate the agent by which something is done.

These examples indicate the difference between actions (a) and states (b) resulting from these actions.   Similarly:

a. **Elle *s'est assise*.**   She (has) sat down.
b. **Elle *est assise*.**   She is seated.

4. **On les dresse contre la maison.**   They are (being) set up against the house.

On le remet à Mlle. Martin.   It is given back to Miss Martin.

When no agent is vividly in mind or expressed, **on** with the active verb form is commonly used instead of the passive form.   Often the reflexive form serves the same purpose:

Des flammes *se voyaient*. }
On *voyait* des flammes. } Flames were (to be) seen.

5. craindre et éteindre au présent de l'indicatif:

crains	crains	craint	craignons	craignez	craignent
éteins	éteins	éteint	éteignons	éteignez	éteignent

Conjugate all verbs ending in –aindre (craindre, etc.) or –eindre (éteindre, etc.) in the same way.

6. Conjugate alike:

apercevoir — recevoir	combattre — battre
détruire — conduire	remettre — mettre
accourir — courir	sentir — partir

Note: **Ils étaient accourus.** They had run up.

Accourir is conjugated with **être** (or **avoir**) in compound tenses. However, **courir** (like **marcher**) is conjugated with **avoir**.

Remarques

1. a. **Il est allé voir son ami.**   He has gone to see (he went and saw) his friend.

    b. **Il est allé à la fenêtre** *pour* **voir.**   He went to the window (in order) to see.

When a verb of motion is a mere preliminary to the following verb and both form a thought unit, use no preposition before the second verb (a). See page 106.

Use **pour** after a verb of motion indicating separate action deliberately performed with stress on the fulfillment of the following verb (b).

2. **Ils ont arrêté le feu** *à temps.*   They stopped the fire in time.
    Ils sont arrivés *à l'heure.*   They arrived on time.

A temps means *before it's too late;* **à l'heure** means *on schedule.*

3. Summary of the subjunctive:

We have dealt in a practical way with some of the commoner uses of the subjunctive, rather than attempting mastery of all its intricacies and subtleties. In summary we can state that:

The subjunctive *is not* used:

a. after positive expressions of certainty, hope, belief, awareness:

Je suis certain qu'il le *sait*.	I'm certain (that) he knows it.
J'espère qu'il le *sait*.	I hope (that) he knows it.
Je crois qu'il le *sait*.	I believe (that) he knows it.
Je vois qu'il le *sait*.	I see (that) he knows it.

b. and if the subject of both verbs is identical. Compare:

Il faut *étudier*.	*But* Il faut que vous *étudiiez*.
Je veux le *savoir*.	*But* Je veux qu'ils le *sachent*.
Fais-le avant de *partir*.	*But* Il le fera avant que je *parte*.

The subjunctive *is* used:

a. after expressions showing strong attitudes or feelings, including uncertainty:

J'ai peur qu'il le *sache*.	I'm afraid (that) he knows it.
Je veux qu'il le *sache*.	I want him to know it.
Il faut qu'il le *sache*.	He has to know it.
Es-tu certain qu'il le *sache?*	Are you sure (that) he knows it?
Je ne crois pas qu'il le *sache*.	I don't believe (that) he knows it.
Je doute qu'il le *sache*.	I doubt (that) he knows it.

Negative or interrogative expressions of certainty or belief imply uncertainty.

b. and after **premier, dernier, seul, ne ... que** and superlatives expressing personal feeling or experience:

C'est le seul médecin qui me *comprenne*.	He's the only doctor who understands me.
C'est le plus grand médecin que je *connaisse*.	He's the greatest doctor (whom) I know.

But: when indicating a recognized fact:

C'est le seul journal qu'il *lit*.	It's the only paper (that) he reads.

c. and also as in the following:

Il part bien que je *sois* malade.	He's leaving although I'm ill.
Il l'a écrit pour que je le *sache*.	He wrote it so I might know it.
Il le fera avant que je *revienne*.	He'll do it before I come back.
Il le fait sans que je le *sache*.	He does it without my knowing it.

The subjunctive cannot be mastered through rules. Only through observation and practice can feeling for its use be developed.

4. *Could, should, would, will, may.*

Il a dit qu'il *pouvait* partir tout de suite.	He said he could (was able to) leave at once.

Il a dit qu'il *pourrait* partir plus tard.	He said he could (would be able to) leave later.
Il *devrait* le dire.	He should (ought to) say so.
Il le *dirait* s'il le savait.	He would say so if he knew (it).
Je lui ai demandé s'il *voulait* le vendre.	I asked him if he would (were willing to) sell it.
Il le *disait* chaque matin.	He would (used to) say it each morning.
Il me le *dira* demain.	He will tell me tomorrow.
Voulez-vous me le dire?	Will you (are you willing to) tell me?
Peut-il vous le dire?	May he tell you?
*Il est possible qu'*il vous le dise.	He may tell you.

Accurate use of these modal expressions depends not on rules but on simple, commonsense analysis of the thought involved. Use of verbs like **pouvoir, devoir, vouloir** and the true value of the various tenses of verbs in general have already been practiced.

For interpretation of *can*, see page 72.

Compositions orales (au passé)

M. Duval a senti de la fumée   L'arrivée et le travail des pompiers

Questions

Quand s'était-on couché vendredi soir? Pourquoi?

Quand M. Duval s'est-il réveillé? Pourquoi?

Que croyait-il entendre? Où?

S'étant levé, où est-il allé? Pourquoi?

Qu'a-t-il vu et senti?

Qu'est-ce qu'il y avait? Où?

Qu'est-ce que M. Duval a mis?

Où est-il descendu? Et Jean?

Qu'est-ce qu'ils ont vu?

Où voyait-on des flammes?

Quelle question M. Duval a-t-il posée? A qui?

Qui le voisin avait-il déjà appelé?

Qui allait le faire lui-même?

Pourquoi fallait-il que les pompiers se dépêchent?

Pourquoi Jean a-t-il quitté son père?

Qui était accouru? Où?

Que craignait-on?

Comment les pompiers sont-ils arrivés? Pourquoi?

Comment les avait-on appelés?

Qu'est-ce qui a été dressé? Où? Par qui? Pourquoi?

Qui est venu pour diriger les travaux?

Qu'est-ce qui a été trouvé? Où? Par qui?

De quelle couleur était le chat?

De quoi avait-il souffert?

A qui l'a-t-on remis?

Par qui le feu a-t-il été éteint? Quand?

Qu'est-ce que M. Duval avait pensé de la maison?

Qui a été blessé par le feu?

Qu'est-ce que les pompiers ont pu faire à temps?

Qu'est-ce qu'on a bien fait?

Qu'est-ce qu'on a pensé des pompiers?

Questions Supplémentaires

Exercices

A. *Continuez en série.*

je les y aperçois

je le combats seul

je sens de la fumée

je l'éteins moi-même

je la détruis moi-même

je crains qu'il ne me voie

B. *Faites des impératifs selon l'exemple:* qu'il le fasse!

il le fait	elle vit chez nous	il pleut moins
on les craint	elles en ont peur	on nous en vend
ils le savent	elle en choisit un	ils sont forts
il en boit	il les y conduit	elle y va seule
elle le bat	elle me l'écrit	elle le tient
on les y met	il les leur lit	ils le croient
il naît fort	elle s'y assied	on le lui dit
on nous suit	ils s'en occupent	elle les prend

C. *Mettez à la voix passive.*

Marie me réveillera.

Le feu les a blessés.

Un voisin a vu une lueur.

La mère a couché l'enfant.

Le chef dirige les travaux.

Mon père a entendu un bruit.

Un pompier a trouvé le chat.

Un ami appellera les pompiers.

Les pompiers combattent l'incendie.

Ces hommes apportent des échelles.

Les agents nous empêchent de voir.

Le pompier a dressé les échelles.

Les pompiers éteindront le feu.

Le docteur aperçoit des flammes.

Un pompier lui a remis le chat.

L'incendie détruira la maison.

D. *Indiquez le résultat des actions suivantes avec le mot* maintenant, *selon l'exemple:*

Maintenant elle est couchée.

elle s'est couchée	ils se sont habillés
je me suis amusé	elles ont été dressées
ils se sont reposés	nous nous sommes levés
le feu a été éteint	elles se sont assises
elle a été détruite	nous nous sommes lavés
ils ont été blessés	vous vous en êtes occupés

E. *Mettez les verbes en italique aux formes qui conviennent.*

1. Ils ont accouru sans que je les (*apercevoir*). 2. Je ne partirai pas sans vous le (*dire*). 3. Ne les appelez pas avant de (*voir*) du feu! 4. Je les appellerai pour qu'ils l'(*éteindre*). 5. On regrettait que nous le (*savoir*). 6. Elle est contente que nous (*arriver*) déjà. 7. Nous voudrions qu'il le (*faire*). 8. Il croit que je n'en (*savoir*) rien. 9. Croyez-vous qu'il (*venir*) demain? 10. Sera-t-il possible qu'ils en (*obtenir*)? 11. Restons jusqu'à ce qu'elle (*revenir*). 12. Je crains qu'ils (*sortir*) déjà. 13. Sont-ils certains qu'elle (*être*) en ville? 14. On m'a dit qu'il (*s'en occuper*). 15. Il ne faut pas que vous (*partir*). 16. Je ne crois pas qu'il (*faire*) beau demain. 17. Ils l'ont éteint avant que le feu la (*détruire*). 18. C'est la plus belle ville que je (*connaître*) jamais. 19. Avait-elle peur que vous (*être*) brûlé? 20. C'est le premier incendie que je (*voir*).

F. *Mettez au présent.*

1. On (parler) français au Canada. 2. Des flammes (se voir) sous le toit. 3. Les journaux (se vendre) au coin. 4. On le (remettre) à Mlle. Martin. 5. Les portes (s'ouvrir) à neuf heures. 6. On (dresser) vite les échelles. 7. Ces livres (se trouver) à l'école. 8. Les chemises (s'acheter) au magasin. 9. On (appeler) les pompiers à temps.

G. *Mettez* pour *où il le faut.*

1. Montez ____ vous coucher!
2. J'y monte ____ me promener.
3. J'irai à Paris ____ étudier.
4. Allons ____ jouer au tennis!
5. Qui vient ____ nous chercher?
6. Descendons ____ boire un coke!
7. Elle viendra bientôt ____ nous voir.
8. On descendait ____ déjeuner à midi.
9. Il vient en France ____ la revoir.
10. Sortons ____ monter à bicyclette.
11. Il va à la fenêtre ____ l'ouvrir.
12. Il est venu ici ____ se reposer.

H. *Mettez les verbes en italique aux formes qui conviennent.*

Hier soir tous (*dormir*) quand je (*croire*) entendre du bruit dehors. Je (*se lever*) et je (*aller*) à la fenêtre pour (*voir*) ce qui (*se passer*). En (*regarder*), je (*apercevoir*) une lueur rouge et je (*sentir*) de la fumée. Il y (*avoir*) le feu à côté! Sans (*perdre*) un moment, je (*mettre*) ma robe de chambre et je (*descendre*). Sur le trottoir, je (*voir*) qu'une maison voisine (*brûler*). On (*voir*) déjà des flammes. On (*appeler*) déjà les pompiers. Des voisins, qui (*accourir*), (*craindre*) que le feu ne (*prendre*) aux maisons voisines. Enfin, les pompiers (*arriver*). Ils (*descendre*) de leurs voitures et (*entrer*) pour (*combattre*) l'incendie. D'autres (*dresser*) des échelles contre la maison et y (*monter*) pour (*attaquer*) les flammes. Des agents de police (*arriver*) et nous (*empêcher*) d'aller trop près. Un chat (*être trouvé*) par un pompier mais il ne (*souffrir*) pas. Il (*avoir*) peur et on le (*remettre*) aux Martin. Enfin, on (*éteindre*) le feu et personne ne (*être blessé*).

Sous le Pont-Neuf *French Government Tourist Office*

SIXIÈME
RÉVISION

A. *Continuez en série.*

je les y mènerai moi-même

je m'étais brossé les dents

je lui en achèterais moi-même

je fais partie de cette équipe

j'aurais cessé d'y penser avant ça

je les aurais empêchés de le lire

je les leur ai montrés du doigt

j'en souffrais depuis longtemps

B. *Mettez à la personne indiquée à l'imparfait, au passé composé, au présent et au futur, en employant les mots* souvent, hier, aujourd'hui *et* demain, *selon l'exemple:*

> Souvent il y faisait beau, hier il y a fait beau,
> aujourd'hui il y fait beau et demain il y fera beau.

y faire beau (il)

appeler des agents (il)

lui en envoyer (nous)

prendre cet avion (elles)

pleuvoir beaucoup (il)

lui acheter des robes (je)

me mener chez elle (vous)

assister aux matches (ils)

souffrir du mal de mer (tu)

traduire ces phrases (elle)

C. *Conjuguez.*

> Si j'ai assez d'argent, je ferai ce voyage.
> Si je m'étais reposé(e), j'aurais pu y résister.
> Je partirai aussitôt que j'aurai fini ce travail.
> Je n'avais jamais vu une telle équipe.
> Je voudrais savoir quand la partie aura lieu.
> Je croyais entendre du bruit dehors.
> Je n'achète que des chapeaux qui me vont bien.
> Je lui ai dit de ne plus en parler.
> Je leur avais écrit de ne pas m'en envoyer.
> J'ai vendu ces livres et ils ne sont plus à moi.
> Je suis né à Paris mais je vis en Amérique.
> Je combats l'incendie et j'éteins le feu.

D. *Faites des comparaisons au singulier et au pluriel selon l'exemple:*

ce ballon-ci est plus gros que celui-là

ces ballons-ci sont plus gros que ceux-là

gros ballon	match important	complet cher
enfant sage	longue échelle	bonne équipe
bon joueur	jeu intéressant	belle cravate
grand stade	long paquebot	gare voisine

E. *Faites toutes les questions possibles basées sur*

M. Duval est allé à la fenêtre pour voir ce qui se passait.

Le médecin est vite descendu en bas, suivi de son fils.

Une vingtaine de pompiers ont été appelés par un voisin.

On a dressé des échelles contre la maison pour combattre l'incendie de l'extérieur avec de l'eau.

Le gros chat jaune et blanc des Martin a été trouvé sous un lit par un pompier.

F. *Indiquez le résultat des actions suivantes avec le mot* maintenant.

Elle s'est habillée.	Elles s'en sont occupées.
Ils se sont couchés.	Nous nous sommes reposés.
Le feu a été éteint.	Elles ont été détruites.
Vous vous êtes assis.	Nous avons été blessés.

G. *Mettez à la voix passive.*

Ce chef dirigera les travaux.	Les pompiers apporteront des échelles.
Une tempête a pris le navire.	La foule remplit toutes les places.
La mère habillera les enfants.	L'équipe locale marque six points.
L'incendie a détruit la maison.	Jean a collectionné ces timbres.
Un voisin a aperçu les flammes.	Ce pompier avait trouvé le chat.

H. *Mettez à la forme impérative.*

| Nous ne sommes pas en retard. | Vous n'en avez pas peur. |
| Vous voulez le faire. | Nous savons la leçon. |

| Il m'y conduit. | Ils y vont. | Elle les lit. |
| Elle en boit. | Tu es sage. | Ils le font. |

I. *Faites des séries selon l'exemple:* La France est belle et j'aime la France; je viens de France et je partirai bientôt pour la France; quand j'arriverai en France, je resterai en France.

1. la France
2. l'Espagne
3. la Suisse
4. le Canada
5. Bâton Rouge
6. l'Allemagne
7. les Etats-Unis
8. l'Amérique du Sud
9. Londres
10. l'Italie
11. l'Europe
12. le Mexique

J. *Mettez* celui, celle, ceux *ou* celles.

1. le match d'hier et _____ de demain
2. ses cravates et _____ que j'achète
3. ce train-ci et _____ de onze heures
4. nos bagages et _____ de Mlle. Martin
5. cette robe-ci et _____ qu'elle a mise
6. ces agents-ci et _____ qui sont partis
7. mes chats et _____ de M. Leduc
8. notre stade et _____ de Bel Air
9. vos chemises et _____ de Jean
10. ton armoire et _____ de Marie

K. *Mettez* à temps *ou* à l'heure.

1. Le train était arrivé _____.
2. Arrivons _____ pour l'éteindre!
3. La classe commencera _____.
4. Elle est partie de chez nous _____ pour y arriver _____.
5. Il descendra _____ pour le voir.

L. *Complétez.*

1. Sortons _____ jouer au tennis!
2. Il a permis _____ Marie _____ jouer.
3. J'étais _____ train _____ les lire.
4. La table _____ laquelle il le met.
5. Il a autant _____ timbres que moi.
6. J'ai trop _____ travail _____ faire.
7. On avait commencé _____ en parler.
8. Vous apprendrez _____ l'écrire.
9. Ne pars pas _____ en prendre!
10. Je la vois _____ travers la fenêtre.
11. Le feu était _____ l'intérieur.
12. Ils sont montés _____ les échelles.
13. On m'empêche _____ aller trop près.
14. J'ai bien fait _____ les appeler.
15. _____ même moment il est entré.
16. Il venait _____ mettre un complet.
17. _____ se regardant _____ la glace.
18. On monte _____ la grande voiture.
19. _____ lieu _____ voyager _____ avion.
20. Il monte _____ bord _____ paquebot.
21. Il s'éloigne _____ quai peu _____ peu.
22. Il résiste _____ la force _____ vent.
23. Elle se réveille tout _____ coup.

24. Il s'agissait ____ se dépêcher.
25. C'est la plus belle ____ pays.
26. ____ qui sont ces bagages?
27. Ils sont ____ M. Chevalier.
28. Il a été suivi ____ Jean.
29. Il y ira ____ étudier.
30. J'y irai ____ me reposer.
31. ____ la fin ____ mois.
32. Il mène ____ six ____ zéro.

33. Ils viennent ____ l'ouvrir.
34. Ils iront ____ l'étranger.
35. ____ quoi s'agit-il?

36. On se prépare ____ y aller.
37. Elle a ____ jolies robes.

38. C'est ____ bon travail!

39. Ce sont ____ jeunes gens.
40. J'avais peur ____ le dire.
41. Ne soyons pas ____ retard!
42. Il s'est tourné ____ moi.
43. Es-tu content ____ partir?
44. Il décide ____ le prendre.
45. Vas-y ____ chemin ____ fer!

46. Il ne cesse ____ en parler.

47. On était ____ pleine mer.
48. L'Amérique est ____ vue!
49. ____ milieu ____ la nuit.
50. Montons ____ le pont!

M. *Remplacez les mots en italique par des pronoms possessifs* (le mien, etc.) *et continuez dans toutes les personnes.*

1. *Mes camarades* sont en bas.
2. *Mon église* est loin d'ici.
3. *Mes chemises* étaient bleues.
4. Je m'assieds près de *mes amis*.
5. Je pense à *mes bagages*.
6. Je parlais de *mon chat*.
7. *Mon navire* marche vite.
8. J'ai écrit à *mon médecin*.

N. *Mettez les mots qui conviennent à ce dialogue.* (à livre ouvert)

— ____ de ces cravates préfères-tu?
— Celle ____ tu as à la main. ____ te l'a achetée?
— C'est mon oncle ____ l'a fait.
— De ____ de tes oncles s'agit-il?
— C'est celui ____ je t'ai parlé.
— Ah, celui ____ j'ai fait la connaissance chez toi!
— Oui, et à ____ tu écris toi-même!
— Oui, c'est l'oncle Georges ____ j'aime tant. ____ fait-il?
— Tu sais ____ il fait! Tu connais la compagnie pour ____ il fait des voyages partout.

— Dis-moi le jour ____ il arrivera, et chez ____ il va rester.
— Je te le dirai au moment ____ je le saurai. Pour ____ veux-tu le savoir? De ____ s'agit-il, mon vieux?
— Oh, c'est une visite ____ j'attends avec grand plaisir.
— ____? La visite ____ fera mon oncle?
— Oui, c'est un homme ____ j'aime beaucoup et ____ m'intéresse. C'est un homme ____ on parle souvent.

— Sais-tu ____ m'intéresse? Ce sont ____ les pays ____ il doit visiter. Quels sont les pays ____ il ira ce mois? A ____ des pays ____ il connaît ira-t-il cette année?

— A tous ceux ____ il a des affaires.

— Oui, je comprends ____ vous voulez dire. C'est ____ je pense aussi.

— De ____ des ports français partira le paquebot ____ l'apportera?

— Voilà ____ il ne nous a pas écrit.

O. *Mettez* partir, quitter, laisser, s'en aller *ou* sortir.

1. Elle ____ Paris hier.
2. ____ tes bagages ici!
3. Je veux ____ le pays.
4. ____-vous sans le voir?
5. On ____ bientôt du bureau.
6. Nous ____ demain.
7. Ne nous ____ pas!
8. Où les as-tu ____?
9. Ils ____ de l'église.
10. Il ____ d'ici demain.

P. *Mettez les verbes en italique aux formes qui conviennent, en employant les mots* hier, aujourd'hui *et* demain *dans chaque phrase.*

1. Nous doutons qu'il (*revenir*).
2. Elle a peur que je le (*perdre*).
3. Je resterai bien qu'ils (*partir*).
4. On regrettera que nous (*s'en aller*).
5. Nous sommes contents que vous le (*faire*).
6. C'est dommage qu'elle (*prendre*) cet avion.

Q. *Mettez les verbes en italique aux formes qui conviennent.*

1. Il faut que nous (*se dépêcher*). 2. Il faut (*choisir*)! 3. Je l'ai traversée sans qu'on (*pouvoir*) mettre la main sur moi. 4. Il a couru après moi sans (*pouvoir*) mettre la main sur moi. 5. (*Vivre*) le sport! 6. Il est possible de (*gagner*) cette fois. 7. Il est possible que nous (*perdre*) demain. 8. C'est dommage que vous ne pas (*voir*) la partie hier. 9. Je l'achèterai pour que vous (*pouvoir*) y assister. 10. J'y irai moi-même pour le (*voir*). 11. Je serai content de le (*faire*) et que vous le (*faire*) vous-même. 12. Il ne faut pas que vous le (*manquer*)! 13. Je veux que vous y (*assister*) et je veux y (*assister*) aussi, avant qu'il (*être*) trop tard. 14. J'avais peur que vous ne pas (*vouloir*) y aller et j'aurais peur d'y (*aller*) seul. 15. Avant de (*partir*), je veux vous (*montrer*) le meilleur complet que je (*acheter*) jamais. 16. C'est le plus beau que je (*pouvoir*) trouver en ville hier. 17. Bien qu'il (*être*) cher, je veux le (*mettre*) tous les jours. 18. Je regrette qu'il ne vous (*plaire*) pas mais je ne regrette pas de l'(*acheter*). 19. Je le porterai jusqu'à ce qu'il (*falloir*) travailler dans le jardin. 20. Je crains que mon père (*vouloir*) que je le (*faire*) demain. 21. Je ne suis pas certain qu'il (*revenir*) tôt du bureau, mais je crois que ce (*être*) à cinq heures. 22. Je ne veux pas que vous me (*quitter*) avant qu'il (*revenir*) parce que je ne veux pas (*faire*) tout ce travail seul. 23. J'espère que vous m'(*aider*) quand il (*falloir*) faire ce travail.

TRENTE ET UNIÈME
LEÇON

L'Arrivée de l'Oncle Georges

C'est samedi matin, le 20 décembre, jour où l'oncle Georges doit arriver de New York en avion. On sait qu'il était arrivé aux Etats-Unis après la traversée de l'Atlantique sur le paquebot *France*. Le Docteur Duval et Jean se sont levés de bonne heure pour aller à la rencontre de M. Chevalier. Ils s'habillent, chacun se dépêche et la mère prépare le petit déjeuner pour qu'on puisse quitter la maison à temps et aller à l'aéroport. Marie dort encore. Après s'être levés, après avoir déjeuné et dit au revoir aux deux autres, le père et son fils s'en vont. Ni Mme. Duval ni Marie ne les accompagnent car elles ont beaucoup de travail: la vaisselle et quelques achats à faire, balayer, nettoyer, etc.

En route, M. Duval s'arrête à une station-service pour faire le plein d'essence, qui coûte quarante sous le gallon. Puis, on repart. Ce samedi matin il n'y avait pas trop de voitures sur la route. On pouvait aller plus vite que d'habitude et faire soixante-dix milles à l'heure. Par conséquent, le voyage n'a pris que la moitié du temps normal. D'ordinaire, il fallait environ une demi-heure, mais le samedi il ne fallait qu'un quart d'heure ou une vingtaine de minutes au plus. Ayant laissé la voiture au parking, on est allé à la salle d'attente de l'aérogare. Une foule s'y trouvait déjà. On entendait de temps en temps le bruit des avions qui décollaient et qui atterrissaient. C'était quelque chose de très intéressant pour le jeune homme. Voyons ce qui se passait.

Après s'être renseigné, M. Duval revient à Jean et lui dit que l'avion qui amène M. Chevalier est à l'heure. En effet, l'avion atterrit bientôt; une soixantaine de passagers en descendent et avec eux l'oncle Georges, que M. Duval reconnaît facilement. L'oncle vient vers son beau-frère et son neveu; ceux-ci vont à sa rencontre. M. Chevalier leur dit en souriant:

—Vous voilà, mes amis! Que je suis content de vous voir! (Il leur serre la main affectueusement.) Aujourd'hui, ces voyages en avion, c'est quelque chose d'étonnant. Quelle vitesse! Je ne suis guère astronaute et n'ai jamais fait de voyage dans l'espace, mais j'ai l'impression d'en avoir fait un ce matin!

—Te voilà, mon cher Georges, lui dit son beau-frère. Comme je suis heureux de te revoir! Tu as fait bon voyage, j'espère? Voici ton neveu. (Jean sourit.) Que penses-tu de lui maintenant?

—Mais qu'il est grand, mon neveu! C'est quelqu'un d'important. (Il rit en disant cela.) Ce n'est plus un enfant, c'est un homme. A propos, où donc sont Louise et Marie? Pourquoi ne sont-elles pas ici? (Il a l'air surpris et M. Duval le lui explique.)

—Nous regrettons qu'elles n'aient pas pu venir avec nous. C'est à cause du travail à la maison, le ménage, quelques courses à faire, tu comprends. Louise est occupée à préparer ton arrivée et Marie l'aide, bien entendu. Si nous montions en auto tout de suite pour rentrer? Tu n'es pas trop fatigué?

—Pas trop. Eh bien, montons. Ça me fera plaisir de revoir ma sœur et ma nièce. Pendant plusieurs jours je n'aurai personne à voir, rien à faire. Je ne verrai ni amis ni associés; je serai libre comme l'air!

—Jean, lui dit son père, sois un brave garçon et mets les valises de ton oncle dans la voiture. Tu te mettras derrière et l'oncle Georges montera devant, à côté de moi.

Tous les trois montent en voiture et quittent l'aéroport pour rentrer à la maison où les femmes les attendent.

Vocabulaire

aller à la rencontre (de) go and
  meet
amener bring
*atterrir land
avoir l'impression (de) feel (as if)
balayer sweep
coûter cost
décoller take off (*plane*)
être occupé (à) be busy (doing)
expliquer explain
faire bon voyage have a pleasant
  trip
faire ... milles à l'heure do ...
  miles an hour
faire le plein (de) fill up (with)
nettoyer clean
reconnaître/reconnu recognize
repartir start off again
rire/ri laugh
  sourire/souri smile
serrer la main (à) shake hands
  (with)

il fallait ... minutes it took ... minutes

une aérogare air terminal
un aéroport airport
l'air *m.* air
l'arrivée *f.* arrival
un associé associate
un astronaute astronaut
le beau-frère brother-in-law

l'espace *m.* space
l'essence *f.* gas(oline)
le gallon gallon
un mille mile
la moitié half
le neveu nephew
la nièce niece
le parking parking lot
la route highway, road
la salle d'attente waiting room
le sou sou, cent
une station-service service station
une valise suitcase, bag
la vitesse speed

brave good, fine; brave
étonnant amazing
intéressant interesting
normal, normaux normal, usual
surpris surprised

à cause de because of
à propos by the way
au plus at the most
de bonne heure early
de temps en temps from time to
  time
en route on the way
facilement easily
ne ... guère hardly, scarcely
ne ... ni ... ni neither ... nor
par conséquent consequently

Etude de Verbes

1. rire au présent de l'indicatif:

          ris ris rit   rions riez rient

2. Conjugate alike: balayer, nettoyer — payer

repartir — partir	amener — mener
reconnaître — connaître	sourire — rire

Remarques

1. a. *Ni* Mme. Duval *ni* Marie *ne* les accompagnent.

Neither Mrs. Duval nor Marie goes with them.

b. Je *ne* verrai *ni* amis *ni* associés.

I will see neither friends nor associates.

c. Je *n'*écris *ni* à lui *ni* à elle.

I write neither to him nor to her.

The negative ne ... ni ... ni ... is shown used with subjects (a), direct objects (b), and prepositional objects (c). As in all negative expressions, ne precedes the verb while ni is placed wherever needed to limit the person(s) or thing(s) negated.

Use no articles after ni except when the person(s) or thing(s) are specific:

Il n'a ni le temps ni *l'*argent pour y aller.

He has neither the time nor the money to go there.

2. a. *Rien ne* le fait rire.
*Personne n'*a souri.

Nothing makes him laugh.
No one smiled.

b. Il *ne* fait *rien.*
Il *n'*aide *personne.*

He does nothing.
He helps no one.

c. Il *ne* pense à *rien.*
Ne le dis à *personne!*

He thinks of nothing.
Don't tell anyone!

d. Que fait-il? — *Rien!*
Qui vois-tu? — *Personne.*

What's he do? — Nothing!
Whom do you see? — No one!

Rien and personne may be used as subject of the verb (a), direct object (b), or prepositional object (c). As always, ne precedes the verb, whatever the position of rien or personne. If there is no verb in the statement, use rien or personne alone (d).

Note also: **Pas moi!** Not I!

3.

Il n'a guère dormi.	He has scarcely slept.
Il n'a pas dîné.	He hasn't had dinner.
Il n'a rien pris.	He took nothing.
Il n'a plus écrit.	He wrote no more.
Il n'a jamais ri.	He has never laughed.

But:

Il n'a dit *qu'*un mot.	He said only one word.
Il n'a vu *personne.*	He saw no one.
Il n'a bu *ni* lait *ni* eau.	He drank neither milk nor water.

The negatives **guère, pas, rien, plus** and **jamais** precede the participle in compound tenses; but **que, personne** and **ni ... ni** follow.

Negatives studied to date:

ne ... pas	ne ... plus	ne ... guère	ne ... personne
ne ... que	ne ... rien	ne ... jamais	ne ... ni ... ni

L'as-tu *jamais* vu? — *Jamais!*   Have you ever seen him? — Never!

Without **ne**, jamais used with a verb has a positive meaning (*ever*). Used without a verb, **jamais** has a negative meaning (*never*). See R. 2 above for **pas, personne, rien.**

4. a. **C'est quelque chose *d'*éton-** It's something amazing.
   nant.
   b. **C'est quelqu'un *d'*important.** He's someone important.
   c. **Ce n'est rien *d'*étonnant.** It's nothing surprising.
   d. **Ce n'est personne *d'*impor-** He's no one important.
   tant.

Put **de** before the masculine form of the adjective (**étonnant,** etc.) to describe something (a) or someone (b), or their opposites, nothing (c) or no one (d).

5. a. **Ils vont à la rencontre de leur** They are going to meet their uncle.
   oncle.
   b. **Ils vont à *sa* rencontre.** They are going to meet him.

Use **aller (venir) à la rencontre de** before a noun (a), but the appropriate possessive (**sa,** etc.) if the noun is not expressed (b).

6. a. Elle y est restée *parce qu'*elle   She stayed there because she must
       doit travailler.   work.

   b. Elle y est restée *à cause de* son   She stayed there because of her work.
      travail.

   c. Elle y est restée *à cause de*   She stayed there because of me.
      moi.

Use **parce que** before a clause (a), but **à cause de** before a noun (b) or pronoun (c):

7. **Il ne faut qu'*un quart* d'heure.**   It takes only a quarter hour.
   Il n'en a pris que *la moitié*.   He took only half (of it).
   Il en a perdu *un tiers*.   He lost a third (of it).
   un cinquième; trois huitièmes   a (one) fifth; three eighths
   les *trois cinquièmes* des élèves   three fifths of the pupils

All fractions are nouns. Except for **quart** (*fourth*), **tiers** (*third*), and **moitié**
(*half*), they consist of a cardinal divided by an ordinal (**deux cinquièmes** —
2/5, etc.), just as in English.

Use **la** or **une** with **moitié**, **le**, **les** or **un** with **quart** or **tiers**, **le** or **les** where
any fraction qualifies persons or things, as meaning requires.

8. a. **L'essence   coûte   quarante**   Gas costs forty cents a gallon.
      sous *le* gallon.

   b. **Nous   faisons   soixante-dix**   We do seventy miles an (per) hour.
      milles *à l'*heure.

To express cost per pound, gallon, etc., use the definite article (a).
To express speed per hour, etc., use **à** + definite article (b).
Recall amount per day, etc. (**500 par jour**). See page 190.

Note: **–s** is used in the plural of **mille** (*mile*), but not **mille** (*1000*), which is
invariable.

Compositions orales

Le matin de l'arrivée de l'oncle Georges

Le voyage à l'aéroport   L'arrivée de l'oncle
Les observations de l'oncle   On quitte l'aéroport

Questions

Quel est le jour où l'oncle Georges doit arriver?

Comment était-il arrivé aux Etats-Unis?

Qui s'est levé de bonne heure? Pourquoi?

Que font les hommes? la mère? Marie?

Qui reste à la maison? Pourquoi?

Qui va à la rencontre de l'oncle?

Où s'est-on arrêté en route? Pourquoi?

Combien de temps le voyage a-t-il pris? Pourquoi?

Combien de temps fallait-il d'ordinaire? Pourquoi?

Où a-t-on laissé la voiture en arrivant à l'aéroport?

Où est-on allé pour attendre l'arrivée?

Qu'est-ce qu'on entendait de temps en temps?

Est-ce que c'était intéressant? Pour qui?

Après s'être renseigné, que dit le père au fils?

Quand l'avion atterrit-il?

Combien de passagers descendent de l'avion? Où est l'oncle?

Où va-t-il? Est-il content? Pourquoi?

Que fait-il affectueusement?

Que dit l'oncle de son voyage?

Qu'est-ce que le père demande à son beau-frère?

Que pense l'oncle Georges de son neveu?

Que demande l'oncle quand il ne voit pas les femmes?

Comment M. Duval explique-t-il cela?

Qu'est-ce qui fera plaisir à l'oncle?

Pourquoi l'oncle sera-t-il «libre comme l'air»?

Qu'est-ce que Jean met dans la voiture?

Où se met-on pour rentrer?

Questions Supplémentaires

Exercices

A. *Continuez en série.*

je les amène chez moi
je lui ai serré la main

j'y ferai le plein d'essence
j'étais allé(e) à leur rencontre

B. *Mettez à la personne indiquée à l'imparfait, au passé composé, au présent et au futur, en employant les mots* souvent, hier, aujourd'hui *et* demain.

y aller en avion (ils)
décoller à midi (il)
nettoyer la maison (nous)
l'aider à balayer (elles)

avoir beaucoup à faire (je)
n'avoir rien à faire (vous)
atterrir à cet aéroport (on)
y faire le plein d'essence (il)

C. *Conjuguez.*

je me lève de bonne heure
je m'en vais tout de suite
j'y atterris chaque jour
j'ai vu ce qui se passait
je m'y arrêterai souvent
je l'ai laissé au parking
je ris de ce qu'il dit
je souris en l'entendant
je ne suis guère astronaute
je n'aurai personne à voir
je les y mets avec plaisir
je ne vois rien de nouveau

j'irai bientôt à sa rencontre
je suis allé(e) à la salle d'attente
j'avais l'impression de tomber
je ne verrai ni Jean ni Marie
j'ai fait quelque chose de bon
je me renseignerai sur cela
je reviendrai à elle demain
j'espère les revoir bientôt
je ne pourrais plus le faire
j'ai vu quelqu'un d'intéressant
je serai occupé(e) à le lire
je ne connais personne de mauvais

D. *Mettez* parce que *ou* à cause de.

1. Elle y reste ＿＿＿ le ménage.
2. Je le lis ＿＿＿ je le préfère.
3. On travaille ＿＿＿ il le faut.
4. Je l'ai perdu ＿＿＿ lui.
5. ＿＿＿ cela, il faut s'arrêter.
6. Ne pars pas ＿＿＿ moi!
7. Elle l'achète ＿＿＿ il lui plaît.
8. Il est fatigué ＿＿＿ il dort peu.

E. *Mettez les formes négatives qui conviennent.*

1. ＿＿＿ ne l'a dit.
2. ＿＿＿ ne lui plaît.
3. Je n'y vais ＿＿＿.
4. Ne le dis à ＿＿＿!
5. Quand rit-il? ＿＿＿!
6. Qui vois-tu? ＿＿＿!
7. Que veux-tu? ＿＿＿!
8. Je ne l'ai ＿＿＿ lu.
9. Que fait-il? ＿＿＿!
10. Il ne travaille ＿＿＿.
11. Il n'a ＿＿＿ amis ＿＿＿ argent.
12. Je n'en ai ＿＿＿ deux.
13. Il n'en a ＿＿＿ écrit.
14. On ne l'a ＿＿＿ trouvé.
15. Il n'est ＿＿＿ astronaute.
16. ＿＿＿ lui ＿＿＿ elle ne le sait.

F. *Complétez.*

1. Lève-toi ＿＿＿ bonne heure!
2. Il vient ＿＿＿ ma rencontre.
3. J'avais beaucoup ＿＿＿ faire.
4. Il y a trop ＿＿＿ voitures.
5. Il faut dix jours ＿＿＿ plus.
6. ＿＿＿ effet, il atterrit.
7. ＿＿＿ propos, où sont-elles?
8. C'est ＿＿＿ cause ＿＿＿ travail.
9. Monte ＿＿＿ côté ＿＿＿ moi!
10. Il est venu ＿＿＿ nous.

11. Faisons le plein ____ essence!
12. Laissez la voiture ____ parking!
13. Allons ____ la salle ____ attente!
14. Je l'entends ____ temps ____ temps.
15. C'est quelque chose ____ nou-veau.
16. L'avion arrive ____ l'heure.
17. Il serre la main ____ son oncle.
18. C'est quelqu'un ____ important.
19. Elle est occupée ____ nettoyer.
20. Je suis content ____ te voir.

G. *Lisez ces fractions.*

1. 1/3
2. 1/2
3. 1/4
4. 1/5
5. 4/9
6. 5/11
7. 6/13
8. 7/15
9. 8/17
10. 9/10

H. *Mettez les mots qui conviennent.*

1. Combien gagnes-tu ____ mois?
2. J'y vais trois fois ____ an.
3. Vends-les à 70¢ ____ dizaine.
4. Elle coûte 38¢ ____ gallon.
5. Il court 20 milles ____ l'heure.
6. Ils coûtent 90¢ ____ douzaine.
7. Elle fera 100 milles ____ l'heure.
8. Il fait 12 milles ____ la minute.

I. *Mettez au passé.*

(*à la maison*) Il est trois heures vingt quand je me lève et descends. Je me regarde dans la glace, m'arrange les cheveux et je pars. Je me demande si j'ai tout ce qu'il me faut. Alors je sors et ferme la porte à clef. Puis, je vais au garage et prends la voiture neuve. Je pars pour l'école où sont les enfants.

(*à l'école*) Il est trois heures et demie. On annonce la fin des classes et nous nous dépêchons de sortir parce que nous sommes libres. Il fait beau et tous en sont contents. Nous disons au revoir à nos amis et allons attendre notre mère, mais elle arrive avant nous. Nous montons en voiture et elle nous conduit chez nous.

(*à l'hôpital*) M. Duval finit sa consultation et donne son avis à son collègue. Il veut visiter d'autres malades à l'hôpital. C'est un hôpital très moderne. Il y examine des malades qu'il connaît. Il est quatre heures et il est fatigué. Il décide de prendre un taxi. Il y en a devant l'hôpital. Il en prend un et rentre chez lui.

J. *Mettez les verbes en italique aux formes qui conviennent.*

Hier il a fallu que nous (*se lever*) de bonne heure. Notre oncle (*arriver*) déjà aux Etats-Unis et (*devoir*) arriver de New York en avion. Nous étions contents qu'il (*pouvoir*) venir nous (*visiter*). Nous regrettions souvent qu'il ne (*pouvoir*)

pas venir avant ce moment.   Nous (*se lever*) de bonne heure et (*se dépêcher*).
Notre mère (*préparer*) le petit déjeuner pour que nous (*pouvoir*) partir à temps.
Marie (*dormir*) encore quand nous (*s'en aller*).   Elle (*rester*) pour (*aider*) sa mère,
qui (*avoir*) beaucoup à (*faire*).

Après (*se lever*) de table et après (*dire*) au revoir, nous (*partir*).   En route,
nous (*s'arrêter*) pour (*faire*) le plein d'essence.   Il n'y (*avoir*) que peu de voitures sur la route et le voyage ne (*prendre*) qu'un quart d'heure.   (*Arriver*) à
l'aéroport, nous (*laisser*) la voiture au parking et (*aller*) à la salle d'attente de
l'aérogare, d'où l'on (*entendre*) des avions qui (*décoller*) et qui (*atterrir*).   C'(*être*)
quelque chose de très intéressant.

Après (*se renseigner*) sur l'arrivée de l'avion qui (*amener*) notre oncle, mon
père (*revenir*) à moi et bientôt nous le (*voir*) atterrir.   Mon oncle en (*descendre*)
et nous (*aller*) à sa rencontre.   Comme j'(*être*) content qu'il (*venir*) nous (*visiter*)!
Il nous (*dire*) qu'il ne (*avoir*) personne à (*voir*), rien à (*faire*) et qu'il ne (*voir*)
ni amis ni associés.   Enfin, je (*mettre*) ses valises dans la voiture, en lui (*expliquer*) pourquoi les femmes (*rester*) à la maison.   Enfin, je (*se mettre*) derrière,
l'oncle (*monter*) à côté de mon père et nous voilà (*partir*)!

TRENTE-DEUXIÈME
LEÇON

Joyeux Noël!

C'est le 24 décembre, la veille de Noël. M. Chevalier aura le plaisir de passer Noël et le Nouvel An chez les Duval. Jean et Marie sont en vacances; ils ne vont plus à l'école pendant les vacances de Noël. Ce soir il fait un temps d'hiver, il neige et il fait assez froid dehors. Dedans, la famille est installée devant la cheminée où brûle un bon feu. Un ancien camarade de M. Duval, qui s'appelle Robert Beauregard et qu'il n'a pas vu depuis des années, vient d'arriver à la maison.

— Permettez-moi de vous présenter mon vieil ami, Monsieur Robert Beauregard; mon beau-frère, M. Georges Chevalier, dit le père.

— Enchanté de faire votre connaissance, dit l'oncle Georges au visiteur.

M. Duval présente ensuite son ami aux autres membres de la famille. On va écouter l'oncle Georges, qui leur parlera de la Noël en France.

O. G. — Vous savez un peu comment on célèbre ces fêtes en France, n'est-ce pas?

M. — Oui, mais racontez-nous ça quand même.

O. G. — Eh bien, la veille de Noël, presque partout en France, c'est la coutume d'aller à la messe de minuit. Dans les églises, on assiste en famille à cette messe ancienne et traditionnelle; on y entend chanter le beau cantique «Minuit Chrétien» dont vous connaissez certainement l'air. C'est «O Holy Night» en anglais.

M. — Tout cela paraît très beau, en effet. Après la messe, qu'est-ce qu'on fait?

O. G. — Après, on rentre chez soi pour le réveillon.

J. — Qu'est-ce que c'est que le réveillon?

O. G. — C'est un souper où tout le monde mange de bonnes choses, des sandwichs, des gâteaux, un peu de tout; on y boit le champagne aussi.

J. — Comme je voudrais en boire!

M. D. — Evidemment, mais ce n'est pas pour toi, mon garçon.

M. — Que j'aimerais bien pouvoir goûter de toutes ces bonnes choses!

M. D. — Tu le feras un jour, peut-être.

J. — Donne-t-on des cadeaux de Noël en France?

O. G. — Le matin de Noël, on donne des cadeaux aux enfants. Ceux-ci placent leurs souliers devant la cheminée afin que le Père Noël les remplisse de jouets et de bonbons. C'est une vieille coutume.

M. — Et les grandes personnes? Ne reçoivent-elles pas des cadeaux?

O. G. — Pas à Noël. Le plus souvent on en donne et on en reçoit le Jour de l'An, le premier janvier. On appelle ces cadeaux des «étrennes».

J. — Comment dit-on «Merry Christmas» et «Happy New Year» en français? Je ne m'en souviens pas.

O. G. — On dit «Joyeux Noël» et «Bonne Année» ou «Bonne et Heureuse Année». Je croyais que tu le savais.

M. — Comme je voudrais bien être en France pendant les fêtes de Noël! Et les arbres de Noël? En a-t-on?

O. G. — Mais oui! L'arbre de Noël est traditionnel en France.

J. — Depuis quand?

O. G. — Depuis le milieu du XIXe siècle. On place aussi une crèche sous l'arbre ou dans un coin ou peut-être sur la cheminée.

M. D. — Eh bien, mes enfants, si nous chantions un peu?

M. — Oh oui, papa, chantons des cantiques de Noël! Maman nous accompagnera au piano. Elle en joue si bien!

Mme. Duval s'assied pour jouer du piano et on commence à chanter. Un joyeux Noël à tous!

Vocabulaire

célébrer celebrate
chanter sing
jouer (de) play (*musical instrument*)
paraître/paru appear
présenter introduce
se souvenir (de)/souvenu remember

un air tune
un bonbon candy
un cadeau gift, present
le cantique carol, hymn
le champagne champagne
la cheminée fireplace, mantelpiece, chimney
la coutume custom
une crèche Nativity scene
une étrenne New Year's present
la fête holiday, celebration
un gâteau cake
une grande personne grownup
l'hiver *m.* winter
un jouet toy

le Jour de l'An New Year's Day
la messe de minuit midnight mass
le Nouvel An New Year's (season)
le Père Noël Santa Claus
le piano piano
le réveillon midnight supper
le siècle century
un souper supper
les vacances *f.* vacation
   en vacances on vacation
la veille eve, day *or* night before
le visiteur visitor

ancien, ancienne former; old
enchanté (de) delighted (to)
traditionnel, traditionnelle traditional

afin que in order that
certainement certainly
dedans indoors, inside
évidemment evidently

Etude de Verbes

1. **Je les y mets afin qu'il les remplisse.**   I put them there so he may fill them.

   Afin que, like its synonym **pour que**, requires the subjunctive.

2. Conjugate alike: **paraître — connaître   souvenir — venir**

Remarques

1. a. **C'est la veille de Noël.**   It's Christmas Eve.
   b. **Il fait un temps d'hiver.**   It's winter weather.

   Note use of **de** + noun to form descriptive (adjectival) phrases.

2. a. **C'est un ancien camarade.**   He's a former companion.
   b. **C'est une messe ancienne.**   It's an old mass.

Observe the difference between the figurative or abstract meaning of the adjective preceding the noun (a) and its literal meaning following the noun (b). See page 31.

Compare:

Un *certain* ami me l'a dit.	A certain friend told me (so).
C'est une nouvelle *certaine*.	It's reliable news.
C'est un *cher* camarade.	He's a dear friend.
C'est une robe *chère*.	It's an expensive dress.
Mon *pauvre* ami, es-tu malade?	My poor friend, are you ill?
Un homme *pauvre* gagne peu.	A poor man earns little.
C'est le *dernier* jour de l'année.	It's the last day of the year.
J'y suis allé(e) l'année *dernière*.	I went there last year.

3. a. **Il le connaît depuis des années.**   He has known him for years.
   b. **Il ne l'a pas vu depuis des années.**   He hasn't seen him for years.
   c. **Il le connaissait depuis des années.**   He had known him for years.
   d. **Il ne l'avait pas vu depuis des années.**   He hadn't seen him for years.

For the use of **depuis** with the present (a) and imperfect (c) tenses in the *affirmative*, review pages 112 and 136.

If **depuis** follows a *negative*, there is obviously no continuation of the action or state and we use the same tense as in English.

4. a. **Il me (te, vous, nous) le présente.**   He introduces him to me (you, us).
   Il me (etc.) la présente.   He introduces her to me (etc.).
   Il me (etc.) les présente.   He introduced them to me (etc.).
   Je le (la, les) lui présente.   I introduce him (her, them) to him.
   Je le (la, les) leur présente.   I introduce him (her, them) to them.

When *both* object pronouns of a verb (**présenter, recommander, envoyer,** etc.) represent *persons*, they both precede the verb in the familiar pattern (a) if the direct object is **le, la, les** (*him, her, them*).

b. **Il me (te, vous, nous, se) présente à lui.**   He introduces me (you, us, himself) to him.

Il me (etc.) présente à elle.   He introduces me (etc.) to her.

Il me (etc.) présente à eux (elles).   He introduces me (etc.) to them.

Otherwise, the indirect object follows the verb + à as a strong form (b).

5.   **évident — évidemment**   evident — evidently

       constant — constamment   constant — constantly

Adjectives ending in –ent and –ant form adverbs in –emment and –amment. Pronounce both these adverbial endings alike: –amment.

6. a. **Je me souviens de Marie.**   I remember Mary.

    Je me souviens d'elle.   I remember her.

b. **Je me souviens du voyage.**   I remember the trip.

    Je m'en souviens.   I remember it.

c. **Je me rappelle ce voyage.**   I remember this trip.

    Je me le rappelle.   I remember it.

The object of **se souvenir de** can be a person (a) or a thing (b); the object of **se rappeler** must be a thing (c).

When using **se souvenir de,** note that the reflexive pronoun (**se,** etc.) is the direct object and the person or thing is a prepositional object.

When using **se rappeler,** note that the reflexive pronoun (**se,** etc.) is the indirect object and the thing remembered is the direct object.

7. a. **Elle joue** *du* **piano.**   She plays the piano.

    Elle *en* **joue.**   She plays it.

b. **Elle joue** *au* **tennis.**   She plays tennis.

    Elle *y* **joue.**   She plays it.

Jouer de means to play an instrument; **jouer à** to play a game. Observe the pronouns used to refer to what is played.

8. **Ne reçoivent-elles pas** *des* **étrennes?**   Don't they get any holiday presents?

Since a negative-interrogative sentence usually implies expectation of a positive answer, the article is used after ne ... pas. The thing mentioned (**étrennes**) is not truly negated.

Compositions orales

La veille de Noël chez les Duval   La veille de Noël en France
Le matin de Noël en France

Questions

Quelles fêtes l'oncle Georges passera-t-il chez les Duval?

Pourquoi les enfants ne vont-ils plus à l'école?

Quelles sont les dernières vacances de l'année?

Quel temps fait-il dehors en hiver?

Où la famille s'est-elle installée?

Qu'est-ce qui brûle dans la cheminée?

Qui est l'ancien camarade de M. Duval?

Depuis quand M. Duval ne l'avait-il pas vu?

Que dit M. Chevalier en faisant sa connaissance?

De quoi parle l'oncle?

Où va-t-on la veille de Noël en France?

Qu'est-ce qu'on y entend?

Que fait-on après la messe de minuit?

Qu'est-ce que c'est que le réveillon?

Qu'est-ce qu'on y mange et boit?

De quoi Jean voudrait-il goûter?

Quand en goûtera-t-il?

Que donne-t-on aux enfants français le matin de Noël?

Pourquoi les enfants placent-ils leurs souliers devant la cheminée?

Que reçoivent les grandes personnes? Quand?

Où l'arbre de Noël est-il traditionnel? Depuis quand?

Où place-t-on la crèche?

Que chante la famille?

Qui les accompagne? Comment?

De quoi Mme. D. joue-t-elle?

Que commence-t-on à chanter?

Questions Supplémentaires

Exercices

A. *Continuez en série.*

je joue du piano
je jouais au tennis

je m'en souviendrai
j'ai fait leur connaissance

B. *Conjuguez.*

je la lui ai présentée hier

je me souviens de ce cantique

je célèbre ces fêtes anciennes

je l'ai dit afin qu'il le sache

je ne me rappelle pas cette coutume

je l'ai entendu chanter à l'église

j'ai goûté du champagne en France

je passerai les vacances chez moi

C. *Continuez avec* ta, sa, *etc.*

il y fera ma connaissance

ils viendront à ma rencontre

ils veulent venir à ma rencontre

elle veut faire ma connaissance

D. *Complétez.*

1. C'est la veille _____ Noël.
2. Elle était _____ vacances.
3. Les voilà _____ la cheminée.
4. Permets-lui _____ y jouer!
5. Rentrons _____ le réveillon!
6. Je me souviens _____ cet air.
7. Mettons-le _____ ce coin!
8. Elle joue bien _____ piano.
9. Commençons _____ le chanter!
10. Ne jouez plus _____ tennis!
11. Ayons le plaisir _____ en goûter!

12. Il fait un temps _____ hiver.
13. Qui vient _____ arriver _____ toi?
14. Assistons _____ la messe _____ minuit!
15. J'y ai goûté _____ champagne.
16. _____ Noël on donne des cadeaux.
17. On écoutait _____ l'oncle Georges.
18. Il les remplira _____ bonbons.
19. Place-la _____ l'arbre _____ Noël!
20. Il venait _____ arriver _____ nous.
21. Quand serez-vous _____ retour?

E. *Mettez les adjectifs où il le faut.*

1. (*cher*) Voilà une voiture! Allons-y, mon ami!
2. (*pauvre*) Mon ami est malade. Les gens n'ont rien.
3. (*ancien*) C'est mon professeur. Rome est une ville.
4. (*dernier*) Décembre est le mois. J'y suis allé cette année.
5. (*certain*) On les vend dans un magasin. C'est un rendez-vous.

F. *Mettez les verbes en italique aux deux formes possibles.*

1. On en (*parler*) depuis des mois.
2. J'y (*penser*) depuis des semaines.
3. Je la (*connaître*) depuis des années.
4. On n'en (*vendre*) pas depuis des mois.
5. Il ne me (*voir*) pas depuis des années.
6. On ne le (*célébrer*) pas depuis des siècles.

G. *Complétez chaque phrase avec tous les pronoms indirects possibles.*

1. il me présente ...
2. on la présente ...
3. il se présente ...
4. elle vous présente ...
5. on nous présente ...
6. elle les présente ...

H. *Mettez* se rappeler *ou* se souvenir *au présent ou à l'impératif.*

1. Je ____ le ____.
2. Il ____ en ____.
3. ____-____-en!
4. ____-le-____!
5. Que ____ ____-vous?
6. Je ____ ____ de Marie.
7. Je ____ ____ ce voyage.
8. De quoi ____ ____-vous?
9. Il ____ ____ de ce cadeau.
10. ____ ____-il de vous?
11. Je ____ ____ cet incendie.
12. Elle ____ ____ cette journée.

I. *Mettez au passé.*

Il est quatre heures et quart et je viens de rentrer. Je suis content(e) d'être de retour. Tous sont de retour depuis une demi-heure. On se lave et on descend manger un peu. Les enfants ont faim parce qu'ils ont joué au tennis. Je leur fais des sandwichs au fromage et je leur offre du lait parce qu'ils ont soif. Marie mange peu parce qu'elle veut rester svelte et ne boit qu'un verre d'eau, disant qu'elle ne veut pas de lait. Les enfants ont envie de sortir avec des amis, mais je leur dis qu'il faut étudier avant de s'amuser. Finissant leurs leçons, ils sortent de la maison au moment où leur père vient d'arriver.

J. *Mettez les verbes en italique aux formes qui conviennent.*

Il est possible que notre oncle (*venir*) nous (*visiter*) à Noël. Nous voudrions qu'il le (*faire*) mais nous avons peur qu'il ne (*pouvoir*) pas arriver à temps. Nous attendons jusqu'à ce qu'il nous (*écrire*) où il (*passer*) ses vacances.

Enfin il nous (*faire*) savoir qu'il (*venir*) dans quelques semaines en avion. C'est dommage qu'il ne (*pouvoir*) pas venir avant les vacances de Noël, mais nous sommes contents qu'il (*avoir*) décidé de nous (*visiter*) quand même. Bien qu'il ne (*faire*) pas sa visite avant le Jour de l'An, nous (*avoir*) le plaisir de lui (*donner*) des étrennes. Nous regrettons qu'il (*devoir*) attendre la fin de l'année pour (*faire*) ce voyage, mais il est certain qu'il (*venir*) plus tôt s'il (*pouvoir*) le faire.

Avant qu'il (*partir*), il devra nous (*raconter*) comment on (*célébrer*) les fêtes de Noël en France. Il faut qu'il nous (*dire*) quelles sont les coutumes françaises, quels cantiques on (*chanter*) et ce que (*faire*) les enfants la veille de Noël. Sans qu'il nous le (*dire*), je suis certain(e) que la Noël en France (*être*) quelque chose de joyeux.

TRENTE-TROISIÈME LEÇON

Quelques Vues de Paris

Le lendemain, pendant la soirée, l'oncle Georges est en train de montrer des vues en couleurs de Paris. Les Duval ont invité quelques amis chez eux pour passer la soirée et regarder les vues dont M. Chevalier a toute une collection: celles-ci montrent des monuments et des endroits historiques de la capitale de la France. Ecoutons M. Chevalier, qui montre ces vues au salon.

— Nous voici en avion au-dessus de la capitale. On peut apercevoir quelques monuments, surtout la Tour Eiffel, dont vous avez tous entendu parler. Haute de 300 mètres et toute en fer, elle a été construite par l'ingénieur, Gustave Eiffel, pour l'Exposition Universelle de 1889. On peut y monter en ascenseur ou à pied, si l'on veut. Cette tour est située près de la Seine, fleuve qui traverse Paris et le divise en deux: un côté s'appelle la Rive Droite, l'autre la Rive Gauche. En face de la Tour Eiffel, sur la Rive Droite, nous voyons maintenant un bel édifice, le Palais de Chaillot. Il a été construit pour l'Exposition de 1937.

— Un peu plus loin, on arrive à la Place de l'Etoile et à l'Arc de Triomphe. Après la Tour Eiffel, c'est le monument que les touristes étrangers connaissent le mieux. Commencé en 1806, terminé en 1836, il a cinquante mètres de haut. Sous l'arc se trouve le Soldat Inconnu, mort pour la France. Tout autour de l'arc partent une douzaine de belles et larges avenues dont une est très connue, l'Avenue des Champs Elysées, une des plus belles avenues du monde. Elle a jusqu'à 400 mètres de large et presque deux kilomètres de long. Bordée de jolis arbres et de larges trottoirs, les Parisiens et de nombreux touristes s'y promènent quand il fait beau, surtout au printemps et en été.

— Descendons les Champs Elysées jusqu'à la Place de la Concorde. Permettez-moi ici de vous lire quelque chose dans un petit livre sur Paris que j'ai apporté avec moi. Le voici:

«La Place de la Concorde est une des plus belles et des plus vastes du monde. Au centre on voit l'obélisque de Louqsor de plus de vingt-deux mètres de haut, qu'on offrit au roi de France, Louis Philippe. De chaque côté de ce monument se trouve une fontaine haute de neuf mètres. A l'est se trouve le Jardin des Tuileries, au sud la Seine, au nord on voit deux grands édifices, un de chaque côté de la Rue Royale. Enfin, à l'ouest commence l'Avenue des Champs Elysées. C'est sur cette place que l'on dressa la guillotine pendant la Révolution Française. Un grand nombre de personnes y furent exécutées; le roi Louis XVI y mourut le 21 janvier 1793 et le 16 octobre la reine Marie Antoinette».

— Arrêtons-nous pour le moment. On pourra se reposer un peu. Je continuerai tout à l'heure.

Les uns se lèvent et bavardent; les autres prennent du café. Les

Vue aérienne: Tour Eiffel et Palais de Chaillot *France Actuelle*

hommes fument et les jeunes gens mangent des sandwichs et boivent du coca-cola.

Vocabulaire

construire/construit build
entendre parler de hear of
diviser divide
exécuter execute
inviter (à) invite (to)
mourir/mort die
offrir (de)/offert offer (to)
partir (de) radiate (from)

dressa set up, erected
furent were
mourut died
offrit offered

un arc arch
une avenue avenue
la capitale capital (city)
la droite right
un édifice building, edifice
un été summer
le fer iron
  en fer of iron
la fontaine fountain
la gauche left
un ingénieur engineer
un kilomètre kilometer
  (*abbrev.:* km.) (3,289.8 ft.)
le lendemain next day
un mètre meter
  (*abbrev.:* m.) (39.37 in.)
un monument monument, public
  building
un Parisien Parisian

une place (city) square
le printemps spring
la reine queen
une rive (river) bank
le roi king
une tour tower
un(e) touriste tourist
une vue slide, view

l'est *m.* east
le nord north
l'ouest *m.* west
le sud south

bordé (de) lined (with)
haut de in height, high
de haut in height, high
de large in width, wide
de long in length, long
historique historic
large wide
nombreux, nombreuse numerous
situé situated
vaste spacious

au centre (de) in the center (of)
au dessus (de) above, over
autour (de) around
de chaque côté (de) on each side
  (of)
en face (de) opposite, facing
plus loin farther on
tout à l'heure in a little while

Renseignements

Palais de Chaillot. A large and beautifully designed building containing museums and a large modern theater, with a terrace providing a view of the Tour Eiffel across the Seine.

Exposition Universelle de 1889 and **l'Exposition de 1937.** World's Fairs held in Paris.

Place de l'Etoile. Large circle at the upper end of the Champs Elysées, named "star" because of the dozen avenues radiating from it. It is known especially for the Arc de Triomphe (Arch of Triumph) standing in its center, sheltering the tomb of the Unknown Soldier (le Soldat Inconnu), over which burns an eternal flame (la Flamme Eternelle). Here take place many solemn ceremonies, both civil and military.

Avenue des Champs Elysées. Extending between the Place de l'Etoile and the Place de la Concorde, this avenue is the center of a very elegant part of Paris. It widens half way down to almost 400 meters, including ample spaces with trees and inviting walks. It ends at:

Place de la Concorde, a spacious and beautiful square from the middle of which are visible: the bridge over the Seine and the Palais Bourbon (seat of the Assemblée Nationale, the French House of Representatives); the entrance to the Jardin des Tuileries (Tuileries Gardens), with a glimpse of the Louvre in the distance; the entrance to the Rue Royale, flanked by large and majestic buildings, with the Eglise de la Madeleine at the other end; and finally, a view up the Champs Elysées, with the Arc de Triomphe looming at its other end.

Guillotine: still the official method of execution. Named for a Dr. Guillotin, who did not actually invent it, but who, in 1789, urged its adoption, it was first used in 1792. In the ensuing "Reign of Terror" (la Terreur), many nobles and ordinary citizens lost their heads beneath its blade. See Dickens' "A Tale of Two Cities" for a graphic account of this era.

Louis XVI, born 1754, guillotined 1793. His reign was noted for court intrigues and lavish expenditures. Weak and indecisive, he was readily influenced, especially by his wife, Marie Antoinette. To many people who came to hate her for her bad influence on state affairs, she was known as "that Austrian" (l'Autrichienne). The queen is said to have told the people clamoring for bread: "S'ils n'ont pas de pain, qu'ils mangent du gâteau!" She, too, was guillotined.

Etude de Verbes

1. L'obélisque qu'on *offrit* au roi.
   The obelisk which was offered to the king.

   On *dressa* la guillotine.
   The guillotine was erected.

   Elles y *furent* exécutées.
   They were executed there.

   Le roi Louis XVI y *mourut*.
   King Louis XVI died there.

Offrit, dressa, furent, and mourut are examples of the past definite (*le passé défini* or *le passé simple*), soon to be studied.

2. mourir au présent de l'indicatif et au futur:

PRÉSENT: **meurs   meurs   meurt   mourons   mourez   meurent**
FUTUR: **mourrai   mourras** etc.

3. Conjugate alike: **construire — conduire   offrir — ouvrir**

Remarques

1. La *veille* de son arrivée.
   The day before (eve of) his arrival.

   Le *lendemain* de son arrivée.
   The day after his arrival.

   Il le fera *tout à l'heure*.
   He'll do it in a little while.

Hier and demain (also, tout à l'heure) relate to the present; la veille and le lendemain relate to past or future times.

2.   une tour en fer   an iron tower
      des vues en couleurs   colored slides
      un plateau d'argent   a silver tray
      une salade de tomates   a tomato salad

Choice of descriptive phrases consisting of en + noun and de + noun follows no definite rule. Learn by observation.

3.   le printemps — au printemps spring — in (the) spring
      l'été — en été   summer — in (the) summer
      l'automne — en automne   fall — in (the) fall
      l'hiver — en hiver   winter — in (the) winter

Seasons (les saisons), like months and days of the week, are masculine. Note use of en before those beginning with vowel sounds.

4. a. La tour a 300 mètres de haut.
   b. La tour est haute de 300 mètres.

The tower is 300 meters high (in height).

a. Elle a 400 mètres de large.
b. Elle est large de 400 mètres.

It is 400 meters wide (in width).

a. Elle a deux kilomètres de long.
b. Elle est longue de deux kilomètres.

It is two kilometers long (in length).

Express dimensions either by **avoir** + quantity + **de** + noun of dimension (a), or by **être** + adjective of dimension + **de** + quantity (b).

5. L'avenue est *bordée d'*arbres.   The avenue is lined with trees.
   La rue est *couverte de* neige.   The street is covered with snow.
   Le père est *suivi de* son fils.   The father is followed by his son.

When the subject of a passive construction is not actively or vividly affected, use **de** to introduce the agent. The combination of participle + **de** + noun often constitutes an adjectival phrase (*snow-covered*, etc.).

6. a. Asseyez-vous *à côté de* moi.   Sit down beside me.
   b. *De chaque côté du* monument   On each side of the monument there's
      se trouve une fontaine.   a fountain.

Observe difference in expressing *beside* (a) and *on each side* (*both sides*) *of* (b).

7.   a.   b.
   Il fut le roi *de* France.   C'est la capitale *de l'*Italie.
   J'aime les vins *d'*Italie.   Lyon est au centre *de la* France.
   Je lis l'histoire *de* France.   Il étudie la géographie *de la* Russie.

Usually, with feminine place names, use **de** + name (**de France**, etc.) as an adjectival phrase (a) replaceable by an adjective of nationality (**français**, etc.).

If the phrase is not adjectival (**de la France**, etc.), keep the article (b).

With masculine or plural place names, the article is always used in such cases:

les vins *du* Portugal, *des* Etats-Unis
la capitale *du* Portugal, *des* Etats-Unis

8. Il le divise *en* deux.   Nous voici *en* avion.
    On l'a commencé *en* 1806.   Es-tu *en* train d'étudier?
    Voici des vues *en* couleurs.   Elle est montée *en* voiture.
But:
    Rentrons *dans* la maison!   Montons *dans* cette voiture!
    Il le trouve *dans* ce livre.   Mets l'auto *dans* le garage!

Compare use of en and **dans** above.   Note that **dans** + noun expresses something more tangible and definite.

9. a. Cadillac, petite ville sur la   Cadillac, a small town on the Garonne
       Garonne
    b. la Seine, fleuve qui traverse   the Seine, a (the) river which flows
       Paris   through Paris

The article is usually omitted before nouns (**ville, fleuve**) beginning descriptive phrases (a), or clauses (b) used in apposition.

10.   Elle en joue très *bien.*   She plays it very well.
    a. Elle en joue *mieux* que moi.   She plays it better than I.
       Elle en joue *le mieux.*   She plays it best.

       Il court très *vite.*   He runs very fast.
    b. Il court *plus vite* que moi.   He runs faster than I.
    c. Il court *le plus vite.*   He runs fastest.

       J'y vais *souvent.*   I go there often.
    b. J'y vais *plus souvent* qu'eux. I go there more often than they.
    c. J'y vais *le plus souvent.*   I go there most often.

       Elle parle *lentement.*   She speaks slowly.
    b. Elle parle *plus lentement.*   She speaks more slowly.
    c. Elle parle *le plus lentement.* She speaks most slowly.

Like the adjective **bon**, the adverb **bien** is compared irregularly (a).

All other adverbs are compared like regular adjectives (see page 99): the comparative by adding **plus** (b); the superlative by adding **le plus** (c).

Note, however, that **le plus** in the comparison of adverbs is invariable.

11. François Ier — François premier   Henri IV — Henri quatre
     Henri II — Henri deux   Louis XVI — Louis seize

As in dates, use cardinals in titles except for *first* (**premier**).

Compositions orales

La Tour Eiffel   La Place de l'Etoile
Les Champs Elysées   La Place de la Concorde

Questions

Quelles vues l'oncle Georges a-t-il montrées?

Qui a-t-on invité à les regarder?

Que montrent ces vues?

D'où les a-t-il prises?

Quel monument très connu aperçoit-on?

Qui a entendu parler de cette tour?

Combien de mètres de haut a-t-elle?

Par qui a-t-elle été construite? Quand? Pourquoi?

Comment peut-on y monter?

Où est-elle située?

Qu'est-ce que la Seine?

Comment s'appellent les deux côtés de la Seine?

Quel palais voit-on en face de la tour?

Pour quelle exposition a-t-il été construit?

Quel monument très connu se trouve dans la Place de l'Etoile?

Quand l'Arc de Triomphe a-t-il été commencé? et terminé?

Combien de mètres de haut a-t-il?

Qu'est-ce qui se trouve sous cet arc?

Combien d'avenues partent de la Place de l'Etoile?

Comment sont-elles?

Laquelle de ces avenues est la plus connue?

Combien de mètres de large a-t-elle?

Combien de kilomètres de long a-t-elle?

De quoi est-elle bordée?

Qui s'y promène? Quand?

A quelle place arrive-t-on en descendant les Champs Elysées?

Que voit-on au centre de la Place de la Concorde?

De combien de mètres l'obélisque est-il haut?

A qui a-t-il été offert? Quand?

Qu'est-ce qui se trouve à l'est de ce monument? au sud? au nord? à l'ouest?

Qu'a-t-on dressé sur cette place pendant la Révolution?

Qui y a été exécuté?

Qu'a-t-on fait quand M. Chevalier s'est arrêté?

Quand allait-il continuer?

Questions Supplémentaires

Exercices

A. *Continuez en série.*

je lui en ai offert   je mourrais pour mes amis
j'en avais entendu parler   je l'inviterai à les regarder

B. *Conjuguez.*

j'aime les vins d'Espagne   je suis en train de les leur montrer
j'y monterais en ascenseur   je passerai la soirée à la regarder
je m'y promène au printemps   je connais les fleuves de Suisse
je le construisais moi-même   je lui aurais permis de le voir
je les avais connus à Paris   je préfère le nord de l'Italie
j'étudie l'histoire de France   j'en aperçois à côté de la tour

C. *Employez* avoir *et* être *pour donner les dimensions indiquées.*

1. Ma maison ... (haut) ... 9 m.   4. Ce boulevard ... (long) ... 5 km.
2. Sa chambre ... (large) ... 4 m.   5. Cet édifice ... (haut) ... 75 m.
3. Notre rue ... (large) ... 15 m.   6. Cette place ... (long) ... 96 m.

D. *Mettez* hier, la veille, demain *ou* le lendemain.

1. Elle est morte _____.
2. Il les montrera _____ de son arrivée.
3. Je te dirai «au revoir» _____ de mon départ.
4. Qui arrivera _____?
5. Je l'ai acheté _____ du voyage.
6. On s'est reposé _____ du match.
7. _____ de l'incendie, il n'avait plus de maison.

E. *Faites des comparaisons selon l'exemple:*

Il parle vite.   Il parle plus vite que moi.   Il parle le plus vite de tous.

1. parler vite   3. apprendre facilement   5. gagner souvent
2. aller loin   4. manger lentement   6. en jouer bien

F. *Lisez.*

1. François Ier   4. Henri II   7. Charles V
2. Frédéric II   5. Louis XI   8. Louis XVI
3. Alexandre Ier   6. Henri IV   9. Jean XXIII

G. *Complétez.*

1. Montons-y _____ ascenseur!
2. Il fait froid _____ hiver.
3. Il fait chaud _____ été.
4. Assieds-toi _____ moi!
5. Il y en a un _____ chaque côté _____ monument.
6. C'est une tour _____ fer.
7. Il pleut _____ printemps.
8. Il fait beau _____ automne.
9. Elle est morte _____ 1955.
10. Montons _____ ma voiture!
11. Allons-y _____ voiture!
12. Divisez-les _____ trois!
13. Rentrez _____ la cuisine!
14. Elle a 300 mètres _____ haut.
15. L'avenue est bordée _____ arbres.
16. Ce sont des vues _____ couleurs.
17. J'aime les salades _____ tomates.
18. Ils ont six pieds _____ large.
19. Elle est longue _____ dix milles.
20. J'étais suivi _____ un agent.
21. Voici un plateau _____ argent!
22. Il est large _____ trois pieds.
23. La voilà _____ train _____ sortir!
24. Le toit sera couvert _____ neige.
25. Je ferai ce voyage _____ avion.
26. L'avion est _____ la capitale.
27. Je reviendrai tout _____ l'heure.

H. *Mettez au passé*

Je viens de payer le chauffeur et je vais vers la maison. Mes enfants me voient et s'arrêtent. En parlant, on s'embrasse. Je suis content de les revoir. Ils me disent qu'ils vont jouer au tennis. Je leur demande s'ils ont étudié et s'ils ne doivent pas le faire avant de s'amuser. Ils me répondent qu'ils veulent faire une partie de tennis. Je leur dis qu'ils ont tort mais ils partent en courant. Enfin, j'entre dans la maison, demande à Louise comment elle va, ôte mon veston et m'assieds au salon. Louise me dit que j'ai l'air fatigué et que je dois me reposer. Enfin, elle m'apporte le courrier que nous avons reçu.

I. *Faites des résumés oraux à toutes les personnes du passé avec*

avoir entendu parler de la Tour Eiffel, aller la voir, y monter à pied, en descendre en ascenseur, puis passer une heure au Palais de Chaillot, visiter la Place de l'Etoile, s'arrêter à l'Arc de Triomphe, se promener le long des Champs Elysées, arriver à la Place de la Concorde, en admirer l'obélisque, observer à l'est le Jardin des Tuileries, au sud la Seine, à l'ouest les Champs Elysées, se rappeler la guillotine de la Révolution, penser aux personnes exécutées dans la place, rentrer à (son) hôtel.

TRENTE-QUATRIEME
LEÇON

Quelques Vues de Paris
(*suite*)

— Tout le monde est prêt? demande M. Chevalier. (Tous se sont assis.) Jean, éteins la lumière s'il te plaît. C'est ça.

— Traversons la Place de la Concorde et entrons dans le Jardin des Tuileries. Ce jardin contient de jolies fleurs, des arbres, des bassins, de belles statues et des musées. Au bout du jardin c'est le Louvre, un des plus vastes et des plus beaux édifices parisiens. Le voici. Cet édifice était autrefois la résidence des rois de France; il est devenu aujourd'hui musée national. On y voit des chefs-d'œuvre d'art comme la statue de *la Vénus de Milo* et le portrait de *la Joconde* (*Mona Lisa*) par Léonard de Vinci, ainsi que le célèbre tableau *l'Angélus* de Millet.

— Revenons au coin de la Place de la Concorde, tournons à droite dans la Rue Royale; nous voici devant la Madeleine, belle église qui est située sur la place du même nom. En tournant encore à droite, continuons le long des Grands Boulevards jusqu'à la Place de l'Opéra. Remarquez toutes les voitures. C'est ici que se trouve le bel Opéra de Paris. Au milieu de la place, on voit des gens qui descendent dans le métro ou qui en sortent. Le métro, c'est le «subway» parisien.

— La vue suivante, prise au bas de la colline de Montmartre, nous montre, au haut de la colline, l'église du Sacré Cœur. Montmartre est un quartier intéressant et assez ancien. Celle-ci, prise du haut de Montmartre, comme vous le voyez, est une vue panoramique de la capitale. On aperçoit au loin la Tour Eiffel et l'Arc de Triomphe. Maintenant, voici une autre vue et je vais vous demander de deviner ce qu'elle montre. Une ville des Etats-Unis? Eh bien, non! C'est

Paris! Ce sont de nouveaux bâtiments qui rappellent les gratte-ciel américains.

— Cette vue aérienne, c'est une photo de l'Ile de la Cité, au milieu de la Seine. Encore une fois, je vais vous lire quelque chose dans mon livre sur Paris:

«Cette île fut habitée autrefois par les Parisii, d'où le nom Paris. On peut donc dire que la ville naquit dans l'Ile de la Cité. C'est là que se trouve la cathédrale de Notre Dame, commencée à la fin du XIe siècle. C'est un chef-d'œuvre d'architecture gothique. Victor Hugo la rendit célèbre dans son roman *Notre Dame de Paris.*»

— Traversons maintenant la Seine et remontons le Boulevard Saint Michel. Nous arrivons au Quartier Latin, quartier des écoles, des lycées et de l'Université de Paris. Voici la Sorbonne, faculté des lettres et des sciences de cette université; elle doit son nom à Robert de Sorbon, qui fonda «la maison de Sorbonne» pour les étudiants

La Tour Eiffel la nuit
French Government Tourist Office

pauvres. De l'autre côté du Boulevard Saint-Michel («Boul' Mich»), entrons dans le Jardin du Luxembourg. Cette vue-ci montre le grand bassin autour duquel vous voyez les enfants en train de s'amuser avec leurs petits bateaux. Au fond, c'est le Palais du Luxembourg; on y trouve un musée et le Sénat.

— Enfin, pour terminer cette promenade photographique à travers Paris, voici la Tour Eiffel la nuit, avec des milliers de lumières de toutes les couleurs. N'est-ce pas que c'est beau? La nuit Paris devient vraiment la «Ville-Lumière». Mais arrêtons-nous, car on ne peut pas tout voir. Ce sera pour une autre fois. Jean, tu peux rallumer.

Tout le monde remercie l'oncle d'une soirée bien intéressante.

La cathédrale de Notre-Dame *France Actuelle*

Vocabulaire

(r)allumer   turn on the lights (again)

devenir/devenu   become

fonder   establish, found

remarquer   notice

remonter   go back up

rendre   make, render; give back

fonda   founded

fut   was

naquit   was born

rendit   made

l'architecture *f.*   architecture

l'art *m.*   art

le bas   bottom, foot

un bassin   fountain, basin

la cathédrale   cathedral

un chef-d'œuvre   masterpiece

la colline   hill

une faculté   school (of a university)

les gens   people

un gratte-ciel   skyscraper

le haut   top

une île   island

la lumière   light

un lycée   secondary school

lettres et sciences   arts and sciences

le métro   (Paris) subway

des milliers *m.*   thousands

un musée   museum

le nom   name

une photo   photograph

le portrait   portrait

une promenade   walk, stroll

le quartier   district, neighborhood

la résidence   residence

un roman   novel

le sénat   senate

une statue   statue

la suite   continuation

un tableau   painting, picture

une université   university

aérien, aérienne   air *adj.*

célèbre   famous

gothique   gothic

national, nationaux   national

panoramique   panoramic

photographique   photographic

ainsi que   as well as

au bout (de)   at the end (of)

au fond   in the background

au loin   in the distance

autrefois   formerly

de l'autre côté (de)   on the other
   side (of)

encore (une fois)   (once) again

la nuit   at (by) night

le long de   along

vraiment   really, truly

Renseignements

Jardin des Tuileries. Public park and gardens, named for the Palais des Tuileries which once stood here. The name derives from the tile works (tuileries) once located nearby.

Vénus de Milo. Famous Greek statue in the Louvre.

Mona Lisa. Famous painting by Leonardo da Vinci (1452–1519), Italian painter, sculptor, engineer, architect, and scholar.

Millet (Jean-François). French painter (1815–1875).

La Madeleine. Church built in the style of a Greek temple.

Grands Boulevards. Complex of broad and busy thoroughfares in the center of Paris.

Métro. Paris subway; short for **métropolitain.**

Montmartre. District on the right bank, famous for artists, night clubs, and music halls. Its principal square, the Place Pigalle, is well known to tourists.

Sacré Cœur. Church atop the Butte Montmartre (Montmartre Heights), built in the Byzantine style. Like the Tour Eiffel, it is one of the city's principal landmarks.

Ile de la Cité. Noted for the cathedral of Notre Dame, the Sainte-Chapelle, the Palais de Justice, and the Quai aux Fleuts (flower market), it is larger than its neighboring island in the Seine, l' Ile Saint-Louis.

Victor Hugo (1802–1885). Famous French poet, dramatist and novelist, known abroad especially for his two novels: *Les Misérables* and *Notre Dame de Paris* (*The Hunchback of Notre Dame*).

Quartier Latin. Student quarter, site of the University of Paris, deriving its name from the use of Latin by students and teachers of former days.

Palais du Luxembourg. Beautiful edifice in the park of the same name, housing the Sénat (senate) and a museum.

Ville-Lumière. Paris is often called "the city of light" because, at night, many monuments, public buildings, squares, and avenues are brilliantly floodlighted.

Etude de Verbes

1. Cette île fut habitée par ... This island was inhabited by . . .
   La ville naquit dans l'île. The city was born on the island.
   Il la rendit célèbre. He made it famous.
   Il fonda la maison. He founded the house.

   Fut, naquit, rendit and **fonda** are examples of the *passé défini.*

In meaning, this tense corresponds to the *passé composé*, expressing a definite, completed past action or state.   It is used instead of the *passé composé* in historical or narrative passages.   It is a literary tense, rarely used in everyday speech.   It is occasionally used in conversation when referring to historical facts.

The past definite of the regular conjugations and the auxiliary verbs:

donner	finir	vendre	avoir	être
donnai	finis	vendis	eus	fus
donnas	finis	vendis	eus	fus
donna	finit	vendit	eut	fut
donnâmes	finîmes	vendîmes	eûmes	fûmes
donnâtes	finîtes	vendîtes	eûtes	fûtes
donnèrent	finirent	vendirent	eurent	furent

The endings are added to the infinitive stem and are the same for –ir and –re verbs.

Past definite forms of irregular verbs follow no set pattern and must be learned separately.   However, many have the same stem as the past participle. Most –oir verbs end in –us, etc.   See verb tables for forms.

2. Conjugate **devenir** like **venir**.

Devenir is conjugated with **être** in compound tenses.

Remarques

1. On le remercie *d'*une bonne   They thank him for a fine evening.
   soirée.

   Merci *de* l'argent.   Thanks for the money.

Use **de** to express thanks for something.   The person thanked is a direct object.

2.
   a. **un beau-frère — des beaux-frères**
   b. **un gratte-ciel — des gratte-ciel**
   c. **un timbre-poste — des timbres-poste**
   d. **un chef-d'œuvre — des chefs-d'œuvre**

To form plurals of compound nouns, only adjective or noun elements are affected, if such changes are logical (a, c, d).

Elements unchanged are verbs (b) like **gratter** (*scratch*), prepositional phrases (d), and nouns which logically must remain unchanged (b, c).

3. *La nuit* on dort.   We sleep at night.
   Le soir on étudie.   We study in the evening.
   Le jour on travaille.   We work during the day.
   Le matin on se prépare.   In the morning we get ready.
   L'après-midi on se repose.   We rest in the afternoon.

To express *at, in* or *during* a part of the day in a general sense, use no preposition.

In some specific cases (but not with *matin* or *soir*) prepositions are used:

Il l'a entendu *pendant* la nuit.   He heard it during the night.

Learn the subtleties of time expressions by observation.

To express a specific hour of a part of the day:

        (à) **sept heures** *du* **matin**   (at) seven A.M.
        (à) **trois heures** *de l'*après-midi   (at) three P.M.

4.   **une école**   a school (*in general*)
   un lycée   high school, junior college
   une grande école   higher institute of learning (*specialized*)
   une faculté   school (*of a university: law, medicine,* etc.)
   une université   university

After grammar school (**école**), French children enter the **lycée** (state controlled) or **collège** (locally controlled). Entrance to the university at about eighteen is generally via the **lycée** and an examination. Many French university students lodge independently and there is relatively little school (campus) life of the American variety.

5. N'est-ce pas *que* c'est beau?   Isn't it lovely?
   C'est beau, n'est-ce pas?   It's lovely, isn't it?

Often the familiar **n'est-ce pas** is conversationally placed first, linked by **que** to the clause.

6. Elle la laisse tomber.   She drops it.
   Elle l'envoie chercher.   She sends for him.
   Elle va chercher Marie.   She gets (fetches) Mary.
   Elle vient chercher Paul.   She is coming for Paul.
   Elle en a entendu parler.   She has heard of it.
   Elle le fait entrer (sortir).   She shows him in (out).
   Qu'est-ce qu'elle veut dire?   What does she mean?

Occasionally a composite (double) verb is required to express in French an action rendered in English by a single verb. The second of such a verb pair is always an infinitive. See page 83.

7. *Au* vingtième siècle.   In the 20th century.

Note the use of à to express *in* with a century.

Compositions orales

Le Jardin des Tuileries   Le Quartier Latin
   L'Ile de la Cité   Le Louvre   Montmartre

Questions

Qu'est-ce que M. Chevalier demande à Jean de faire?

Quelle place traverse-t-on?

Dans quel jardin entre-t-on?

Que contient le Jardin des Tuileries?

Qu'est-ce qui se trouve au bout du jardin?

Quelle sorte d'édifice est-ce?

Qu'est-ce que c'était autrefois?

Qu'est-il devenu aujourd'hui?

Que voit-on dans le Louvre?

Quelle statue y voit-on? quel tableau? quel portrait?

Quel bel édifice se trouve sur la Place de la Madeleine?

Où se trouve l'Opéra?

Qu'est-ce que c'est que le Métro?

Que voit-on au haut de la colline de Montmartre?

Quelle vue de la capitale a-t-on du haut de Montmartre?

Que rappellent les nouveaux bâtiments qu'on construit?

Où naquit la ville de Paris?

D'où vient le nom de Paris?

Quelle vue de l'Ile de la Cité montre-t-on?

Où se trouve cette île?

Quel édifice célèbre s'y trouve?

Quand a-t-elle été commencée?

Quelle en est l'architecture?

Qui l'a rendue célèbre? Où?

Quel boulevard remonte-t-on pour visiter le Quartier Latin?

Qu'est-ce que c'est que la Sorbonne? D'où vient son nom?

Où est le Jardin du Luxembourg?

Que font les enfants au Jardin?

Quel édifice voit-on au fond du Jardin?

Quelle vue de la Tour Eiffel voit-on enfin?

Qu'est-ce que Paris devient la nuit?

Qu'est-ce que l'oncle demande à Jean de faire à la fin?

De quoi est-ce qu'on remercie M. Chevalier?

A-t-on vu toutes ses vues?

Questions Supplémentaires

Exercices

A. *Continuez en série.*

je les leur rendrai
je les ferais sortir

je la remercie du repas
je suis devenu(e) célèbre

B. *Conjuguez.*

je vais la chercher
je les ai fait entrer
le soir je me reposais
je l'aurais fait venir
je le lui ferai savoir
je viendrai le chercher

le matin j'irai en ville
je ne veux pas dire cela
je les enverrai chercher
la nuit je dors chez moi
je les laisserais tomber
j'en avais entendu parler

C. *Complétez avec l'expression de temps qui convient.*

1. (nuit) _____ on dort.
2. (matin) je me lève _____.
3. (soir) _____ je me repose.
4. (nuit) elle l'a vu _____.
5. (matin) je le fais _____.
6. (jour) il travaille _____.
7. (après-midi) _____ on rentre.
8. (soir) il rentre chez lui _____.
9. (après-midi) il a eu lieu _____.
10. (jour) elle l'a visité _____.

D. *Complétez.*

1. Tournons _____ droite!
2. Il commence _____ rire.
3. Entrons _____ le jardin!
4. Voilà la tour _____ loin!
5. Voilà le palais _____ fond!
6. Continuons _____ cette rue!
7. Il est _____ bout _____ jardin.
8. Elle le remercie _____ bonbons.
9. Il est _____ bas _____ la colline.
10. Je le vois _____ l'autre côté _____ la rue.
11. L'église est _____ haut _____ la colline.
12. Quelle vue _____ haut _____ la colline!
13. On l'a fini _____ treizième siècle.
14. On l'a fini _____ la fin _____ siècle.
15. Le voilà _____ milieu _____ la place!
16. La ville naquit _____ cette île.
17. Les enfants jouent _____ bassin.
18. Elle est située _____ la place.

E. *Mettez les mots qui conviennent.*

1. *La Vénus de Milo* est un _____; le Louvre contient beaucoup de _____.
2. Un édifice très haut est un _____; New York a beaucoup de _____. 3. Jean achète un _____ pour sa collection; il a des milliers de _____. 4. Le mari de ma

sœur est mon ____; j'ai plusieurs ____. 5. On commence ses études en France à une ____. On les continue au ____. A l'âge de dix-huit ans, on va à ____. Pour la médecine, il y a une ____ à l'université.

F. *Donnez des mots suggérés par*

1. décoller	7. mourir	13. inconnu	19. près de
2. au printemps	8. rendre	14. le jour	20. du haut
3. la veille	9. la fin	15. oublier	21. tard
4. la droite	10. au bas	16. finir	22. l'est
5. détruire	11. en été	17. le haut	23. vaste
6. de ce côté de	12. en haut	18. la reine	24. le nord

G. *Mettez au passé.*

Quand je rentre chez moi, je me sens fatigué. J'ôte mes souliers et m'assieds. Je demande à Louise si la lettre que j'attends est arrivée. Elle me répond qu'elle ne l'a pas vue. Puis, elle m'apporte quelque chose à boire. Elle sait ce que je veux. Comme j'ai soif et que je suis fatigué! J'ai toujours envie de me reposer!

Quand Louise revient, nous causons des enfants, qui s'amusent à faire une partie de tennis. Il fait beau; c'est une belle journée pour le sport. Enfin, ils terminent la partie et décident de ne pas en faire une seconde parce qu'ils ne veulent pas être en retard pour le dîner. Ils montent à bicyclette et rentrent à la maison où nous les attendons.

H. *Faites des résumés oraux à toutes les personnes du futur avec*

demain matin traverser la Place de la Concorde, entrer dans le Jardin des Tuileries, y voir de jolies fleurs et des arbres, puis aller au Louvre, en regarder les chefs-d'œuvres, visiter la Madeleine et l'Opéra, monter au haut de Montmartre, de là avoir une vue panoramique de Paris, ensuite traverser l'Ile de la Cité, entrer dans Notre Dame, y rester une demi-heure, puis monter le Boulevard Saint-Michel, arriver au Quartier Latin, visiter la Sorbonne, enfin aller se reposer dans le Jardin du Luxembourg

TRENTE-CINQUIÈME LEÇON

Le Marquis de La Fayette

Le temps passe. L'oncle Georges est parti il y a longtemps, et nous sommes au commencement du mois de juin, le fin de l'année scolaire. Jean et Marie Duval sont en train de préparer un examen d'histoire; on étudie la Guerre d'Indépendance des jeunes colonies d'Amérique contre l'Angleterre (1775–1782).

— Voici quelque chose dans mon livre d'histoire sur le Marquis de La Fayette. Veux-tu que je te le lise? demande Marie.

— Pourquoi pas? lui répond son frère, ça me reposera. J'ai les yeux fatigués. (Il pose son stylo sur la feuille de papier où il prenait des notes.) Quand est-il né?

— Il est né en 1757. Ecoute donc! (Elle commence à lire.)

«Bien qu'il fût de famille noble et officier dans l'armée du roi, La Fayette s'intéressa à la cause américaine. A l'âge de dix-neuf ans, il réussit à quitter la France pour aller offrir ses services aux Américains. Dès qu'il fut arrivé en Amérique, La Fayette alla à Philadelphie. Après un voyage assez difficile, il arriva le 27 juillet 1777. C'est là que c'était réuni le «Continental Congress». Le jeune marquis était à ce moment-là capitaine dans l'armée, riche, aristocra-

Le jeune marquis de La Fayette
French Government Tourist Office

tique et enthousiaste pour la cause américaine. D'abord hésitants, on finit par accepter le jeune Français, qui offrait sa personne à l'armée de Washington.

«On lui donna enfin un commandement et il fit la connaissance de Washington, qui le reçut dans son état-major. Les deux devinrent bientôt bons amis; le général considérait le jeune homme comme son propre fils. La Fayette se distingua pendant la guerre et remporta de nombreux succès contre les Anglais. D'autres officiers français étaient venus aider Washington: par exemple, le comte de Rochambeau et le marquis de Grasse; celui-ci commandait la flotte française à la bataille de Yorktown et aida à gagner la victoire finale. Le comte de Rochambeau commandait les troupes françaises dans cette même bataille. Washington put gagner la guerre avec l'aide militaire que la France lui envoya, mais ce fut surtout à cause de l'aide personnelle d'hommes comme La Fayette, de Grasse et de Rochambeau ... (Marie ferme son livre.)

— Voilà, ajoute-t-elle, qu'en penses-tu?

— Très intéressant, tu lis bien et ça m'aidera à obtenir une meilleure note à l'examen. A propos du nom La Fayette, il doit y avoir plusieurs villes des Etats-Unis qui portent ce nom.

— Tu as raison. Par exemple, tout le monde a entendu parler de Lafayette, Indiana, où se trouve une grande université. Et non seulement des villes, mais des rues, des places, des hôtels, au moins une université (Lafayette College) et beaucoup d'écoles; il y a aussi un grand nombre de statues de La Fayette aux Etats-Unis.

— Et pendant la Guerre de '14, il y avait une «Lafayette Escadrille», qui combattait à côté des Français, ajoute le frère. Chez nous on a toujours gardé le souvenir du Marquis et son nom est devenu le symbole de la liberté et de l'amitié entre la France et les Etats-Unis.

— Oui, et sais-tu que ce jeune Français a dépensé environ un million de dollars de son propre argent pour aider les soldats américains pendant les jours difficiles de l'hiver à Valley Forge?

— Vraiment? Par exemple!

— En arrivant en France, le Général Pershing, qui commandait les troupes américaines dans la Première Guerre Mondiale (1914–1918) aurait prononcé les mots: «La Fayette, nous voici!» Il voulait que l'on comprît que cette fois l'Amérique venait en aide à la France.

Vocabulaire

accepter   accept
commander   command, order
considérer   consider
dépenser   spend (*money*)
(se) distinguer   distinguish (oneself)
*finir par + *inf.*   finally do something
garder   keep, preserve
s'intéresser (à)   take an interest (in)
porter   bear, carry
poser   put down, place
remporter un succès   win a victory
*se réunir   meet, assemble
*réussir (à)   succeed (in)

aurait prononcé   is supposed to have uttered
comprît   understand
il doit y avoir   there must be
fit   made
fût   was
fut arrivé   had arrived
put   was able

l'aide *f.*   help, assistance
l'amitié *f.*   friendship
une armée   army
la bataille   battle
le capitaine   captain
une colonie   colony
le commandement   command
le commencement   beginning
un dollar   dollar
un état-major   staff (*milit.*)

la feuille   sheet (of paper)
la flotte   fleet, navy
un général, des généraux   general
la guerre   war
un hôtel   hotel
la liberté   liberty
une note   note, grade
un œil, des yeux   eye, eyes
un officier   officer
le papier   paper
le service   service
un soldat   soldier
le souvenir   memory
un stylo(-bille)   (ballpoint) pen
le succès   success
le symbole   symbol
les troupes *f.*   troops

aristocratique   aristocratic
enthousiaste   enthusiastic
final   final, last
hésitant   reluctant
militaire   military
noble   noble
nombreux, nombreuse   numerous
personnel, personnelle   personal
propre   own
riche   rich
scolaire   academic

en aide à   to the help of
à propos de   speaking of
non seulement   not only
par exemple   for example
   par exemple!   you don't say!

Renseignements

La Fayette (1757–1834). The Marquis de La Fayette represents the lasting friendship between France and the United States. The respect and love which he won by his services during the American Revolution can be gauged by the unparalleled reception he enjoyed during his triumphal tour of the United States in 1827.

Lafayette Escadrille. Formed in 1916, this squadron of American volunteer pilots fought beside the French in World War I with legendary bravery and sacrifice.

«La Fayette, nous voici!» The words "La Fayette, we are here!" are attributed to General John J. Pershing, who visited La Fayette's tomb near Paris shortly after his arrival in France in 1917.

Le Général Pershing (1860–1948). General John J. Pershing was commander-in-chief of the Allied Expeditionary Forces (A.E.F.) in France during World War I. He had previously campaigned against Pancho Villa in Mexico (1916), and in the Philippines. His nickname was "Black Jack."

Première Guerre Mondiale. First World War (1914–1918). The French also refer to it as **La Guerre de '14** and used to call it **La Grande Guerre.**

De Grasse (1722–1788). French marquis and admiral, whose fleet bottled up the British at Yorktown and prevented their reinforcements from arriving by sea, thus contributing significantly to the surrender of Cornwallis, Oct. 19, 1781.

Rochambeau (1725–1807). Count and Marshal of France, commanding French troops at Yorktown.

Un million de dollars. Of his great wealth, the young La Fayette spent approximately $1,000,000 to buy clothing and equipment for Washington's troops during the critical months of their encampment at Valley Forge.

Etude de Verbes

1. a. **Dès qu'il** *fut arrivé.*   As soon as he had arrived.

   b. **Je savais qu'il** *était arrivé.*   I knew (that) he had arrived.

The verb **fut arrivé** is an example of the past anterior tense (*le passé antérieur*). In meaning, this tense (a) corresponds to the *plus-que-parfait* (b).

Like the *passé défini* (pages 261–62), the past anterior is a literary form used only after *quand, dès que, aussitôt que,* etc. Be able to recognize it in writing, but do not use it in everyday speech.

The past anterior is formed like the pluperfect, but with the past definite of the auxiliary verbs (avoir, être) instead of the imperfect.

Position of object pronouns, formation of negatives and interrogatives, and agreement of past participles follow the known pattern of all compound tenses.

Examples of the *passé antérieur:*

finir	se lever	arriver
j'eus fini	je me fus levé(e)	je fus arrivé(e)
tu eus fini	tu te fus levé(e)	tu fus arrivé(e)
etc.	etc.	etc.

2. **Bien qu'il *fût* noble.**   Although he was noble.
   Il voulait que l'on *comprît*.   He wanted people to understand.

Fût and **comprît** are examples of the imperfect subjunctive (*l'imparfait du subjonctif*). This is another literary form, rarely used in spoken French. Be able to recognize it in writing, but do not use it in everyday speech.

In conversation, we know that the past subjunctive expresses actions or states completed in the past:

Je regrette qu'il *soit parti*.   I'm sorry (that) he has left.
Je regrette qu'il *ait été malade*.   I'm sorry (that) he has been ill.

We also know that in conversation the present subjunctive is used in all other cases:

Je regrettais qu'il *soit* malade.   I was sorry (that) he was (still) sick.
Je regrette qu'il *parte*.   I'm sorry (that) he's leaving.
Je regrette qu'il *parte* demain.   I'm sorry (that) he will leave to-
                                             morrow.

When used in literary French, the imperfect subjunctive occurs usually in the third person, with the verb of the main clause in a past or conditional tense.

To form the imperfect subjunctive, drop the last letter of the first person singular of the past definite and add the same set of endings for all verbs. (See page 262.):

donner	finir	vendre	avoir	être
donnasse	finisse	vendisse	eusse	fusse
donnasses	finisses	vendisses	eusses	fusses
donnât	finît	vendît	eût	fût
donnassions	finissions	vendissions	eussions	fussions
donnassiez	finissiez	vendissiez	eussiez	fussiez
donnassent	finissent	vendissent	eussent	fussent

3. a. **Je regrettais qu'il** *fût* **parti.**   I was sorry (that) he had left.
   b. **Je savais qu'il** *était* **parti.**   I knew (that) he had left.
   c. **Je regrettais qu'il** *soit* **parti.**   I was sorry (that) he had left.

Fût parti (a) is an example of the pluperfect subjunctive (*le plus-que-parfait du subjonctif*). In meaning, this tense corresponds to the pluperfect indicative (b).

Like the *passé défini*, the *passé antérieur*, and the *imparfait du subjonctif*, the pluperfect subjunctive is a literary form. Be able to recognize it in writing, but do not use it in everyday speech. In conversation, use instead the *passé du subjonctif* (c).

The pluperfect subjunctive is formed like the pluperfect indicative, but with the imperfect subjunctive of the auxiliary verbs (**avoir, être**) instead of the imperfect indicative.

Position of object pronouns, formation of negatives and interrogatives, and agreement of past participles follow the known pattern of all compound tenses.

Examples of the *plus-que-parfait du subjonctif:*

finir	se lever	arriver
j'eusse fini	je me fusse levé(e)	je fusse arrivé(e)
tu eusses fini	tu te fusses levé(e)	tu fusses arrivé(e)
etc.	etc.	etc.

Remarques

1. **On commence** *par* **se lever.**   They begin by getting up.
   On finit *par* **l'accepter.**   They finally accepted him.

Commencer and **finir** are followed by **par** before a following infinitive.

2. **Il doit (peut)** *y avoir* **des villes**   There must (may) be some cities bear-
   qui portent ce nom.   ing this name.

The infinitive form of **il y a** is found only after impersonal forms of **devoir** and **pouvoir**.

3. *Chez nous* **on a gardé le sou-**   In our country we have preserved the
   venir de La Fayette.   memory of La Fayette.

Besides the known meanings of **chez** (*to, in, at the home of*), it may also have a broader meaning: *in an entire country* or *among an entire people.*

4. Il *aurait prononcé* ces mots.   He's supposed to have uttered these words.

The conditional perfect is used to express supposition of a (fairly) remote past action or state. Similarly, we may use a future tense to express supposition of a present action or state (a), and the future perfect for one recently completed (b):

   a. **Il n'est pas venu; il *sera* malade.**   He didn't come; he's probably ill.

   b. **Il n'est plus ici; il *sera parti*.**   He's no longer here; he has probably left.

5. a. **Le comte et le marquis, par exemple.**   The count and the marquis, for example.

   b. **Vraiment? Par exemple!**   Indeed? You don't say!

Note the literal (a), and exclamatory (b) uses of **par exemple**.

6. **Ecoute donc!**   Now listen!

The exclamatory **donc** lends emphasis to a command.

7. a. **Il est devenu musée national.**   It has become a national museum.
   b. **Ils sont devenus bons amis.**   They've become fast friends.
   c. **Il est devenu le symbole de la liberté.**   He became the symbol of liberty.

Omit the article with nouns following **devenir** (a, b), unless they are followed by a descriptive clause or phrase (c). See page 39.

Note use of **devenir** in questions:

   Que sont-elles devenues?   What's become of them?
   Qu'est-ce qu'il deviendra?   What'll become of him?

Compositions orales

La Fayette arrive en Amérique   La Fayette au service des colonies

D'autres Français au service des colonies   Souvenirs de La Fayette

Questions

Qu'est-ce qu'on est en train de préparer?

Quelle guerre étudie-t-on?

Quelles en sont les dates?

Que va lire Marie?

Quand La Fayette est-il né?

De quelle sorte de famille était-il?

A quoi s'est-il intéressé?

Qu'a-t-il fait à l'âge de dix-neuf ans? Pourquoi?

Où est-il allé en arrivant en Amérique?

Quand y est-il arrivé?

Qu'était-il à ce moment-là?

Qu'est-ce qu'il offrait de faire?

Qu'a-t-on fini par faire?

Où a-t-il été reçu? Par qui?

Comment Washington considérait-il le jeune Français?

Quels succès a-t-il eu pendant la guerre?

Quels autres officiers sont venus aider Washington?

Que commandait le marquis de Grasse?

Comment a-t-il aidé les colonies?

Qui commandait les troupes françaises? A quelle bataille?

Avec quelle aide Washington a-t-il pu gagner la victoire?

Quelle aide surtout a été importante?

Qu'est-ce qui rappelle aujourd'hui le nom de La Fayette?

Quelle ville rappelle son nom? quelle université?

Qu'est-ce qui a rappelé son nom pendant la Guerre de 1914?

De quoi son nom est-il devenu le symbole?

Comment a-t-il aidé les soldats américains de Valley Forge?

Combien de son propre argent a-t-il dépensé?

Qui était Pershing?

Quels mots aurait-il prononcé à propos de La Fayette?

Où a-t-il prononcé ces mots?

Que voulait-il qu'on comprenne?

Questions Supplémentaires

Exercices

A. *Continuez en série.*

je suis devenu riche

je réussis à le trouver

B. *Conjuguez.*

j'ai les yeux fatigués

je les recevrais chez moi

je l'aiderai à le trouver

je ne dépense pas mon argent

j'offre mes services à l'armée

j'ai fini par y réussir

je commencerai par me reposer

je m'étais intéressé(e) à l'art

je le considère comme mon père

j'ai entendu parler de cet homme

j'étais en train de le lui lire

je ne viendrai pas la chercher

C. *Mettez à la personne indiquée à l'imparfait, au passé composé, au présent et au futur, en employant les mots* souvent, hier, aujourd'hui *et* demain.

en goûter (vous)	le rendre facile (cela)
y réussir (nous)	les en remercier (il)
se réunir (elles)	leur en offrir (ils)
en construire (je)	s'en souvenir (vous)
jouer du piano (je)	chanter ce cantique (on)
le raconter (elles)	célébrer cette fête (je)

D. *Complétez.*

1. Il fut ____ famille noble.
2. ____ ce moment, il arrive.
3. On finit ____ l'accepter.
4. Qui est venu ____ aide ____ colonies ____ la guerre?
5. J'en ai ____ moins quinze.
6. Qui les a aidés ____ gagner?
7. Je m'intéresse ____ la guerre.
8. Nous sommes ____ commencement ____ mois ____ juin.
9. Il réussit ____ quitter Paris.
10. C'est tout ____ cause de lui!
11. Il a combattu ____ côté ____ moi.
12. Il a dix millions ____ dollars.

E. *Mettez au passé.*

Je quitte mon fauteuil et entre dans la salle à manger. Les autres se sont déjà lavés et enfin ils descendent. Louise a préparé un bon repas et nous avons tous faim depuis longtemps. Les femmes apportent le dîner et l'on s'assied à table. Nous commençons tout de suite à manger parce que nous avons bon appétit.

Nous goûtons la soupe, qui est délicieuse. C'est une soupe aux légumes que Louise a faite. Elle est chaude et nous soufflons dessus. Un bifteck la suit, puis une salade de tomates. Comme dessert, il y a une tarte aux pommes. On termine le repas et se lève de table. Nous sommes contents que Louise soit une bonne cuisinière.

F. *Faites des résumés oraux à toutes les personnes du passé avec*

s'intéresser à l'histoire de France, quitter (son) pays, traverser l'océan en avion, arriver à Paris, se présenter à l'université, y commencer (ses) études, faire la connaissance de plusieurs personnes distinguées, gagner de bonne notes, se distinguer à (ses) examens, dépenser tout (son) argent, rentrer chez (soi)

SEPTIÈME
RÉVISION

A. *Continuez en série.*

je les y amènerai
je suis devenu riche
je leur en offrais

je la construis
j'atterris à Berlin
je meurs de faim

B. *Conjuguez.*

je lui ai serré la main
je les ferai entrer
je viendrai la chercher
je voudrais en goûter
je joue du piano le soir
je ris si j'en ai envie
je la fais sortir
je les laisse tomber
je vais les chercher
je l'enverrai chercher
je ne veux pas dire cela
j'ai réussi à les trouver

j'irai à la rencontre de Marie
j'avais l'impression de tomber
j'espère faire bon voyage
je faisais cent milles à l'heure
j'y ferai le plein d'essence
j'avais commencé à en jouer
je la remercierai du dîner
j'aurais fini par la perdre
je me souviens de la guerre
j'ai entendu parler d'elle
je commencerai par me lever
je remporterai quelques succès

C. *Indiquez le jour qui précède et le jour qui suit, en employant* hier, le lendemain,
etc.

| son départ | Noël | ce matin | la victoire |
| aujourd'hui | le match | l'incendie | maintenant |

D. *Changez les objets du verbe selon l'exemple.*

Je vous la présente.   Je vous présente à elle.

je vous la présente
je te le présente

elle la leur présente
qui te présente à lui?

276

on me les présente	elle me présente à eux
il les lui présente	il vous présente à moi
il nous les présente	on nous présente à elle

E. *Faites des phrases au comparatif et au superlatif.*

parler bien	voyager peu	étudier beaucoup
courir vite	lire lentement	gagner facilement

F. *Mettez à la forme négative.*

Nous nous voyons depuis dix ans.

Il y a des mois qu'il en parle.

Elle jouait du piano depuis six ans.

Ils se réunissaient depuis longtemps.

Il y avait longtemps que j'y pensais.

J'entends parler d'elle depuis des années.

G. *Mettez les formes négatives qui conviennent.*

1. Qui le fera? — ___ moi!
2. Elle ___ se rappelle ___.
3. ___ ___ l'a fait entrer.
4. Je ___ y ai reconnu ___.
5. Il ___ en a ___ appris.
6. ___ le répète à ___!
7. Que dit-il? — ___!
8. Qui le savait? — ___!
9. ___ ___ vaut plus qu'un bon nom.
10. ___ lui ___ elle ___ le savent.
11. Il ___ le dit ___ à eux ___ à moi.
12. Etant parti, il ___ est ___ ici.
13. Je ___ connais ___ Paul ___ Marie.
14. Quoi? Tu ___ l'a ___ vue?
15. On ___ en a trouvé ___ deux.
16. As-tu ___ vu Paris? ___ moi!

H. *Lisez.*

1. 1/2 du voyage
2. 1/4 d'heure
3. François Ier
4. 16 août 1962
5. 3/5 des élèves
6. 1/3 de l'argent
7. 2 juillet 1964
8. 9/10 d'un gallon
9. Henri II
10. 2/3 des vues
11. Louis XIV
12. 1 avril 1963

I. *Mettez les adjectifs où il le faut.*

1. (cher) c'est un ami
2. (ancien) voici un ami
3. (brave) voilà un soldat
4. (cher) voici un complet
5. (brave) c'est un garçon
6. (dernier) regarde la page
7. (ancien) Rome est une ville
8. (dernier) je l'ai vu l'année

J. *Mettez* parce que *ou* à cause de.

1. _____ vous, j'ai perdu.
2. Il part _____ il le faut.
3. J'ai froid _____ le vent.
4. On boit _____ la soif.
5. Je mange _____ j'ai faim.
6. On est sorti _____ la fumée.

K. *Mettez au passé composé.*

1. Il n'en parle guère.
2. Nous n'y allons plus.
3. Vous n'y jouez jamais.
4. Elles n'y voient rien.
5. Je ne la lui présente pas.
6. Je n'y rencontre personne.
7. On ne boit ni lait ni vin.
8. Elle n'en achète que trois.

L. *Complétez.*

1. On y joue _____ automne.
2. _____ été il fait chaud.
3. Il pleut _____ printemps.
4. Il gagne $10,000 _____ an.
5. Qui sait jouer _____ piano?
6. Ce n'est rien _____ nouveau.
7. _____ qui était-elle suivie?
8. J'aime les vins _____ France.
9. Voici quelque chose _____ bon!
10. Souviens-toi _____ ton devoir!
11. Il y a des arbres _____ chaque côté _____ la rue.
12. Les œufs coûtent $1 _____ la douzaine.
13. Ce n'est personne _____ intéressant.
14. Il a gagné un million _____ dollars.
15. Nous voici _____ vingtième siècle!
16. Le jardin est bordé _____ fleurs.
17. Je faisais 100 km. _____ l'heure.
18. Qui est assis _____ côté _____ lui?
19. _____ cause _____ lui, on a perdu.
20. J'aimerais jouer _____ football.
21. La rue est couverte _____ neige.
22. C'est quelqu'un _____ important.
23. Son nom est célèbre _____ nous.

M. *Mettez des formes de* rappeler *ou de* souvenir.

1. _____-vous-en!
2. Je me _____ d'elle.
3. Il se _____ la fête.
4. Ils s'en sont _____.
5. Ne le lui _____ pas!
6. Ça me _____ ce match.

N. *Employez deux phrases pour indiquer chaque dimension.*

1. (long) ce jardin ... 90 m.
2. (haut) cette tour ... 50 m.
3. (large) cette rue ... 17 m.
4. (long) ce boulevard ... 2 km.
5. (large) cette place ... 220 m.
6. (haut) ce gratte-ciel ... 288 m.

O. *Mettez les verbes en italique aux formes qui conviennent.*

Hier je (*recevoir*) des nouvelles d'un ami qui (*demeurer*) à Paris. Je suis très content qu'il (*décider*) enfin de (*venir*) nous (*visiter*). Je regrette qu'il (*attendre*) si longtemps pour le (*faire*). Bien qu'il (*devoir*) s'occuper d'affaires pendant son voyage, il (*avoir*) le temps de (*se reposer*) un peu. Nous (*se connaître*) depuis dix ans, mais il y a trop longtemps que nous ne pas (*se revoir*). Je ne crois pas qu'il (*pouvoir*) rester chez nous autant que nous le (*vouloir*), mais nous (*faire*) tout ce que nous (*pouvoir*) pour l'(*amuser*). Quand il (*arriver*), nous (*aller*) le chercher à l'aéroport, mais il (*falloir*) attendre jusqu'à ce qu'il nous (*faire*) savoir le jour où il (*partir*) de France.

Dans sa lettre, il nous (*dire*) qu'il (*espérer*) passer la Noël chez nous, mais qu'il (*devoir*) partir le Jour de l'An. Il (*promettre*) d'(*apporter*) des vues en couleurs de Paris pour nous les (*montrer*). Il est possible que nous en (*voir*) déjà quelques-unes dans nos livres de géographie, mais il est certain que les siennes (*être*) meilleures. Il faut que nous les (*voir*) pour lui (*plaire*) parce qu'il aime tant les (*montrer*). Il ne faut pas que nous (*refuser*) de les regarder.

C'est dommage que nous ne pas encore (*faire*) de voyage en France, mais nous le (*faire*) aussitôt que nous (*avoir*) assez d'argent. J'ai peur que nous ne (*pouvoir*) pas l'arranger avant l'année prochaine. Je voudrais que toute la famille (*avoir*) le plaisir de (*visiter*) la France après (*étudier*) si longtemps sa langue et son histoire. Je sais que mon ami sera content de nous (*aider*) autant qu'il (*pouvoir*).

Avant que nous (*faire*) ce voyage, il faut que nous (*apprendre*) beaucoup de choses. Mon ami français nous (*écrire*) déjà qu'il nous (*recevoir*) chez lui quand nous (*arriver*) en France et qu'il (*arranger*) tout pour que nous (*s'amuser*) bien. C'est vraiment le meilleur ami que je (*connaître*) jamais et nous ne pouvons guère (*attendre*) jusqu'à ce qu'il (*atterrir*).

PHRASES A TRADUIRE

(Sentences for Translation)

Première Leçon

1. There is the Duval family. 2. There are the children. 3. Here are the parents. 4. Here is the father. 5. He is Mr. Duval. 6. Here is the mother. 7. She is Mrs. Duval. 8. They are the parents. 9. Here is the son. 10. He is John. 11. She is Mary. 12. She is the daughter. 13. They are the children. 14. It's the family.

Deuxième Leçon

1. Mr. Duval is a man. 2. He is a man. 3. There is a wife in the family. 4. Mrs. Duval is Mr. Duval's wife. 5. She is a woman. 6. There are children in the family. 7. Mary is John's sister. 8. She is a girl. 9. Who is Mrs. Duval's husband? 10. Here are the members of the family. 11. It's an American family of the United States.

Troisième Leçon

1. Are you a brunette? 2. Mr. Duval's wife is blond. 3. Here is a young man. 4. Is he blond, too? 5. There is a daughter in the family. 6. She is a young lady. 7. There are children in the family. 8. They are young people. 9. There is a boy! 10. He is Mary's brother. 11. Mrs. Duval's husband has a sister. 12. Do they also have a son? 13. We have parents and a house.

Quatrième Leçon

1. What are you looking at? 2. I am looking at a house. 3. There is the house; it is white. 4. How many floors are there? 5. It has two floors: the ground floor and the second floor. 6. What do we find on the ground floor? 7. What other rooms are there? 8. You (we, people) eat in the dining room. 9. They prepare meals in the kitchen. 10. Is there a big living room? 11. The house has eight big rooms. 12. What is that? — It's a study.

Cinquième Leçon

1. This study is small. 2. Where is the bathroom? 3. There is the mother's room. 4. It is a big, blue room. 5. It has a big, green bureau. 6. Let's look at the furniture in Mary's room. 7. This other room has two doors and four windows. 8. Where do we prepare meals? 9. What are they looking at? 10. What's the color of that living room? 11. Is it green or pink? 12. Here is a young lady's room. 13. It is very pretty and it has three windows. 14. What room has a bed, a table, a dresser, and a chair?

Première Révision

1. What is that? What are you looking at? 2. I'm looking at the Duval's house; it's a very big house. 3. Let's go up to the second floor. 4. Here are four bedrooms and there's the bathroom. 5. This bedroom is very small; the others are big. 6. What's the color of the parents' room? 7. It's blue and it has two big, white dressers. 8. It also has a big bed, a table, and three green chairs. 9. How many rooms are there on the ground floor? 10. They eat in this dining room; it's very pretty. 11. Here is a small, white kitchen. 12. What other rooms are there? 13. There is a big, pink living room. 14. Is there a guest room on the second floor? 15. The Duval family is American. 16. I am blond and she is brunette.

Sixième Leçon

1. We live in a small town in (of) the United States. 2. Let's ask John's father where he works. 3. He answers, "I am a doctor and I work downtown." 4. He doesn't do the housework. 5. Let's speak to Mary's mother. 6. She is not a student; she keeps house. 7. I ask Mr. Duval's son where he studies. 8. The children are students and go to the same school. 9. What do they do at this school? 10. They study at school and at home. 11. Let's ask the other members of the family where they eat. 12. How many doors and windows are there in this room?

Septième Leçon

1. What time is it? 2. (At) what time do we wake up? 3. It's 7:15 A.M. 4. I wake up, get up, wash, and dress. 5. I go into my children's bedrooms. 6. I ask my two children, "Are you getting up?" 7. They answer, "We are getting up, washing, and dressing." 8. Then they get up, wash, and dress. 9. We hurry; we are hungry. 10. The children hurry and go to school. 11. Now I am going to talk to this pretty young lady. 12. She's my (girl) friend.

Huitième Leçon

1. My father is at the table and is reading his paper. 2. Everyone is having breakfast. 3. What do the children want? 4. My sister is hungry and she wants bread and butter. 5. "Here is your butter on the table," says her mother. 6. My brother is going to eat eggs and wants salt. 7. Their parents are drinking coffee; they don't drink milk. 8. They are thirsty, and drink water, too. 9. My mother asks, "Do you want salt or pepper with these eggs?" 10. I want butter and marmalade with my bread, please. 11. We don't drink water at breakfast; we drink milk.

Neuvième Leçon

1. Let's start breakfast now! 2. If you are hungry and thirsty, eat and drink! 3. Let's eat very quickly; it's 7:45. 4. We finish it and get up from the table. 5. We must leave at once for our school with our books and notebooks. 6. When do your classes start? (At) what time do you finish them? 7. Your mother drives them to school in her little blue car. 8. They soon reach their school by car. 9. It's a French car, isn't it? 10. Your parents speak French, but they aren't French, are they? 11. If you want to study it, let's continue your French lesson. 12. French is a foreign language. 13. Who is driving her to town?

Dixième Leçon

1. Our father is going to his office soon. 2. He can't go there by car because it's at the garage. 3. They are repairing it. 4. He crosses the street and walks to the corner. 5. He takes a bus there. 6. Their mother takes them to school by car. 7. When our car stops, we get out. 8. During this time, our father is going to work. 9. There he is in the bus; he reads his newspaper there. 10. Let's hurry! Let's begin our work at once! 11. Our friends, can take us to town in their French car; they're very nice. 12. If we leave now we can arrive there at 8:45.

Deuxième Révision

1. Let's ask the doctor where he works. 2. He is going there by bus because his car is at the garage; they're fixing it. 3. His bus stops at the street corner; he gets on it there. 4. When he gets off, he walks for four minutes. 5. He arrives at his office at 8:30 A.M. 6. What time do I get up? 7. At 7 A.M. my mother wakes me up. 8. Everyone washes and dresses in his room. 9. We are hungry and thirsty. 10. Here we are; let's begin breakfast! 11. Let's eat

slowly and let's not hurry!   12. Drink your milk and eat your eggs!   13. Does your mother give your family coffee at breakfast?   14. He wants salt and pepper for his eggs; there they are!   15. Our family doesn't drink water at breakfast.   16. His wife drives them to school in her little blue car.   17. They arrive there by car and they are late.   18. The first class is going to begin soon.   19. It's a French class, isn't it?   20. Yes, they're going to speak French in it.   21. It's a foreign language.   22. They are not going to speak English.   23. She puts her car back in the garage.   24. She goes into the house and does her housework.

Onzième Leçon

1. I go out into my garden behind the house because I don't want to work any more.   2. I take a walk there to look at the flowers.   3. There you see big trees with thick branches.   4. Then I go back into the house to phone a dear friend.   5. She is a young lady (whom) I know well and who lives on our street.   6. She's at home and I ask her how she is: "How are you?"   7. She does a lot of work at home; she knows many young people.   8. I tell my friend (that) I'm going to get the children at three o'clock.   9. I want to go and see the beautiful lawn in front of their house.   10. They finish their classes and come out of school.   11. Listen to your friends when they speak!

Douzième Leçon

1. We're in class and we're studying numbers.   2. We speak French in our French class; the French professor is talking to us.   3. He is French and we know him very well.   4. Let's pronounce all the numbers well.   5. We know them and pronounce them rapidly.   6. Now it's your turn; can you count by tens from ten to one hundred?   7. My dear friend, you can do it, can't you?   8. Everyone can count in French, can't he?   9. Let's ask Henry how you say seventy; he can count fast.   10. We repeat all the numbers (that) we understand.   11. Now let's take our books and let's prepare the next lesson.

Treizième Leçon

1. Mr. Duval's office is located in a high building at No. 15 Fifth St.; it is on the seventh floor.   2. To go up to it, he can take an elevator.   3. He waits for it, then enters it with some other people, who fill it up.   4. He leaves it when it stops at his floor.   5. His secretary is waiting for him.   6. Her name is Miss Berger and she's a pretty redhead.   7. Having reached his office, he puts on his doctor's blouse to receive his patients.   8. He asks her how many (of them) there are.   9. She tells him there are several (of them).   10. The

waiting room is full of them; they're reading magazines and newspapers. 11. Now the doctor is ready to receive them. 12. He tells her to show in the first patient.

Quatorzième Leçon

1. I examine each patient to find his illness. 2. This patient's name is Bernard and I ask him to sit down. 3. I ask him, "What's the matter with you? What's wrong?" 4. He has a headache, he's tired, and he can't sleep. 5. He says he doesn't feel well and has no appetite. 6. I ask him some other questions and listen to his heart. 7. I take his temperature; I tell him he has some fever and needs to rest. 8. What does he need? He needs a prescription. 9. I tell him to take it to the druggist's. 10. I also tell him to stay home and rest. 11. Don't get up tomorrow, and let me know if things aren't better.

Quinzième Leçon

1. At 10:45 we go out into the yard to have some fun. 2. Some chat and others play ball. 3. We find some good friends there. 4. Maurice is younger than my brother but he's bigger than I. 5. I'm more than fifteen years old but she is only twelve and a half. 6. She's as little as Maurice's sister, but she's not as old as she. 7. They want to play tennis with us, but we have to go back home to prepare our lessons. 8. I have twenty pages to read, but my sister has only fourteen. 9. We have to take an examination tomorrow. 10. Our English professor is giving it to us. 11. We read them to her. 12. I'm showing you some. 13. They repeat it to me.

Troisième Révision

1. I don't want to work any more. 2. I am going to telephone a friend I know well. I ask her how she is. 3. She tells me she's fine but that she has a lot of work to do. 4. I tell her to come and see us soon. 5. At school we are studying numbers in our French class. 6. Our French professor is French and he talks French to us. 7. When he makes us count fast, we can do it. 8. He stands in front of the pupils, who stay seated. 9. At 10:45 we have a few minutes of recess and everyone leaves the classroom. 10. Some walk around, others play ball or chat. 11. We have good friends at school and do lots of things together. 12. They're older than we, but we're as big as they. 13. We want to play tennis with them, but they must study. 14. We can play it with them another time. 15. I have twenty pages to read and Marie has more than thirty. 16. My doctor's office is on the eighth floor of a building at No. 17 Sixth St. 17. He takes an elevator to get up to it. 18. On

reaching his floor, he leaves it and walks to his office. 19. His secretary's name is Miss Berger and he asks her how her family is: "How is your family?" 20. Then he asks her how many patients there are. 21. She says there are several who are reading papers in the waiting room. 22. The doctor is ready to receive them and tells her to show them in. 23. He receives me and asks me questions to find out my illness. 24. I have a fever, I'm tired and I must stay home and rest. 25. I must not work. 26. He tells me I need a rest and gives me a prescription. 27. He gives it to me and shows me out.

Seizième Leçon

1. I rang and my secretary heard. 2. She tells me there are two patients who are waiting for me. 3. I ask her to tell them to come back another time. 4. I remember that I promised a friend yesterday to go with him to the hospital. 5. I take my hat and coat, and leave the office. 6. We lunched at noon, then took our seats in geography class. 7. The teacher talks to John. She asks him to recall to us the number of states in the U. S. 8. There are fifty, and Alaska is the biggest state in the U. S. 9. He tells us N. Y. is the biggest city in the country and has more than 8,000,000 inhabitants. 10. Give them to me, but don't give them any. 11. Let's give him some, but let's not talk about it.

Dix-septième Leçon

1. I slept and rested, then I got up and went downstairs. 2. Before leaving the house, I put on my hat, and locked the door. 3. I went to the garage, entered the car, and left. 4. We hurried to go outdoors and we forgot our studies. 5. It's fine weather and we're all glad to have some fun. 6. When you finished your consultation, you gave your advice to your colleague, didn't you? 7. You went and visited several patients before returning home. 8. This is a fine hospital, one of the most modern in the state. 9. You examined other patients and spoke to other doctors. 10. Then you decided to take a cab. 11. You took a green cab in front of the hospital.

Dix-huitième Leçon

1. We've just returned home and are happy to be back there. 2. We've been home for a half hour and are hungry. 3. We have washed and gone down to the kitchen. 4. Our mother has already made cheese sandwiches. 5. Her daughter must want some, but she doesn't eat any. 6. My sister drinks only water, as she wants to stay slim. 7. After our snack, we decided to go out and play tennis. 8. We feel like having a game of tennis but we

haven't done our lessons yet. 9. Must we ask her whether we may go out and have some fun? 10. We're very fond of playing tennis and we can learn a lot by playing. 11. On leaving the house, we saw our father. 12. Seeing us, he asks us to stop.

Dix-neuvième Leçon

1. There is the driver to whom I have just given a tip. 2. We have already told them they're wrong to play before studying. 3. Because they have both promised me to return before 5:30, I tell them to play a game. 4. I watched them leave at a run, then went into the house. 5. My wife opened the door for me and we kissed each other. 6. You look tired; take off your coat and rest a little. 7. I have found the letter from France that I've been expecting for some time. 8. I've read all the other letters she has given me. 9. She gave them to me before going to the kitchen. 10. She didn't read any of them because she never reads them before dinner. 11. I told her I had to tell my last patients to return tomorrow.

Vingtième Leçon

1. The letter we were expecting hasn't arrived yet. 2. As I was tired, I took off my shoes and put on my slippers. 3. She brought me the evening paper because she knew what I felt like reading. 4. The young folks were both having fun playing tennis, as the weather was fine. 5. They had just finished a game but you can't guess who won. 6. Mary played well and beat John for the first time. 7. She asked him whether he wanted to play another. 8. There wasn't any more time and they were going to be late. 9. They returned home by bike and arrived there in five minutes. 10. I was waiting for them and told them to hurry. 11. I told them we were going to dine in a few minutes.

Quatrième Révision

1. We asked her to tell them to come back another time. 2. We remembered we had to go and examine a patient at the hospital. 3. We promised a friend yesterday to give him our advice. 4. This hospital was one of the most modern in the state and we spent two hours in it. 5. As we were tired, we decided to take a cab. 6. On reaching home, we saw our children, who stopped to talk to us. 7. They were glad to see us and said they felt like having fun playing tennis. 8. As I was tired, I went into the living room. 9. I asked my wife for the letter I was expecting from France. 10. She already knew what I wanted. 11. I was always tired and thirsty on returning home. 12. We all knew what

state is the biggest in the U. S. 13. After classes we would play ball while waiting for our mother. 14. Having returned home, we used to drink some milk while eating cheese sandwiches. 15. She didn't eat any because she wanted to stay slim. 16. She has been hungry since noon, but she is drinking only water. 17. We felt like playing tennis before studying. 18. We have just finished a fine game and want to play another. 19. It was fine weather but it was also very late. 20. They must be waiting for us. 21. We must hurry to get home before dinner. 22. I always used to beat my sister, but this time she finally beat me. 23. She won by playing well and we had a good time at it. 24. We both returned by bike, as there was no more time. 25. We reached home in ten minutes and our mother told us we were going to dine in a few minutes. 26. You are right to rest a little after dinner before beginning to study.

Vingt et unième Leçon

1. We had washed and dressed, then we had come downstairs. 2. Suppose we tell you what we were going to eat that evening? 3. We had been waiting for our mother for some moments. 4. Mary had gone to the kitchen, also. 5. Both of them spent more than a half hour there. 6. When did everyone finally sit down at the table? 7. There was a vegetable soup, and how hot it was! 8. A delicious steak with a mushroom sauce, fried potatoes, and French style peas followed it. 9. Why did you tell her there isn't a better cook than she? 10. After a good tomato salad, I asked what there was for dessert. 11. Our father took only coffee. 12. We were no longer hungry. 13. I have nothing to study this evening.

Vingt-deuxième Leçon

1. We had just dined and were finishing our coffee. 2. We had been at the table more than an hour. 3. Why did our father settle down in his armchair? 4. He wanted to rest from the day's work. 5. While reading, he smoked his pipe. 6. We all wanted to rest from the day's work. 7. There was only bad news in the paper. 8. Before studying, I had to help my mother clear the table. 9. At the moment when we were starting to wash the dishes, we heard the phone ring. 10. I dropped a cup and left the kitchen on the run. 11. At 9:30 I still had a lot to do. 12. How do we have fun at home? 13. Last night they watched a fairly amusing program on TV. 14. About 10 P.M. everyone went to bed.

Vingt-troisième Leçon

1. Finally we have a day off, because there are no classes on Saturdays.
2. Thursday we made a date with the Duvals, of whom we've already spoken.
3. What time were they to reach our house this Sunday? 4. The doctor won't have to go to the office that day. 5. My mother will get up earlier than we on Monday. 6. She will get up, dress, and go downstairs about 7 A.M. 7. Will it be fine and cool tomorrow? 8. I'm thinking of all the shops I want to visit. 9. What car will we take to go downtown? 10. Our father won't be able to drive us until next week. 11. Will it be necessary to stay there all day? 12. It will be better perhaps to go there by cab and come back by bus. 13. What do you think of it?

Vingt-quatrième Leçon

1. I hope Louise will be ready when I phone her. 2. Where will we go to do our errands? 3. The department stores open at 8:30. 4. Before that hour, we will all have breakfasted. 5. Mr. Duval will be busy receiving his patients. 6. When we have parked the car, we'll walk to Lambert's. 7. It's the best store in town. 8. I will buy some stockings there. 9. Tell the saleslady to put all these purchases on my account. 10. Can we have them delivered to my home? 11. Suppose we go to Bonton's? 12. You can buy everything there cheap. 13. I thank you for the shirts you bought me.

Vingt-cinquième Leçon

1. This morning I found some mail brought by the postman. 2. The latter had left a letter we were expecting. 3. In this letter, Uncle George told us he would soon leave France to come to the U. S. 4. How long has he lived in Paris? 5. Does he intend to go to Canada soon? 6. What are these stamps? 7. They aren't the ones he had sent you. 8. These would have interested me some years ago. 9. Those are much more beautiful. 10. We told them we would reach America on the second of December. 11. Could you stay until the first of January? 12. If he had written us earlier, we'd have told him to come at once. 13. If you were in Paris in the month of December, you could spend Christmas there. 14. If you don't intend to do this, will you write to let us know?

Cinquième Révision

1. We had left the living room, had gone upstairs, and had washed. 2. For some time she had been preparing dinner. 3. Suppose we ask her what she

will serve when we sit down? 4. She will tell us that as soon as she is ready to put it on the table. 5. We will have a vegetable soup and steak with mushrooms. 6. How good dinner will be! 7. What a cook! There's none better. 8. Later we'll listen to a TV program. 9. At the moment when I was beginning to watch it, the phone rang. 10. Maurice told me he'd like to come over to my house. 11. He ought to study every day. 12. If he did that, he would know what's going on in class. 13. We have had two days off. 14. Now we'll have to go back to school. 15. They return there on Mondays, but on Fridays they have nothing to do. 16. On Saturday, I'll play tennis. 17. That's what I want to do. 18. Is this racket much better than that one? 19. It's not worth more than twenty dollars. 20. It's the one I talked to you about over a month ago. 21. What do you think of it? 22. What were you thinking about this morning when I left you? 23. Were you thinking about Mary? 24. She was supposed to go shopping with me today. 25. She would have arrived on time, if she had been able to do it. 26. She must have forgotten our date. 27. Here's my car; where is John's? 28. Is it the one I see in front of the house? 29. What stamps! They're better than Paul's. 30. They're prettier than the ones I bought a week ago. 31. Why does your uncle take trips to Canada and the U. S.? 32. He used to live in France but now he works in Mexico. 33. The Martins will come to see us on the 2nd of August.

Vingt-sixième Leçon

1. I used to like the game of football. 2. Would you like to attend the big game that will take place on Nov. 5? 3. It's too bad we can't take all our friends to it. 4. It may snow and be cold. 5. We must dress warmly. 6. A big crowd will fill the stadium for such a game. 7. Last week our team was leading until the last minute. 8. Unfortunately, one of our players dropped the ball. 9. Our opponents won the game by scoring six points. 10. There's no more than a minute left. 11. Look at Paul! He's passing the ball back to Henry! 12. In his turn, he'll toss it to John. 13. If John catches it, he will cross the goal line without anyone being able to stop him. 14. What does it matter if they miss the try for the extra point?

Vingt-septième Leçon

1. I'm glad Paul is ready to show me his collection. 2. We want him to see ours too. 3. His contains more than 10,000 stamps. 4. Does Pauline get hers by corresponding with foreigners? 5. She has been exchanging hers for theirs for several years. 6. Would you be willing to show me yours?

7. Whose airmail stamps are these? 8. They're Paul's; you mustn't take them! 9. I used to have hundreds like those. 10. We are now buying about fifty of them a month. 11. What do you think of ours? 12. Whose pencil is that? — Mary's. 13. He used to live in Canada, but came to the U. S. fifteen years ago. 14. Will your uncle come from France to spend Christmas with you? 15. Yes, but we don't have to send him the money so that he may make the trip.

Vingt-huitième Leçon

1. What goes on at our house Sunday mornings? 2. What's it all about? It's about going to church. 3. Before we leave, we must wash the dishes. 4. It's the same church you go to yourself, isn't it? 5. Dad is always afraid we may be late. 6. This time Mary put on the new dress you had bought her. 7. She is afraid of not making a good choice herself. 8. The tie I picked out pleases her very much. 9. Point out to me the suit you prefer. 10. Which ones are you talking about? 11. There's the one that becomes you best, the light gray suit. 12. That's it! That's the one I was thinking about. 13. Which of these shirts did they buy for themselves? 14. Let's be satisfied with what we have! 15. Be good and brush your teeth after every meal!

Vingt-neuvième Leçon

1. Though he must have left Havre the 17th, he isn't to arrive here until the 24th. 2. We are glad you will be able to spend Christmas with us. 3. After going aboard the ship, they went up on deck. 4. It's the finest ship you ever saw! 5. I am sorry everyone suffered from seasickness. 6. A few travelers were afraid the ship couldn't go on. 7. We did not want him to come to America without letting us know it. 8. Would you need so much baggage for such a trip? 9. How many years ago was your sister born? 10. Few players can run as fast as he. 11. How much money do you owe them? 12. I'll stay here until you leave.

Trentième Leçon

1. Flames were seen nearby. 2. I feared the firemen couldn't put them out. 3. The house will be destroyed if they can't put the ladders up in time. 4. Let them do their duty at once! 5. When the fire is out, we will have to thank them for their help. 6. We would always come running up when they called us. 7. Do you think they will come in the middle of the night? 8. I asked him if he could help us. 9. Are you sorry they didn't call us sooner? 10. A

big black cat was found under the bed.　11. We all went to the window to see it.　12. I want them to come back tomorrow.　13. Some of the neighbors doubted the fire was out.　14. Our friends should be glad everything ended well.

Sixième Révision

1. Perhaps we will attend the game tomorrow.　2. It's a pity it has been so cold.　3. They were to take us to the stadium.　4. He wanted me to get better seats.　5. Are you sorry they didn't send you any?　6. Be ready to leave on time!　7. I'm afraid we can't come back here.　8. Whose shirts are these? — They are ours.　9. He had left dozens of them here.　10. They are sold everywhere.　11. Let's go and see them!　12. Don't destroy them without her knowing it!　13. We didn't have to fight the fire.　14. About twenty firemen had rushed up in their red trucks in time to put it out.　15. I had caught sight of them myself.　16. She was sitting near the window to see what was going on.　17. Will the flames spread to the other houses before they are destroyed?　18. Don't be afraid of it!　19. Although he lives in South America, he can't speak Spanish.　20. I used to earn hundreds of dollars a week.　21. You mustn't throw the ball through the window.　22. He has just bought me 2000 stamps.　23. Which ones are you talking about?　24. Wait until she comes back!　25. What beautiful neckties!　26. You must have found them at LeBeau's.　27. They are the most expensive I have ever seen.　28. It's a question of swapping mine for yours.　29. You have only ten minutes left.　30. Was your mother born in Switzerland?

Trente et unième Leçon

1. No one knew the day he was to leave France.　2. He has written us nothing about it.　3. What? Nothing?　4. Who can say when he will let us know? No one!　5. This is something new.　6. Usually he would write us twice a month.　7. Finally we received a letter in which he told us he would spend Christmas at our house.　8. The house will have to be swept and cleaned. 9. We can hardly wait for his arrival.　10. He will spend only half of his time in the U. S.　11. After filling up with gas, we will go and meet him at the airport.　12. Gasoline will soon cost more than forty cents a gallon.　13. Let's think no more about it!　14. As he is someone important, he will take a plane. 15. It will take only three hours to make the crossing.　16. I have neither the time nor the money to take such a trip.

Trente-deuxième Leçon

1. We were at the home of an old friend of John's. 2. He wanted to introduce me to him. 3. I was delighted to meet him. 4. His wife played the piano and we sang an old carol. 5. Do you remember her? 6. What an evening! I remember it well! 7. I hadn't been at their house for months. 8. Let me tell you how we spent Christmas eve. 9. Uncle George told us how they celebrate Christmas in France. 10. The poor man was still tired from his trip. 11. It seems their customs are like ours. 12. Gifts are given the children. 13. They leave their shoes in front of the fireplace so Santa can fill them with candy. 14. Aren't there any Christmas trees? 15. Yes, they have been traditional for over a century. 16. I would like to spend the Christmas holidays there.

Trente-troisième Leçon

1. The next day, we were all better. 2. I invited some friends to look at the colored slides our uncle had brought. 3. He showed us a view of the Eiffel Tower. 4. It's all (of) iron and 300 meters high. 5. When was it built? In 1889. 6. This avenue is called the Champs-Elysées. 7. It is almost two kilometers long and it is lined with trees. 8. They have built a high monument in the middle of that square. 9. Do you see the fountains on each side of the garden? 10. To know France, we must study French history. 11. Louis XVI was king of France; he died under the guillotine in 1793. 12. Would you like to live beside the Seine? 13. They have offered to take us there in the spring. 14. I would be very happy to take such a trip by plane.

Trente-quatrième Leçon

1. They executed the queen of France in October. 2. Leonardo da Vinci did that painting. 3. Hugo made that cathedral famous. 4. It was finished in the thirteenth century. 5. Why are they building skyscrapers in Paris? 6. French universities have become famous everywhere. 7. At night the French capital is a city of light. 8. Tourists prefer to do the rounds of the museums in the morning. 9. In the evening, we have to rest. 10. Have you ever heard of the Mona Lisa? 11. What does the word *monument* mean in French? 12. Isn't that an Italian masterpiece? 13. We will send for you when he is ready to show them to us. 14. I want you to thank him for an interesting evening.

Trente-cinquième Leçon

1. As soon as his soldiers had rested, LaFayette left for Yorktown. 2. Although he was rich, he took an interest in the American cause. 3. Washington was glad he had offered his services. 4. Among Americans, he is still the symbol of liberty. 5. My two brothers became generals at the age of forty-five. 6. They are probably very old now. —You don't say! 7. Yes, they began by serving in the Lafayette Escadrille. 8. What became of them in the Second World War? 9. There must be many interesting people in your family. 10. You have probably kept many of their letters. 11. Speaking of relatives, two of mine served in the Navy. 12. For example, my uncle Roger Clement distinguished himself in the battle of Midway. 13. We must preserve the memory of those who have done so much for us. 14. Yes, and everyone should remember what the French did to help us win our independence.

Septième Révision

1. Our poor mother is cleaning the whole house. 2. It appears Uncle George will finally spend Christmas in America. 3. It has been six months since he has written us; he's probably ill. 4. I don't know anyone who is busier than he. 5. Will he let you know when he leaves France? 6. He will make the trip aboard the liner *France*. 7. It is more than 1000 feet long. 8. The day after his arrival, he will come here by plane. 9. Because of business, he will stay here only until New Year's. 10. Do you remember the colored slides he showed us last time? 11. There is nothing more beautiful than Paris in the spring. 12. Haven't you any pictures of the big boulevards? 13. Here is one in which the streets are covered with snow. 14. How many skyscrapers have been built in Paris? 15. Sit down here beside me and play the piano. 16. No one can play it better than you. 17. Here is my former French professor; let me introduce him to you. 18. We bought a third of these stamps in Europe. 19. I'd like to thank you for the ones you are offering me. 20. There must be hundreds of them. 21. What has become of the presents you received on Christmas eve? 22. How long have Christmas trees been traditional among the French? 23. What kings of France died abroad? 24. Although he was only nineteen, LaFayette offered to help America. 25. We can hardly forget what we owe these Frenchmen. 26. Americans will always remember their help.

VERB CHARTS

Beginning with **avoir** and **être**, each verb is given a number. This number is included with the given verb in the French-English Vocabulary. All other irregularly-formed verbs listed in the vocabulary are also given a number corresponding to a verb in the charts bearing the same number. For example, **comprendre** is listed: **comprendre** (34) ... . Referring to number 34 in the Verb Charts, we find **prendre**. **Comprendre**, then, is conjugated like **prendre**.

REGULAR VERBS

A. Simple forms

	PRESENT	IMPERFECT	INDICATIVE PASSÉ SIMPLE
parler			
parlant	parle	parlais	parlai
parlé	parles	parlais	parlas
	parle	parlait	parla
	parlons	parlions	parlâmes
	parlez	parliez	parlâtes
	parlent	parlaient	parlèrent
finir			
finissant	finis	finissais	finis
fini	finis	finissais	finis
	finit	finissait	finit
	finissons	finissions	finîmes
	finissez	finissiez	finîtes
	finissent	finissaient	finirent
vendre			
vendant	vends	vendais	vendis
vendu	vends	vendais	vendis
	vend	vendait	vendit
	vendons	vendions	vendîmes
	vendez	vendiez	vendîtes
	vendent	vendaient	vendirent

B. Compound forms (with avoir)

	PASSÉ COMPOSÉ	PLUPERFECT	INDICATIVE PASSÉ ANTÉRIEUR
parler			
ayant parlé	ai parlé	avais parlé	eus parlé
avoir parlé	etc.	etc.	etc.
finir			
ayant fini	ai fini	avais fini	eus fini
avoir fini	etc.	etc.	etc.
vendre			
ayant vendu	ai vendu	avais vendu	eus vendu
avoir vendu	etc.	etc.	etc.

C. Compound forms (with être)

	PASSÉ COMPOSÉ	PLUPERFECT	INDICATIVE PASSÉ ANTÉRIEUR
entrer			
étant entré	suis entré(e)	étais entré(e)	fus entré(e)
être entré	es entré(e)	étais entré(e)	etc.
	est entré(e)	était entré(e)	
	sommes entré(e)s	etc.	
	êtes entré(e) (s)		
	sont entré(e)s		

FUTURE	CONDITIONAL	IMPERATIVE	SUBJUNCTIVE PRESENT	IMPERFECT
parlerai	parlerais		parle	parlasse
parleras	parlerais	parle	parles	parlasses
parlera	parlerait		parle	parlât
parlerons	parlerions	parlons	parlions	parlassions
parlerez	parleriez	parlez	parliez	parlassiez
parleront	parleraient		parlent	parlassent
finirai	finirais		finisse	finisse
finiras	finirais	finis	finisses	finisses
finira	finirait		finisse	finît
finirons	finirions	finissons	finissions	finissions
finirez	finiriez	finissez	finissiez	finissiez
finiront	finiraient		finissent	finissent
vendrai	vendrais		vende	vendisse
vendras	vendrais	vends	vendes	vendisses
vendra	vendrait		vende	vendît
vendrons	vendrions	vendons	vendions	vendissions
vendrez	vendriez	vendez	vendiez	vendissiez
vendront	vendraient		vendent	vendissent

FUTURE PERFECT	CONDITIONAL PERFECT	SUBJUNCTIVE PAST	PLUPERFECT
aurai parlé etc.	aurais parlé etc.	aie parlé etc.	eusse parlé etc.
aurai fini etc.	aurais fini etc.	aie fini etc,	eusse fini etc.
aurai vendu etc.	aurais vendu etc.	aie vendu etc.	eusse vendu etc.

FUTURE PERFECT	CONDITIONAL PERFECT	SUBJUNCTIVE PAST	PLUPERFECT
serai entré(e) etc.	serais entré(e) etc.	sois entré(e) etc.	fusse entré(e) etc.

REFLEXIVE VERB

A. Simple forms

	PRESENT	IMPERFECT	INDICATIVE PASSÉ SIMPLE
se laver			
lavant	me lave	me lavais	me lavai
lavé	te laves	te lavais	te lavas
	se lave	se lavait	se lava
	nous lavons	nous lavions	nous lavâmes
	vous lavez	vous laviez	vous lavâtes
	se lavent	se lavaient	se lavèrent

B. Compound forms

	PASSÉ COMPOSÉ	PLUPERFECT	INDICATIVE PASSÉ ANTÉRIEUR
se laver			
s'étant lavé	me suis lavé(e)	m'étais lavé(e)	me fus lavé(e)
s'être lavé	t'es lavé(e)	etc.	etc.
	s'est lavé(e)		
	nous sommes lavé(e)s		
	vous êtes lavé(e) (s)		
	se sont lavé(e)s		

IRREGULAR VERBS

AUXILIARY VERBS

A. Simple forms

	PRESENT	IMPERFECT	INDICATIVE PASSÉ SIMPLE
1. *avoir*			
ayant	ai	avais	eus
eu	as	avais	eus
	a	avait	eut
	avons	avions	eûmes
	avez	aviez	eûtes
	ont	avaient	eurent
2. *être*			
étant	suis	étais	fus
été	es	étais	fus
	est	était	fut
	sommes	étions	fûmes
	êtes	étiez	fûtes
	sont	étaient	furent

| | | IMPERATIVE | SUBJUNCTIVE | |
FUTURE	CONDITIONAL		PRESENT	IMPERFECT
me laverai	me laverais	lave-toi	me lave	me lavasse
te laveras	te laverais	ne te lave pas	te laves	te lavasses
se lavera	se laverait	lavons-nous	se lave	se lavât
nous laverons	nous laverions	ne nous lavons pas	nous lavions	nous lavassions
vous laverez	vous laveriez	lavez-vous	vous laviez	vous lavassiez
se laveront	se laveraient	ne vous lavez pas	se lavent	se lavassent

| | | | SUBJUNCTIVE | |
FUTURE PERFECT	CONDITIONAL PERFECT	PAST	PLUPERFECT
me serai lavé(e) etc.	me serais lavé(e) etc.	me sois lavé(e) etc.	me fusse lavé(e) etc.

| | | IMPERATIVE | SUBJUNCTIVE | |
FUTURE	CONDITIONAL		PRESENT	IMPERFECT
aurai	aurais		aie	eusse
auras	aurais	aie	aies	eusses
aura	aurait		ait	eût
aurons	aurions	ayons	ayons	eussions
aurez	auriez	ayez	ayez	eussiez
auront	auraient		aient	eussent
serai	serais		sois	fusse
seras	serais	sois	sois	fusses
sera	serait		soit	fût
serons	serions	soyons	soyons	fussions
serez	seriez	soyez	soyez	fussiez
seront	seraient		soient	fussent

B. Compound forms

	PASSÉ COMPOSÉ	PLUPERFECT	INDICATIVE PASSÉ ANTÉRIEUR
avoir			
ayant eu	ai eu	avais eu	eus eu
avoir eu	etc.	etc.	etc.
être			
ayant été	ai été	avais été	eus été
avoir été	etc.	etc.	etc.

OTHER IRREGULAR VERBS

(Verbs conjugated with **être** are so indicated)

	PRESENT	IMPERFECT	INDICATIVE PASSÉ SIMPLE
3. *aller*			
allant	vais	allais	allai
allé	vas	allais	allas
(*être*)	va	allait	alla
	allons	allions	allâmes
	allez	alliez	allâtes
	vont	allaient	allèrent
4. *appeler*			
appelant	appelle	appelais	appelai
appelé	appelles	appelais	appelas
	appelle	appelait	appela
	appelons	appelions	appelâmes
	appelez	appeliez	appelâtes
	appellent	appelaient	appelèrent
5. *asseoir* [1,2]			
asseyant	assieds	asseyais	assis
assis	assieds	asseyais	assis
	assied	asseyait	assit
	asseyons	asseyions	assîmes
	asseyez	asseyiez	assîtes
	asseyent	asseyaient	assirent
6. *battre*			
battant	bats	battais	battis
battu	bats	battais	battis
	bat	battait	battit
	battons	battions	battîmes
	battez	battiez	battîtes
	battent	battaient	battirent

1. asseoir is most often found in the reflexive form s'**asseoir** (*to sit down*). As such, it is conjugated with être, as are all other reflexive verbs.
2. alternate forms: *pres.* assois, assois, assoit, assoyons, assoyez, assoient; *fut.* assoirai etc.; **asseyerai** etc.; *pres. subj.* **assoie** etc.; *imperat.* assois, assoyons, assoyez; *imperf.* assoyais etc.; *pres. part.* **assoyant**

| | SUBJUNCTIVE | | |
FUTURE PERFECT	CONDITIONAL PERFECT	PAST	PLUPERFECT
aurai eu etc.	aurais eu etc.	aie eu etc.	eusse eu etc.
aurai été etc.	aurais été etc.	aie été etc.	eusse été etc.

| | | IMPERATIVE | SUBJUNCTIVE | |
FUTURE	CONDITIONAL		PRESENT	IMPERFECT
irai	irais		aille	allasse
iras	irais	va (vas-y)	ailles	allasses
ira	irait		aille	allât
irons	irions	allons	allions	allassions
irez	iriez	allez	alliez	allassiez
iront	iraient		aillent	allassent
appellerai	appellerais		appelle	appelasse
appelleras	appellerais	appelle	appelles	appelasses
appellera	appellerait		appelle	appelât
appellerons	appellerions	appelons	appelions	appelassions
appellerez	appelleriez	appelez	appeliez	appelassiez
appelleront	appelleraient		appellent	appelassent
assiérai	assiérais		asseye	assisse
assiéras	assiérais	assieds	asseyes	assisses
assiera	assiérait		asseye	assît
assiérons	assiérions	asseyons	asseyions	assissions
assiérez	assiériez	asseyez	asseyiez	assissiez
assiéront	assiéraient		asseyent	assissent
battaai	battrais		batte	battisse
battras	battrais	bats	battes	battisses
battra	battrait		batte	battît
battrons	battrions	battons	battions	battissions
battrez	battriez	battez	battiez	battissiez
battront	battraient		battent	battissent

	PRESENT	IMPERFECT	INDICATIVE PASSÉ SIMPLE
7. *boire*			
buvant	bois	buvais	bus
bu	bois	buvais	bus
	boit	buvait	but
	buvons	buvions	bûmes
	buvez	buviez	bûtes
	boivent	buvaient	burent
8. *commencer*			
commençant	commence	commençais	commençai
commencé	commences	commençais	commenças
	commence	commençait	commença
	commençons	commencions	commençâmes
	commencez	commenciez	commençâtes
	commencent	commençaient	commencèrent
9. *conduire*			
conduisant	conduis	conduisais	conduisis
conduit	conduis	conduisais	conduisis
	conduit	conduisait	conduisit
	conduisons	conduisions	conduisîmes
	conduisez	conduisiez	conduisîtes
	conduisent	conduisaient	conduisirent
10. *connaître*			
connaissant	connais	connaissais	connus
connu	connais	connaissais	connus
	connaît	connaissait	connut
	connaissons	connaissions	connûmes
	connaissez	connaissiez	connûtes
	connaissent	connaissaient	connurent
11. *courir*			
courant	cours	courais	courus
couru	cours	courais	courus
	court	courait	courut
	courons	courions	courûmes
	courez	couriez	courûtes
	courent	couraient	coururent
12. *craindre*			
craignant	crains	craignais	craignis
craint	crains	craignais	craignis
	craint	craignait	craignit
	craignons	craignions	craignîmes
	craignez	craigniez	craignîtes
	craignent	craignaient	craignirent

FUTURE	CONDITIONAL	IMPERATIVE	SUBJUNCTIVE PRESENT	IMPERFECT
boirai	boirais		boive	busse
boiras	boirais	bois	boives	busses
boira	boirait		boive	bût
boirons	boirions	buvons	buvions	bussions
boirez	boiriez	buvez	buviez	bussiez
boiront	boiraient		boivent	bussent
commencerai	commencerais		commence	commençasse
commenceras	commencerais	commence	commences	commençasses
commencera	commencerait		commence	commençât
commencerons	commencerions	commençons	commencions	commençassions
commencerez	commenceriez	commencez	commenciez	commençassiez
commenceront	commenceraient		commencent	commençassent
conduirai	conduirais		conduise	conduisisse
conduiras	conduirais	conduis	conduises	conduisisses
conduira	conduirait		conduise	conduisît
conduirons	conduirions	conduisons	conduisions	conduisissions
conduirez	conduiriez	conduisez	conduisiez	conduisissiez
conduiront	conduiraient		conduisent	conduisissent
connaîtrai	connaîtrais		connaisse	connusse
connaîtras	connaîtrais	connais	connaisses	connusses
connaîtra	connaîtrait		connaisse	connût
connaîtrons	connaîtrions	connaissons	connaissions	connussions
connaîtrez	connaîtriez	connaissez	connaissiez	connussiez
connaîtront	connaîtraient		connaissent	connussent
courrai	courrais		coure	courusse
courras	courrais	cours	coures	courusses
courra	courrait		coure	courût
courrons	courrions	courons	courions	courussions
courrez	courriez	courez	couriez	courussiez
courront	courraient		courent	courussent
craindrai	craindrais		craigne	craignisse
craindras	craindrais	crains	craignes	craignisses
craindra	craindrait		craigne	craignît
craindrons	craindrions	craignons	craignions	craignissions
craindrez	craindriez	craignez	craigniez	craignissiez
craindront	craindraient		craignent	craignissent

	PRESENT	IMPERFECT	INDICATIVE PASSÉ SIMPLE
13. *croire*			
croyant	crois	croyais	crus
cru	crois	croyais	crus
	croit	croyait	crut
	croyons	croyions	crûmes
	croyez	croyiez	crûtes
	croient	croyaient	crurent
14. *devoir*			
devant	dois	devais	dus
dû	dois	devais	dus
	doit	devait	dut
	devons	devions	dûmes
	devez	deviez	dûtes
	doivent	devaient	durent
15. *dire*			
disant	dis	disais	dis
dit	dis	disais	dis
	dit	disait	dit
	disons	disions	dîmes
	dites	disiez	dîtes
	disent	disaient	dirent
16. *dormir*			
dormant	dors	dormais	dormis
dormi	dors	dormais	dormis
	dort	dormait	dormis
	dormons	dormions	dormîmes
	dormez	dormiez	dormîtes
	dorment	dormaient	dormirent
17. *écrire*			
écrivant	écris	écrivais	écrivis
écrit	écris	écrivais	écrivis
	écrit	écrivait	écrivit
	écrivons	écrivions	écrivîmes
	écrivez	écriviez	écrivîtes
	écrivent	écrivaient	écrivirent
18. *envoyer*			
envoyant	envoie	envoyais	envoyai
envoyé	envoies	envoyais	envoyas
	envoie	envoyait	envoya
	envoyons	envoyions	envoyâmes
	envoyez	envoyiez	envoyâtes
	envoient	envoyaient	envoyèrent

FUTURE	CONDITIONAL	IMPERATIVE	SUBJUNCTIVE PRESENT	IMPERFECT
croirai	croirais		croie	crusse
croiras	croirais	crois	croies	crusses
croira	croirait		croie	crût
croirons	croirions	croyons	croyions	crussions
croirez	croiriez	croyez	croyiez	crussiez
croiront	croiraient		croient	crussent
devrai	devrais		doive	dusse
devras	devrais		doives	dusses
devra	devrait		doive	dût
devrons	devrions		devions	dussions
devrez	devriez		deviez	dussiez
devront	devraient		doivent	dussent
dirai	dirais		dise	disse
diras	dirais	dis	dises	disses
dira	dirait		dise	dît
dirons	dirions	disons	disions	dissions
direz	diriez	dites	disiez	dissiez
diront	diraient		disent	dissent
dormirai	dormirais		dorme	dormisse
dormiras	dormirais	dors	dormes	dormisses
dormira	dormirait		dorme	dormît
dormirons	dormirions	dormons	dormions	dormissions
dormirez	dormiriez	dormez	dormiez	dormissiez
dormiront	dormiraient		dorment	dormissent
écrirai	écrirais		écrive	écrivisse
écriras	écrirais	écris	écrives	écrivisses
écrira	écrirait		écrive	écrivît
écrirons	écririons	écrivons	écrivions	écrivissions
écrirez	écririez	écrivez	écriviez	écrivissiez
écriront	écriraient		écrivent	écrivissent
enverrai	enverrais		envoie	envoyasse
enverras	enverrais	envoie	envoies	envoyasses
enverra	enverrait		envoie	envoyât
enverrons	enverrions	envoyons	envoyions	envoyassions
enverrez	enverriez	envoyez	envoyiez	envoyassiez
enverront	enverraient		envoient	envoyassent

	PRESENT	IMPERFECT	INDICATIVE PASSÉ SIMPLE
19. *espérer*			
espérant	espère	espérais	espérai
espéré	espères	espérais	espéras
	espère	espérait	espéra
	espérons	espérions	espérâmes
	espérez	espériez	espérâtes
	espèrent	espéraient	espérèrent
20. *faire*			
faisant	fais	faisais	fis
fait	fais	faisais	fis
	fait	faisait	fit
	faisons	faisions	fîmes
	faites	faisiez	fîtes
	font	faisaient	firent
21. *falloir*			
fallu	faut	fallait	fallut
22. *jeter*			
jetant	jette	jetais	jetai
jeté	jettes	jetais	jetas
	jette	jetait	jeta
	jetons	jetions	jetâmes
	jetez	jetiez	jetâtes
	jettent	jetaient	jetèrent
23. *lire*			
lisant	lis	lisais	lus
lu	lis	lisais	lus
	lit	lisait	lut
	lisons	lisions	lûmes
	lisez	lisiez	lûtes
	lisent	lisaient	lurent
24. *manger*			
mangeant	mange	mangeais	mangeai
mangé	manges	mangeais	mangeas
	mange	mangeait	mangea
	mangeons	mangions	mangeâmes
	mangez	mangiez	mangeâtes
	mangent	mangeaient	mangèrent
25. *mener*			
menant	mène	menais	menai
mené	mènes	menais	menas
	mène	menait	mena
	menons	menions	menâmes
	menez	meniez	menâtes
	mènent	menaient	menèrent

FUTURE	CONDITIONAL	IMPERATIVE	SUBJUNCTIVE PRESENT	IMPERFECT
espérerai	espérerais		espère	espérasse
espéreras	espérerais	espère	espères	espérasses
espérera	espérerait		espère	espérât
espérerons	espérerions	espérons	espérions	espérassions
espérerez	espéreriez	espérez	espériez	espérassiez
espéreront	espéreraient		espèrent	espérassent
ferai	ferais		fasse	fisse
feras	ferais	fais	fasses	fisses
fera	ferait		fasse	fît
ferons	ferions	faisons	fassions	fissions
ferez	feriez	faites	fassiez	fissiez
feront	feraient		fassent	fissent
faudra	faudrait		faille	fallût
jetterai	jetterais		jette	jetasse
jetteras	jetterais	jette	jettes	jetasses
jettera	jetterait		jette	jetât
jetterons	jetterions	jetons	jetions	jetassions
jetterez	jetteriez	jetez	jetiez	jetassiez
jetteront	jetteraient		jettent	jetassent
lirai	lirais		lise	lusse
liras	lirais	lis	lises	lusses
lira	lirait		lise	lût
lirons	lirions	lisons	lisions	lussions
lirez	liriez	lisez	lisiez	lussiez
liront	liraient		lisent	lussent
mangerai	mangerais		mange	mangeasse
mangeras	mangerais	mange	manges	mangeasses
mangera	mangerait		mange	mangeât
mangerons	mangerions	mangeons	mangions	mangeassions
mangerez	mangeriez	mangez	mangiez	mangeassiez
mangeront	mangeraient		mangent	mangeassent
mènerai	mènerais		mène	menasse
mèneras	mènerais	mène	mènes	menasses
mènera	mènerait		mène	menât
mènerons	mènerions	menons	menions	menassions
mènerez	mèneriez	menez	meniez	menassiez
mèneront	mèneraient		mènent	menassent

	PRESENT	IMPERFECT	INDICATIVE PASSÉ SIMPLE
26. *mettre*			
mettant	mets	mettais	mis
mis	mets	mettais	mis
	met	mettait	mit
	mettons	mettions	mîmes
	mettez	mettiez	mîtes
	mettent	mettaient	mirent
27. *mourir*			
mourant	meurs	mourais	mourus
mort	meurs	mourais	mourus
(*être*)	meurt	mourait	mourut
	mourons	mourions	mourûmes
	mourez	mouriez	mourûtes
	meurent	mouraient	moururent
28. *naître*			
naissant	nais	naissais	naquis
né	nais	naissais	naquis
(*être*)	naît	naissait	naquit
	naissons	naissions	naquîmes
	naissez	naissiez	naquîtes
	naissent	naissaient	naquirent
29. *ouvrir*			
ouvrant	ouvre	ouvrais	ouvris
ouvert	ouvres	ouvrais	ouvris
	ouvre	ouvrait	ouvrit
	ouvrons	ouvrions	ouvrîmes
	ouvrez	ouvriez	ouvrîtes
	ouvrent	ouvraient	ouvrirent
30. *payer*[3]			
payant	paie	payais	payai
payé	paies	payais	payas
	paie	payait	paya
	payons	payions	payâmes
	payez	payiez	payâtes
	paient	payaient	payèrent
31. *plaire*			
plaisant	plais	plaisais	plus
plu	plais	plaisais	plus
	plaît	plaisait	plut
	plaisons	plaisions	plûmes
	plaisez	plaisiez	plûtes
	plaisent	plaisaient	plurent

3. Verbs ending in –ayer may preserve the y throughout.

FUTURE	CONDITIONAL	IMPERATIVE	SUBJUNCTIVE PRESENT	IMPERFECT

FUTURE	CONDITIONAL	IMPERATIVE	PRESENT	IMPERFECT
mettrai	mettrais		mette	misse
mettras	mettrais	mets	mettes	misses
mettra	mettrait		mette	mît
mettrons	mettrions	mettons	mettions	missions
mettrez	mettriez	mettez	mettiez	missiez
mettront	mettraient		mettent	missent
mourrai	mourrais		meure	mourusse
mourras	mourrais	meurs	meures	mourusses
mourra	mourrait		meure	mourût
mourrons	mourrions	mourons	mourions	mourussions
mourrez	mourriez	mourez	mouriez	mourussiez
mourront	mourraient		meurent	mourussent
naîtrai	naîtrais		naisse	naquisse
naîtras	naîtrais	nais	naisses	naquisses
naîtra	naîtrait		naisse	naquît
naîtrons	naîtrions	naissons	naissions	naquissions
naîtrez	naîtriez	naissez	naissiez	naquissiez
naîtront	naîtraient		naissent	naquissent
ouvrirai	ouvrirais		ouvre	ouvrisse
ouvriras	ouvrirais	ouvre	ouvres	ouvrisses
ouvrira	ouvrirait		ouvre	ouvrît
ouvrirons	ouvririons	ouvrons	ouvrions	ouvrissions
ouvrirez	ouvririez	ouvrez	ouvriez	ouvrissiez
ouvriront	ouvriraient		ouvrent	ouvrissent
paierai	paierais		paie	payasse
paieras	paierais	paie	paies	payasses
paiera	paierait		paie	payât
paierons	paierions	payons	payions	payassions
paierez	paieriez	payez	payiez	payassiez
paieront	paieraient		paient	payassent
plairai	plairais		plaise	plusse
plairas	plairais	plais	plaises	plusses
plaira	plairait		plaise	plût
plairons	plairions	plaisons	plaisions	plussions
plairez	plairiez	plaisez	plaisiez	plussiez
plairont	plairaient		plaisent	plussent

	PRESENT	IMPERFECT	INDICATIVE PASSÉ SIMPLE
32. *pleuvoir*			
pleuvant	pleut	pleuvait	plut
plu			
33. *pouvoir*			
pouvant	peux [4]	pouvais	pus
pu	peux	pouvais	pus
	peut	pouvait	put
	pouvons	pouvions	pûmes
	pouvez	pouviez	pûtes
	peuvent	pouvaient	purent
34. *prendre*			
prenant	prends	prenais	pris
pris	prends	prenais	pris
	prend	prenait	prit
	prenons	prenions	prîmes
	prenez	preniez	prîtes
	prennent	prenaient	prirent
35. *recevoir*			
recevant	reçois	recevais	reçus
reçu	reçois	recevais	reçus
	reçoit	recevait	reçut
	recevons	recevions	reçûmes
	recevez	receviez	reçûtes
	reçoivent	recevaient	reçurent
36. *répéter*			
répétant	répète	répétais	répétai
répété	répètes	répétais	répétas
	répète	répétait	répéta
	répétons	répétions	répétâmes
	répétez	répétiez	répétâtes
	répètent	répétaient	répétèrent
37. *rire*			
riant	ris	riais	ris
ri	ris	riais	ris
	rit	riait	rit
	rions	riions	rîmes
	riez	riiez	rîtes
	rient	riaient	rirent

4. An alternate form for **peux** (1*st pers. sing.*) is **puis.** This form is used mainly in two ways
   1. **je ne puis** (*I cannot*), 2. **puis-je?** (*may I?*)

| | | IMPERATIVE | SUBJUNCTIVE | |
FUTURE	CONDITIONAL		PRESENT	IMPERFECT
pleuvra	pleuvrait		pleuve	plût
pourrai	pourrais		puisse	pusse
pourras	pourrais		puisses	pusses
pourra	pourrait		puisse	pût
pourrons	pourrions		puissions	pussions
pourrez	pourriez		puissiez	pussiez
pourront	pourraient		puissent	pussent
prendrai	prendrais		prenne	prisse
prendras	prendrais	prends	prennes	prisses
prendra	prendrait		prenne	prît
prendrons	prendrions	prenons	prenions	prissions
prendrez	prendriez	prenez	preniez	prissiez
prendront	prendraient		prennent	prissent
recevrai	recevrais		reçoive	reçusse
recevras	recevrais	reçois	reçoives	reçusses
recevra	recevrait		reçoive	reçût
recevrons	recevrions	recevons	recevions	reçussions
recevrez	recevriez	recevez	receviez	reçussiez
recevront	recevraient		reçoivent	reçussent
répéterai	répéterais		répète	répétasse
répéteras	répéterais	répète	répètes	répétasses
répétera	répéterait		répète	répétât
répéterons	répéterions	répétons	répétions	répétassions
répéterez	répéteriez	répétez	répétiez	répétassiez
répéteront	répéteraient		répètent	répétassent
rirai	rirais		rie	risse
riras	rirais	ris	ries	risses
rira	rirait		rie	rît
rirons	ririons	rions	riions	rissions
rirez	ririez	riez	riiez	rissiez
riront	riraient		rient	rissent

	PRESENT	IMPERFECT	INDICATIVE PASSÉ SIMPLE
38. *savoir*			
sachant	sais	savais	sus
su	sais	savais	sus
	sait	savait	sut
	savons	savions	sûmes
	savez	saviez	sûtes
	savent	savaient	surent
39. *suivre*			
suivant	suis	suivais	suivis
suivi	suis	suivais	suivis
	suit	suivait	suivit
	suivons	suivions	suivîmes
	suivez	suiviez	suivîtes
	suivent	suivaient	suivirent
40. *tenir* [5]			
tenant	tiens	tenais	tins
tenu	tiens	tenais	tins
	tient	tenait	tint
	tenons	tenions	tînmes
	tenez	teniez	tîntes
	tiennent	tenaient	tinrent
41. *valoir* [6]			
valant	vaux	valais	valus
valu	vaux	valais	valus
	vaut	valait	valut
	valons	valions	valûmes
	valez	valiez	valûtes
	valent	valaient	valurent
42. *vivre*			
vivant	vis	vivais	vécus
vécu	vis	vivais	vécus
	vit	vivait	vécut
	vivons	vivions	vécûmes
	vivez	viviez	vécûtes
	vivent	vivaient	vécurent
43. *voir*			
voyant	vois	voyais	vis
vu	vois	voyais	vis
	voit	voyait	vit
	voyons	voyions	vîmes
	voyez	voyiez	vîtes
	voient	voyaient	virent

5. venir is like **tenir** except that in compound tenses it is conjugated with **être**.
6. The imperative forms of **valoir** are rarely used in everyday French.

FUTURE	CONDITIONAL	IMPERATIVE	SUBJUNCTIVE PRESENT	IMPERFECT
saurai	saurais		sache	susse
sauras	saurais	sache	saches	susses
saura	saurait		sache	sût
saurons	saurions	sachons	sachions	sussions
saurez	sauriez	sachez	sachiez	sussiez
sauront	sauraient		sachent	sussent
suivrai	suivrais		suive	suivisse
suivras	suivrais	suis	suives	suivisses
suivra	suivrait		suive	suivît
suivrons	suivrions	suivons	suivions	suivissions
suivrez	suivriez	suivez	suiviez	suivissiez
suivront	suivraient		suivent	suivissent
tiendrai	tiendrais		tienne	tinsse
tiendras	tiendrais	tiens	tiennes	tinsses
tiendra	tiendrait		tienne	tînt
tiendrons	tiendrions	tenons	tenions	tinssions
tiendrez	tiendriez	tenez	teniez	tinssiez
tiendront	tiendraient		tiennent	tinssent
vaudrai	vaudrais		vaille	valusse
vaudras	vaudrais	vaux [6]	vailles	valusses
vaudra	vaudrait		vaille	valût
vaudrons	vaudrions	valons	valions	valussions
vaudrez	vaudriez	valez	valiez	valussiez
vaudront	vaudraient		vaillent	valussent
vivrai	vivrais		vive	vécusse
vivras	vivrais	vis	vives	vécusses
vivra	vivrait		vive	vécût
vivrons	vivrions	vivons	vivions	vécussions
vivrez	vivriez	vivez	viviez	vécussiez
vivront	vivraient		vivent	vécussent
verrai	verrais		voie	visse
verras	verrais	vois	voies	visses
verra	verrait		voie	vît
verrons	verrions	voyons	voyions	vissions
verrez	verriez	voyez	voyiez	vissiez
verront	verraient		voient	vissent

| | | | INDICATIVE |
	PRESENT	IMPERFECT	PASSÉ SIMPLE
44. *vouloir*			
voulant	veux	voulais	voulus
voulu	veux	voulais	voulus
	veut	voulait	voulut
	voulons	voulions	voulûmes
	voulez	vouliez	voulûtes
	veulent	voulaient	voulurent

FUTURE	CONDITIONAL	IMPERATIVE	SUBJUNCTIVE PRESENT	IMPERFECT
voudrai	voudrais		veuille	voulusse
voudras	voudrais	veuille [7]	veuilles	voulusses
voudra	voudrait		veuille	voulût
voudrons	voudrions	veuillons	voulions	voulussions
voudrez	voudriez	veuillez	vouliez	voulussiez
voudront	voudraient		veuillent	voulussent

7. **vouloir** has two sets of imperative forms: **veux, voulons, voulez** and **veuille, veuillons, veuillez.** The only commonly used form is **veuillez,** followed by the infinitive, to formulate polite requests.

ENGLISH EQUIVALENTS OF FRENCH TENSES

Infinitive	parler	(to) speak
Present Participle	parlant	speaking
Past Participle	parlé	spoken
Perfect Participle	ayant parlé	having spoken
Perfect Infinitive	avoir parlé	(to) have spoken
Imperative	parle	speak! (*fam.*)
	parlons!	let's speak!
	parlez!	speak!
Present Indic.	il parle	he speaks (is speaking, does speak)
Imperfect Indic.	il parlait	he was speaking (used to speak, spoke)
Passé Simple	il parla	he spoke (*literary, narrative, historical, written tense*)
Future	il parlera	he will speak
Conditional	il parlerait	he would (may, might) speak
Passé Composé	il a parlé	he spoke (has spoken, did speak)
Pluperfect Indic.	il avait parlé	he had spoken
Passé Antérieur	il eut parlé	he had spoken
Future Perfect	il aura parlé	he will have spoken
Conditional Perfect	il aurait parlé	he would have spoken

(The meanings of the subjunctive forms depend on the context, especially the content of the main clause.)

VERBS AND PREPOSITIONS

Verbs requiring no preposition, à, or de
before persons, things, and infinitives.

VERB	PERSON	THING	INFINITIVE
accepter	none	none	de
agir (s'agir)	de	de	de
aider	none	none	à
aimer	none	none	(à)
aller	—	à	none
s'amuser	—	—	à
apprendre	à	none	à
s'arrêter	—	à	de (à)
arriver	—	à	à
avoir	none	none	à
cesser	—	none	de
chercher	none	none	à
choisir	none	none	de
commander	à	none	de
commencer	—	none	à
continuer	—	none	à (de)
craindre	none	none	de
décider	none	none	de (à)
déclarer	à	none	none
demander	à	none	de (à)
se dépêcher	—	—	de
devoir	à	none	none
dire	à	none	de
douter	de	de	de
écouter	none	none	none
écrire	à	none	de
empêcher	none	none	de
entendre	none	none	none
envoyer	none (à)	none (à)	none
espérer	—	none	none

VERB	PERSON	THING	INFINITIVE
éviter	none	none	de
faire	à	none	none
falloir	à	none	none
finir	—	none	de (par)
gagner	none	none	à
s'intéresser	à	à	à
inviter	none	à	à
laisser	à (none)	none	none
manquer	none	de	de
s'occuper	de	de	de (à)
offrir	à	none	de
oublier	none	none	de
passer	none (à)	none	à
penser	à (de)	à (de)	none (à)
perdre	none	none	à
permettre	à	none	de
pouvoir	—	none	none
promettre	à	none	de
se rappeler	none	none	de
regarder	none	none	none
regretter	none	none	de
remercier	none	de	de
réussir	—	none (à)	à
rire	de	de	de
savoir	—	none	none
souffrir	—	de	de
se souvenir	de	de	de
tarder	—	—	à
téléphoner	à	none	de
travailler	—	—	à
valoir mieux	—	—	none
voir	none	none	none
vouloir	none	none	none

CLASSIFIED VOCABULARY

Words of common interest and usefulness are listed in the following pages under these categories:

These lists are limited to selected items and exclude most of those to be found in the text. French words borrowed from English are in single 'quotes.' Some repetition is inevitable.

Ailments les Maladies

ache douleur f., mal m.
appendicitis appendicite f.
cancer cancer m.
cold rhume m.
epidemic épidémie f.
heart attack attaque cardiaque f.
hernia hernie f.
influenza grippe f.
insomnia insomnie f.
mumps oreillons m.
pneumonia pneumonie f.

polio poliomyélite f.
sinusitis sinusite f.
smallpox petite vérole f.
sprain entorse f., foulure f.
stomach ache mal à l'estomac m.
stroke coup de sang m.
tonsillitis amygdalite f.
toothache mal aux dents m.
tuberculosis tuberculose f.
ulcer ulcère m.

Animals les Animaux

bear ours *m.*
beaver castor *m.*
buffalo bison *m.*
bull taureau *m.*
camel chameau *m.*
calf veau *m.*
cow vache *f.*
deer cerf *m.*
dog chien *m.*
donkey âne *m.*
elephant éléphant *m.*
fox renard *m.*
goat chèvre *f.*
horse cheval *m.*

lion lion *m.*
monkey singe *m.*
mouse souris *f.*
ox bœuf *m.*
pig cochon *m.*
rabbit lapin *m.*
rat rat *m.*
sheep mouton *m.*
skunk putois *m.*
squirrel écureuil *m.*
tiger tigre *m.*
whale baleine *f.*
wolf loup *m.*
zebra zèbre *m.*

Atomic Energy l'Energie Atomique

atom atome *m.*
atomic atomique
blast souffle *m.*
chain reaction réaction en chaîne *f.*
electron électron *m.*
fallout retombée *f.*
neutron neutron *m.*

nucleus noyau *m.*
proton proton *m.*
radiation radiation *f.*
radioactivity radioactivité *f.*
reactor réacteur *m.*
test essai *m.*
uranium uranium *m.*

Automobile l'Automobile

battery batterie *f.*
body carrosserie *f.*
brake frein *m.*
bumper pare-choc *m.*
gearshift changement de vitesse *m.*
grease graisse *f.*
headlight phare *m.*
hood capot *m.*
horn corne *f.*, klaxon *m.*
lubricate lubrifier
motor moteur *m.*
oil huile *f.*
radiator radiateur *m.*

seat siège *m.*
  back — -arrière
  front — -avant
spare tire pneu de rechange *m.*
spark plug bougie *f.*
steering wheel volant *m.*
tail light feu arrière *m.*
tire pneu *m.*
trunk coffre *m.*
wheel roue *f.*
windshield pare-brise *m.*
  — wiper essuie-glace *m.*

Birds les Oiseaux

canary canari *m.*
crow corbeau *m.*
duck canard *m.*
eagle aigle *m.*
goose oie *f.*
hawk faucon *m.*, épervier *m.*
hen poule *f.*
lark alouette *f.*
owl hibou *m.*

parrot perroquet *m.*
peacock paon *m.*
pigeon pigeon *m.*
robin rouge-gorge *m.*
rooster coq *m.*
sparrow moineau *m.*
swallow hirondelle *f.*
swan cygne *m.*
turkey dinde *f.*

Body le Corps

Head la Tête

beard **barbe** *f.*
brain **cerveau** *m.*
cheek **joue** *f.*
chin **menton** *m.*
ear **oreille** *f.*
face **figure** *f.*, **visage** *m.*
forehead **front** *m.*
hair **cheveux** *m.*
jaw **mâchoire** *f.*

lip **lèvre** *f.*
mouth **bouche** *f.*
moustache **moustache** *f.*
neck **cou** *m.*
nose **nez** *m.*
throat **gorge** *f.*
tongue **langue** *f.*
tooth **dent** *f.*

Trunk le Tronc

back **dos** *m.*
belly **ventre** *m.*
chest **poitrine** *f.*
heart **cœur** *m.*
kidney **rein** *m.*

liver **foie** *m.*
lung **poumon** *m.*
rib **côte** *f.*
shoulder **épaule** *f.*
stomach **estomac** *m.*

Limbs les Membres

ankle **cheville** *f.*
arm **bras** *m.*
elbow **coude** *m.*
finger **doigt** *m.*
fingernail **ongle** *m.*
foot **pied** *m.*

knee **genou** *m.*
leg **jambe** *f.*
thigh **cuisse** *f.*
thumb **pouce** *m.*
toe **orteil** *m.*
wrist **poignet** *m.*

General Général

artery **artère** *f.*
blood **sang** *m.*
blood pressure **tension artérielle** *f.*
bone **os** *m.*
figure **taille** *f.*
flesh **chair** *f.*

hair (*body*) **poil** *m.*
nerve **nerf** *m.*
pulse **pouls** *m.*
skin **peau** *f.*
vein **veine** *f.*

Actions les Actions

bathe **se baigner**
bite **mordre**
breathe **respirer**
brush **brosser**
chew **mâcher**
cough **tousser**
cry **pleurer**
kneel **s'agenouiller**
lean **se pencher**
lie down **se coucher**
lift **soulever**
lower **baisser**

pull **tirer**
push **pousser**
rub **frotter**
scratch **gratter**
shout **crier**
slap **gifler**
sneeze **éternuer**
stoop **se baisser**
strike **frapper**
whisper **chuchoter**
whistle **siffler**

Buildings les Bâtiments

apartment house immeuble *m.*
barn grange *f.*
cabin cabane *f.*
capitol capitole *m.*
chapel chapelle *f.*
city hall Hôtel de Ville *m.*
dormitory dortoir *m.*
factory usine *f.*
fire house poste de pompiers *m.*
gymnasium gymnase *m.*
jail (prison) prison *f.*

library bibliothèque *f.*
observatory observatoire *m.*
police station poste de police *m.*
post office bureau de poste *m.*
shop boutique *f.*
skating rink palais de glace *m.*
stable écurie *f.*
summer cottage villa *f.*
theater théâtre *m.*
town hall mairie *f.*

Clothing l'Habillement

apron tablier *m.*
belt ceinture *f.*
blouse blouse *f.*
boot botte *f.*
button bouton *m.*
cap casquette *f.*
coat
  formal — habit *m.*
  house— peignoir *m.*
  lady's — manteau *m.*
  man's over— pardessus *m.*
  suit — veston *m.*
collar col *m.*
dress robe *f.*
evening gown robe de soirée *f.*
girdle gaine *f.*
glove gant *m.*
handkerchief mouchoir *m.*
jacket jaquette *f.*

petticoat jupon *m.*
raincoat imperméable *m.*
rubbers caoutchoucs *m.*
scarf écharpe *f.*, foulard *m.*
shoe chaussure *f.*
shorts caleçons *m.*
skirt jupe *f.*
sleeve manche *f.*
slip combinaison *f.*
slipper pantoufle *f.*
sock chaussette *f.*
stocking bas *m.*
sweater chandail *m.*, 'pull-over' *m.*
trousers pantalons *m.*
tuxedo 'smoking' *m.*
undershirt tricot *m.*
underwear linge de corps *m.*
vest gilet *m.*
zipper fermeture éclair *f.*

Dimensions, Shapes les Dimensions, Formes

altitude altitude *f.*
centimeter centimètre *m.*
curved courbé
deep profond
depth profondeur *f.*
fat gras(se)
flat plat(te)
foot pied *m.*
gram gramme *m.*
heavy lourd
inch pouce *m.*
kilogram kilo(gramme) *m.*
narrow étroit
ounce once *f.*
pound livre *f.*

rectangular rectangulaire
round rond
short court
size dimension *f.*, taille *f.*
smooth lisse
spherical sphérique
square carré
straight droit
thick épais(se)
thickness épaisseur *f.*
thin (*person*) maigre
  (*thing*) mince
ton tonne *f.*
triangular triangulaire
weight poids *m.*

Dining à Table

bowl **bol** *m.*
fork **fourchette** *f.*
knife **couteau** *m.*
napkin **serviette** *f.*
pitcher **carafe** *f.*
plate **assiette** *f.*
platter **plat** *m.*

saucer **soucoupe** *f.*
set (table) **mettre le couvert**
(place) setting **couvert** *m.*
silverware **argenterie** *f.*
spoon **cuiller** *f.*
table cloth **nappe** *f.*

Driving Automobilisme

accident **accident** *m.*
breakdown **panne** *f.*
collision **tamponnement** *m.*
crossroads **carrefour** *m.*
curve **virage** *m.*
danger **danger** *m.*
dangerous **dangereux**
driver **chauffeur** *m.*, **chauffeuse** *f.*
fine **amende** *f.*
flat tire **plat** *m.*
forbidden (to) **défense (de)**, **interdit (de)**
highway **grande route** *f.*
hill **côte** *f.*
insurance **assurance** *f.*
license **permis de conduire** *m.*
— plate **plaque** *f.*
one way **sens unique** *m.*

parking (lot) **'parking'** *m.*
pass **doubler**
pavement **pavé** *m.*
railroad crossing **passage à niveau** *m.*
registration **immatriculation** *f.*
road map **carte routière** *f.*
sign post **poteau indicateur** *m.*
signal **signal** *m.*
speed **vitesse** *f.*
— limit — **maxima**
stop **'stop'**
straight ahead **tout droit**
traffic light **signalisateur** *m.*
turn **tourner, virer**
— left — **à gauche**
— right — **à droite**
violation **contravention** *f.*

Feelings (Moods) les Emotions (Humeurs)

anger **colère** *f.*
bitterness **amertume** *f.*
calm **calme** *m.*
cheerfulness **bonne humeur** *f.*
excited **ému**
fear **peur** *f.*
friendly **amical**
friendship **amitié** *f.*
funny **drôle, amusant**
furious **furieux**
happiness **bonheur** *m.*
un— **malheur** *m.*
hate **haine** *f.*
horror **horreur** *f.*

humor **esprit** *m.*, **humour** *m.*
indifference **indifférence** *f.*
jealousy **jalousie** *f.*
joy **joie** *f.*
love **amour** *m.*
regret **regret** *m.*
scorn **dédain** *m.*
serious **sérieux**
sorrow **tristesse** *f.*
morale **moral** *m.*
sympathy **sympathie** *f.*
terror **terreur** *f.*
wretched **misérable**

Finances les Finances

bank **banque** *f.*
— account **compte en** — *m.*
bill
hotel — **note** *f.*
for goods **facture** *f.*
paper money **billet** *m.*
restaurant — **addition** *f.*
borrow **emprunter**
buyer **acheteur** *m.*

cash (payment) **comptant**
cash a check **toucher un chèque**
change **monnaie** *f.*
charge **à crédit**
cost **coût** *m.*, **prix** *m.*
credit **crédit** *m.*
deposit **verser**
discount **rabais** *m.*
dividend **dividende** *m.*

endorse (*check*) endosser
financier financier *m.*
installment versement *m.*
lend prêter
loan prêt *m.*
money argent *m.*
— order mandat *m.*
pay payer
payment paiement *m.*
per cent pour cent
price prix *m.*
receipt reçu *m.*

rent loyer *m.*
to — louer
retail au détail
salary salaire *m.*
sale vente *f.*
save économiser
seller vendeur *m.*
stock action *f.*, valeur *f.*
— exchange bourse *f.*
tax impôt *m.*
—payer contribuable *m.*, *f.*
wholesale en gros

Flowers les Fleurs

carnation œillet *m.*
chrysanthemum chrysanthème *m.*
daisy marguerite *f.*
dandelion pissenlit *m.*
geranium géranium *m.* \
iris iris *m.*
lilac lilas *m.*

lily lis *m.*
narcissus narcisse *m.*
orchid orchidée *f.*
rose rose *f.*
tulip tulipe *f.*
violet violette *f.*

Food and Drink la Nourriture et les Boissons

Meat la Viande

bacon lard *m.*
beef bœuf *m.*
chicken poulet *m.*
chop côtelette *f.*
ham jambon *m.*
lamb agneau *m.*
liver foie *m.*

meat pie pâté *m.*
mutton mouton *m.*
pork porc *m.*
roast rôti *m.*
sausage saucisse *f.*
turkey dinde *f.*
veal veau *m.*

Fish le Poisson

clam palourde *f.*
cod morue *f.*
eel anguille *f.*
lobster homard *m.*
mackerel maquereau *m.*
oyster huître *f.*

salmon saumon *m.*
sardine sardine *f.*
snail escargot *m.*
swordfish espadon *m.*
trout truite *f.*
tuna thon *m.*

Vegetables les Légumes

artichoke artichaut *m.*
asparagus asperge *f.*
bean fève *f.*
bean (green) haricot (vert) *m.*
beet betterave *f.*
brussel sprout chou de Bruxelles *m.*
cabbage chou *m.*
carrot carotte *f.*
cauliflower chou-fleur *m.*
celery céleri *m.*
corn maïs *m.*

cucumber concombre *m.*
eggplant aubergine *f.*
leek poireau *m.*
lettuce laitue *f.*
onion oignon *m.*
pea petit pois *m.*
potato (sweet) patate *f.*
radish radis *m.*
spinach épinards *m.*
squash courge *f.*
turnip navet *m.*

Fruits les Fruits

apple pomme *f.*
apricot abricot *m.*
banana banane *f.*
cherry cerise *f.*
date datte *f.*
fig figue *f.*
grape raisin *m.*
grapefruit 'grape-fruit' *m.*
lemon citron *m.*
melon melon *m.*

olive olive *f.*
orange orange *f.*
peach pêche *f.*
pear poire *f.*
pineapple ananas *m.*
plum prune *f.*
prune pruneau *m.*
raisin raisin sec *m.*
raspberry framboise *f.*
strawberry fraise *f.*

Pastry la Pâtisserie

cake gâteau *m.*
cracker biscuit *m.*

flour farine *f.*
roll petit pain *m.*, croissant *m.*

Dessert le Dessert

custard flan *m.*
ice cream glace *f.*
   chocolate — — au chocolat
   vanilla — — à la vanille

jam confiture *f.*

Nuts les Noix

almond amande *f.*
chestnut marron *m.*

peanut cacahuète *f.*
walnut noix *f.*

Beverages les Boissons

beer bière *f.*
chocolate chocolat *m.*
cordial liqueur *f.*
cream crème *f.*
lemonade citronnade *f.*

orangeade orangeade *f.*
orange juice jus d'orange *m.*
soda water eau de seltz *f.*
tea thé *m.*
tomato juice jus de tomate *m.*

Others Divers

appetizer hors d'œuvre *m.*
cereal céréale *f.*
cheese fromage *m.*
mayonnaise mayonnaise *f.*
olive oil huile d'olive *f.*

pickle cornichon *m.*
seasoning assaisonnement *m.*
spice épice *f.*
sugar sucre *m.*
syrup sirop *m.*

Furniture les Meubles

bookcase bibliothèque *f.*
clock horloge *f.*
curtain rideau *m.*
lamp lampe *f.*
light lumière *f.*
picture tableau *m.*
radio (set) radio *f.*
shade (lamp) abat-jour *m.*

shade (window) store *m.*
shelf rayon *m.*
shelves (set) étagère *f.*
sideboard buffet *m.*
sofa divan *m.*, sofa *m.*
stool tabouret *m.*
T.V. set téléviseur *m.*

Geography la Géographie

Names identical with English are not listed. Names ending in –ia in English usually change –a to –e and are not listed unless other spelling differences are involved. * indicates masculine names. See also p. 186.

Countries Pays

Algeria Algérie
Austria Autriche
Belgium Belgique
Burma Birmanie
Chile *Chili
China Chine
Czechoslovakia Tchécoslovaquie
Denmark *Danemark
Egypt Egypte
England Angleterre
Finland Finlande
Great Britain Grande Bretagne
Greece Grèce
Greenland *Groënland
Holland Hollande
Hungary Hongrie
Iceland Islande

India Inde
Ireland Irlande
Japan *Japon
Korea Corée
Lebanon *Liban
Morocco *Maroc
Norway Norvège
Peru *Pérou
Poland Pologne
Romania Roumanie
Scotland Ecosse
Sudan *Soudan
Sweden Suède
Thailand *Taïland
Turkey Turquie
U.S.S.R. U.R.S.S.
Yugoslavia Yougoslavie

Cities Villes

Algiers Alger
Brussels Bruxelles
Cairo Le Caïre
Lisbon Lisbonne
London Londres

Montreal Montréal
Moscow Moscou
Quebec Québec
Warsaw Varsovie
Vienna Vienne

Mountains Montagnes

Alps Alpes
Andes Andes
Green Vertes
Himalayas Himalaya

Pyrenees Pyrénées
Rockies Rocheuses
Urals Urales
White Blanches

Oceans, Seas, Lakes Océans, Mers, Lacs

Antarctic Antarctique
Arctic Arctique
Baltic Baltique
Black Noire
Caribbean Caribée
Caspian Caspienne
Geneva Lac de Genève

Great Lakes Grands Lacs
Great Salt L. Grand L. Salé
Indian Indien
Mediterranean Méditerranée
Pacific Pacifique
Red Rouge

Terms Termes

bay baie *f.*
border frontière *f.*
canyon gorge *f.*
cape cap *m.*
coast côte *f.*
country(side) campagne *f.*
desert désert *m.*
forest forêt *f.*
gulf golfe *m.*
island île *f.*

isthmus isthme *m.*
landscape paysage *m.*
pass col *m.*
peak pic *m.*, sommet *m.*
peninsula péninsule *f.*
plain plaine *f.*
river (inland) rivière *f.*
river (to sea) fleuve *m.*
strait détroit *m.*
valley vallée *f.*

Holidays les Fêtes

New Year's Day le Jour de l'An
Shrove Tuesday le Mardi Gras
April 1st le premier avril
— fool! Poisson d'avril!
Lent le carême
Mid-Lent la mi-carême
Palm Sunday (le) dimanche des Rameaux
Easter Sunday (le) dimanche de Pâques

May 1st le premier mai
Labor Day (*Fr.*) la fête du travail
Mothers' Day la fête des mères
Fathers' Day la fête des pères
National Holiday la fête nationale (*Fr.* le 14 juillet)
All Saints' Day la Toussaint (1ᵉʳ nov.)
Memorial Day Le Jour des Morts (*Fr.* le 2 nov.)
Christmas Noël

House la Maison

attic grenier *m.*
basement sous-sol *m.*
ceiling plafond *m.*
cellar cave *f.*
closet placard *m.*, armoire *f.*
drawer tiroir *m.*
fence barrière *f.*, clôture *f.*

floor plancher *m.*
hall vestibule *m.*
pantry office *f.*
shelter abri *m.*
stairs escalier *m.*
terrace terrasse *f.*
wall mur *m.*

ᴜ Household le Ménage

ash tray cendrier *m.*
beater batteuse *f.*
bottle bouteille *f.*
box boîte *f.*
broom balai *m.*
coat-hanger cintre *m.*
coffee-pot cafetière *f.*
cook cuire
cooking cuisine *f.*
disinfectant désinfectant *m.*
fan ventilateur *m.*
faucet robinet *m.*
frying pan poêle *f.*
garbage can boîte à ordures *f.*
gas gaz *m.*
heating (plant) chauffage *m.*

ink encre *f.*
iron fer à repasser *m.*
kettle marmite *f.*
light lumière *f.*
— bulb ampoule *f.*
— plug prise de courant *f.*
lighting éclairage *m.*
mail-box boîte aux lettres *f.*
match allumette *f.*
meter compteur *m.*
mixer 'mixer' *m.*
needle aiguille *f.*
oven four *m.*
pail seau *m.*
pipe tuyau *m.*

polish
    floor — cire à parquet *f.*
    nail — vernis *m.*
    shoe — cirage *m.*
pots and pans batterie de cuisine *f.*
rag torchon *m.*
refrigerator réfrigérateur *m.*
running water eau courante *f.*
saucepan casserole *f.*
scales balances *f.*
sewing machine machine à coudre *f.*
shower douche *f.*
sink évier *m.*
soap savon *m.*
sponge éponge *f.*
stove poêle *m.*

switch commutateur *m.*
teapot théière *f.*
thread fil *m.*
toilet cabinet *m.*
towel serviette *f.*
    bath — — éponge *f.*
    hand — essuie-main *m.*
tub baignoire *f.*
typewriter machine à écrire *f.*
vacuum cleaner aspirateur *m.*
wash basin cuvette *f.*
washer (automatic) laveuse *f.*
washing blanchissage *m.*
waste basket corbeille *f.*
wax paper papier ciré *m.*

Insects Insectes

ant fourmi *f.*
bedbug punaise *f.*
bee abeille *f.*
butterfly papillon *m.*
caterpillar chenille *f.*
cockroach cafard *m.*
flea puce *f.*

fly mouche *f.*
grasshopper sauterelle *f.*
moth mite *f.*
mosquito moustique *m.*
spider araignée *f.*
wasp guêpe *f.*

Knowledge la Science

aeronautics aéronautique *f.*
algebra algèbre *f.*
arithmetic arithmétique *f.*
astronautics astronautique *f.*
astrophysics astrophysique *f.*
biochemistry biochimie *f.*
biology biologie *f.*
botany botanie *f.*
calculus calcul *m.*
chemistry chimie *f.*
economics économie politique *f.*
electronics électronique *f.*
engineering génie *m.*
geology géologie *f.*

geometry géométrie *f.*
law droit *m.*
literature littérature *f.*
mathematics mathématiques *f. pl.*
medicine médecine *f.*
painting peinture *f.*
philosophy philosophie *f.*
physics physique *f.*
physiology physiologie *f.*
psychology psychologie *f.*
science science *f.*
theology théologie *f.*
trigonometry trigonométrie *f.*
zoology zoologie *f.*

Laboratory le Laboratoire

analysis analyse *f.*
boil bouillir
chemical chimique
classify classifier
cool (off) refroidir
discovery découverte *f.*
element élément *m.*
experiment expérience *f.*
graph graphique *m.*
heat chauffer
hydrogen hydrogène *m.*
invention invention *f.*
measure mesurer

microbe microbe *m.*
microscope microscope *m.*
oxygen oxygène *m.*
pressure pression *f.*
research recherches *f.*
resistance résistance *f.*
scales balances *f.*
scientist savant *m.*
slide plaque *f.*
synthesis synthèse *f.*
test tube éprouvette *f.*
thermometer thermomètre *m.*
vacuum vide *m.*

Life la Vie

adolescence **adolescence** *f.*
baby **bébé** *m.*
birth **naissance** *f.*
— certificate **acte de naissance** *m.*
—day **anniversaire** *m.*
childhood **enfance** *f.*
christening **baptème** *m.*
confirmation **confirmation** *f.*
death **mort** *f.*
divorce **divorce** *m.*
engaged (person) **fiancé(e)**

engagement **fiançailles** *f.*
female **femelle**
funeral **funérailles** *f.*, **enterrement** *m.*
get married **se marier**
honeymoon **lune de miel** *f.*
male **mâle** *m.*
marriage **mariage** *m.*
marry **épouser**
old age **vieillesse** *f.*
wedding **noce(s)** *f.*
youth **jeunesse** *f.*

Materials les Matières

aluminum **aluminium** *m.*
brick **brique** *f.*
cement **ciment** *m.*
cloth **toile** *f.*, **tissu** *m.*
copper **cuivre** *m.*
cotton **coton** *m.*
diamond **diamant** *m.*
glass **verre** *m.*
gold **or** *m.*
granite **granit** *m.*
gravel **gravier** *m.*
iron **fer** *m.*
lead **plomb** *m.*
leather **cuir** *m.*
linen **toile** *f.*

linoleum **linoléum** *m.*
marble **marbre** *m.*
metal **métal** *m.*
nylon **nylon** *m.*
plastic **plastique** *m.*
porcelain **porcelaine** *f.*
sand **sable** *m.*
steel **acier** *m.*
silk **soie** *f.*
silver **argent** *m.*
stone **pierre** *f.*
tile **carreau** *m.*
tin **fer-blanc** *m.*
wood **bois** *m.*
wool **laine** *f.*

Mathematics les Mathématiques

add **additionner**
addition **addition** *f.*
angle **angle** *m.*
axiom **axiome** *m.*
calculate **calculer**
circle **cercle** *m.*
circumference **circonférence** *f.*
cone **cône** *m.*
cubic **cubique**
curve **courbe** *f.*
diameter **diamètre** *m.*
divide **diviser**
dividers **compas** *m.*
division **division** *f.*
figure (*no.*) **chiffre** *m.*
formula **formule** *f.*
increase **augmenter**
lessen **diminuer**
multiplication **multiplication** *f.*

multiply **multiplier**
product **produit** *m.*
quotient **quotient** *m.*
radius **rayon** *m.*
rectangle **rectangle** *m.*
remainder **reste** *m.*
result **résultat** *m.*
ruler **règle** *f.*
slide rule **règle à calcul** *f.*
sphere **sphère** *f.*
square root **racine carrée** *f.*
subtract **soustraire**
subtraction **soustraction** *f.*
sum **somme** *f.*
tangent **tangente** *f.*
theorem **théorème** *m.*
triangle **triangle** *m.*
T-square **équerre** *f.*
volume **volume** *m.*

Military **Militaire**

admiral **amiral** *m.*
air force **armée de l'air** *f.*
armored division **division blindée** *f.*
army **armée** *f.*
artillery **artillerie** *f.*
attack **attaque** *f.*
aviator **aviator** *m.*, **pilote** *m.*
battle **bataille** *f.*
bomb **bombe** *f.*
　atomic — **— atomique** *f.*
bullet **balle** *f.*
campaign **campagne** *f.*
cannon **canon** *m.*
carrier **porte-avions** *m.*
defeat **défaite** *f.*
defend **défendre**
destroyer **escorteur** *m.*
duty **service** *m.*
　active — **— actif**
　on — **de —**
enlist **s'engager**
fight **se battre**
fire **tirer**
fleet **flotte** *f.*
general **général** *m.*

invasion **invasion** *f.*
jet plane **avion à réaction** *m.*
leave **permission** *f.*
machine gun **mitrailleuse** *f.*
marine **fusilier marin** *m.*
navy **marine** *f.*
parade **défilé** *m.*
paratrooper **para** *m.*
peace **paix** *f.*
regulations **règlement** *m.*
reservist **réserviste** *m.*
rifle **fusil** *m.*
sailor **matelot** *m.*
shell **obus** *m.*
soldier **soldat** *m.*
strategy **stratégie** *f.*
submarine **soumarin** *m.*
supplies **ravitaillement** *m.*
tactics **tactique** *f.*
tank **char (de combat)** *m.*, '**tank**' *m.*
torpedo **torpille** *f.*
truce **trève** *f.*
uniform **uniforme** *m.*
warship **navire de guerre** *m.*
weapon **arme** *f.*

Music **la Musique**

accordion **accordéon** *m.*
band **musique** *f.*
choir **chœur** *m.*
composer **compositeur** *m.*
concert **concert** *m.*
conductor **chef d'orchestre** *m.*
drum **tambour** *m.*
encore! **bravo!**
guitar **guitare** *f.*
instrument **instrument** *m.*
musical comedy **opérette** *f.*
musician **musicien** *m.*
opera **opéra** *f.*
orchestra **orchestre** *m.*
organ **orgue** *m.*, **orgues** *f.*

pianist **pianiste** *m.*, *f.*
piece **morceau** *m.*
player **joueur** *m.*
program **programme** *m.*
record **disque** *m.*
　— player **phonographe** *m.*
singer **chanteur** *m.*, **chanteuse** *f.*
soloist **soliste** *m.*, *f.*
symphony **symphonie** *f.*
tape **bande** *f.*
　— recorder **magnétophone** *m.*
trumpet **trompette** *f.*
violin **violon** *m.*
violinist **violoniste** *m.*, *f.*

Names **les Noms**

French names identical with English are not listed.

Boys **Garçons**

Andrew **André**
Anthony **Antoine**
Edmund **Edmond**
Edward **Edouard**
Emil **Emile**

Girls **Filles**

Agnes **Agnès**
Amelia **Amélie**
Ann(e) **Anne**
Beatrice **Béatrice**
Bertha **Berthe**

Eugene Eugène
Francis, Frank François
George Georges
Henry Henri
James Jacques
John Jean
Lawrence Laurent
Leon Léon
Michael Michel
Peter Pierre
Philip Philippe
Ralph Raoul
William Guillaume

Blanch(e) Blanche
Bridget Brigitte
Cecilia Cécile
Clara Claire
Diana Diane
Emily Emilie
Frances Françoise
Genevieve Geneviève
Helen Hélène
Jane, Jean, Joan Jeanne
Josephine Joséphine
Juliet Juliette
Lucy Lucie
Mary Marie
Margaret Marguerite
Martha Marthe
Susan Suzanne
Theresa Thérèse
Virginia Virginie
Vivian Vivienne

Natural Phenomena Phénomènes de la Nature

blow souffler
climate climat *m.*
dew rosée *f.*
dry sec, sèche
earthquake tremblement de terre *m.*
falls chute *f.*
flood inondation *f.*
fog brouillard *m.*
frost givre *m.*
hail grêle *f.*
heat chaleur *f.*
humid humide
humidity humidité *f.*
hurricane ouragan *m.*
ice glace *f.*
lightning foudre *f.*

melt fondre
mist brume *f.*
moon lune *f.*
shine briller
sleet grésil *m.*
snow neige *f.*
star étoile *f.*
sun soleil *m.*
thunder tonnerre *m.*
tidal wave raz de marée *m.*
tide marée *f.*
tornado tornade *f.*
typhoon typhon *m.*
warm tiède
volcano volcan *m.*

Personal Accessories les Accessoires

bandage pansement *m.*
briefcase serviette *f.*
brush brosse *f.*
  shoe — — à chaussures
  tooth — — à dents
  shaving — blaireau *m.*
cane canne *f.*
chewing gum 'chewing gum' *m.*
cigar cigare *m.*
cigarette cigarette *f.*
cold cream crème de beauté *f.*
comb peigne *m.*
compact pochette *f.*

glasses lunettes *f.*
handbag sac à main *m.*
jacknife canif *m.*
lipstick rouge *m.*
lotion eau de toilette *f.*
lighter briquet *m.*
nail file lime à ongles *f.*
perfume parfum *m.*
pill pilule *f.*
pipe pipe *f.*
powder poudre *f.*
  — puff houpette *f.*
purse bourse *f.*

razor **rasoir** *m.*
— blade **lame de —** *f.*
shaving cream **crème à raser** *f.*
shoe lace **lacet** *m.*
— polish **cirage** *m.*
tissue **papier hygiénique** *m.*
tobacco **tabac** *m.*

toothpaste **pâte dentifrice** *f.*
trunk **malle** *f.*
umbrella **parapluie** *m.*
wallet **portefeuille** *m.*
watch **montre** *f.*
wrist — **—-bracelet**

Physical Handicaps les Défauts Physiques

blind **aveugle**
crippled **estropié**
deaf **sourd**
hunchbacked **bossu**
lame **boiteux**

mute **muet**
one-armed **manchot**
one-eyed **borgne**
paralyzed **paralysé**

Professions and Trades Professions et Métiers

agent **agent** *m.*
barber **coiffeur** *m.*
banker **banquier** *m.*
businessman **homme d'affaires** *m.*
butcher **boucher** *m.*
carpenter **menuisier** *m.*
clerk **employé(e)**
dentist **dentiste** *m.*
electrician **électricien** *m.*
employer, boss **patron** *m.*
grocer **épicier** *m.*
innkeeper **aubergiste** *m.*
lawyer **avocat** *m.*
maid **bonne** *f.*
manager **gérant** *m.*
manufacturer **fabricant** *m.*

mechanic **mécanicien** *m.*
nurse **infirmière** *f.*
painter **peintre** *m.*
plumber **plombier** *m.*
salesman **vendeur** *m.*
traveling — **représentant de commerce** *m.*
saleswoman **vendeuse** *f.*
shoemaker **cordonnier** *m.*
stenographer (typist) **dactylo** *f.*
tailor **tailleur** *m.*
teacher **instituteur** *m.*, **institutrice** *f.*
waiter **garçon**
watchmaker **horloger** *m.*
workman **ouvrier**
skilled — **artisan** *m.*

Qualities les Qualités

agreeable **agréable**
dis— **désagréable**
amusing **amusant, drôle, comique**
bad **mauvais, méchant**
boastful **vantard**
brave **courageux**
cowardly **lâche**
generous **généreux**
hard-working **travailleur**
haughty **hautain**
honest **honnête**
dis— **malhonnête**
intelligent **intelligent**

lazy **paresseux**
mean **ignoble**
nice **gentil(le)**
proud **fier, fière**
selfish **égoïste**
shrewd **malin, maligne**
sincere **sincère**
stingy **avare**
strange **étrange**
stupid **stupide, bête**
thrifty **économe**
ugly **laid**

Reading la Lecture

author auteur *m.*
ad réclame *f.*
  want — petite annonce *f.*
article article *m.*
catalog catalogue *m.*
chapter chapitre *m.*
edition édition *f.*
editor rédacteur *m.*
essay essai *m.*
headline en-tête *m.*
interview 'interview' *m.*
issue numéro *m.*
journalist journaliste *m.*
library bibliothèque *f.*
magazine revue *f.*
novel roman *m.*
novelist romancier *m.*

play pièce *f.*
  —wright dramaturge *m.*
poem poème *m.*
poet poète *m.*
preface préface *f.*
printing (art of) imprimerie *f.*
prose prose *f.*
publicity publicité *f.*
publisher éditeur *m.*
reader lecteur *m.*
reporter 'reporter' *m.*
short story conte *m.*
table of contents table des matières *f.*
title titre *m.*
verse vers *m.*
volume tome *m.*
writer écrivain *m.*

Recreation les Divertissements

basketball 'basketball' *m.*
boating canotage *m.*
bowling jeu de boules (américain) *m.*
boxing boxe *f.*
bridge 'bridge' *m.*
camping 'camping' *m.*
cards cartes *f.*
chess échecs *m.*
cycling cyclisme *m.*
dancing danse *f.*
fencing escrime *f.*
fishing pêche *f.*
fly voler
gymnastics gymnastique *f.*
hiking marche à pied *f.*

hockey 'hockey' *m.*
mountain climbing alpinisme *m.*
photography photographie *f.*
picnic pique-nique *m.*
reading lecture *f.*
race course *f.*
ride (horseback) aller à cheval
rugby 'rugby' *m.*
sail faire de la voile
skate patiner
ski faire du ski
soccer football *m.*
sports 'sports' *m.*
track athlétisme *m.*
wrestling lutte *f.*

Relatives les Parents

ancestor ancêtre *m.*
aunt tante *f.*
brother-in-law beau-frère *m.*
cousin cousin(e) *m., f.*
descendant descendant *m.*
father-in-law beau-père *m.*
godfather parrain *m.*
godmother marraine *f.*
granddaughter petite-fille *f.*
grandfather grand-père *m.*

grandmother grand'mère *f.*
grandson petit-fils *m.*
mother-in-law belle-mère *f.*
nephew neveu *m.*
niece nièce *f.*
sister-in-law belle-sœur *f.*
uncle oncle *m.*
son-in-law gendre *m.*
daughter-in-law belle-fille *f.*, bru *f.*

Religion la Religion

belief, faith **foi** *f.*
Bible **Bible** *f.*
Catholic **catholique**
forgive **pardonner**
God **Dieu** *m.*
mass **messe** *f.*
pray **prier**

prayer **prière** *f.*
preacher **prédicateur** *m.*
priest **prêtre** *m.*
rabbi **rabbin** *m.*
service **office** *m.*, **service** *m.*
sin **péché** *m.*

Reptiles les Reptiles

alligator **alligator** *m.*
crocodile **crocodile** *m.*
frog **grenouille** *f.*

lizard **lézard** *m.*
snake **serpent** *m.*
toad **crapaud** *m.*

Space l'Espace

astronaut **astronaute** *m.*
atmosphere **atmosphère** *f.*
capsule **capsule** *f.*
cosmic rays **rayons cosmiques** *m.*
fuel **combustible** *m.*
gravitation **gravitation** *f.*, **pesanteur** *f.*
interplanetary travel **voyages interplané-
   taires** *m.*
jet motor **réacteur** *m.*
launch **lancer**
missile **engin** *m.*, **missile** *m.*
navigation **navigation** *f.*
nose cone **cône** *m.*
satellite **satellite** *m.*

orbit **orbite** *f.*
planet **planète** *f.*
radiation **rayonnement** *m.*
recover **repêcher**
re-entry **retour** *m.*
rocket **fusée** *f.*
shoot **lancer, tirer**
space-ship **astronef** *f.*
star **astre** *m.*
stratosphere **stratosphère** *f.*
test **essai** *m.*
thrust **poussée** *f.*
trip **trajet** *m.*

Stores and Services les Magasins et les Services

ambulance **ambulance** *f.*
bakery **pâtisserie** *f.*
beauty shop **salon de beauté** *m.*
bookstore **librairie** *f.*
cleaner **teinturier** *m.*
court **tribunal** *m.*
dairy **laiterie** *f.*
drugstore **pharmacie** *f.*
florist (shop) **fleuriste** *m.*
grocery **épicerie** *f.*
hardware store **quincaillerie** *f.*
hat shop **chapellerie** *f.*
insurance company **compagnie d'as-
   surances** *f.*
jewelry store **bijouterie** *f.*
laundry **blanchisserie** *f.*

market **marché** *m.*
   meat — **boucherie** *f.*
milliner **modiste** *f.*
optician **opticien** *m.*
power plant **centrale électrique** *f.*
publishing house **maison d'éditions** *f.*
restaurant **restaurant** *m.*
self-service **libre-service** *m.*
stationery store **papetiere** *f.*
shoe repairman **cordonnier** *m.*
tailor (shop) **tailleur** *m.*
telephone exchange **central télépho-
   nique** *m.*
telegraph office **bureau de télégraphes** *m.*
undertaker **entrepreneur de pompes
   funèbres** *m.*

Theater le Théâtre

actor acteur *m.*,
  actress actrice *f.*
applaud applaudir
audience spectateurs *m.*
balcony balcon *m.*
box-office bureau de location *m.*
box (seat) loge *f.*
cartoon dessin animé *m.*
comedy comédie *f.*
entrance entrée *f.*
exit sortie *f.*
film 'film' *m.*

intermission entr'acte *m.*
lobby foyer *m.*
movies cinéma *m.*
newsreel actualités *f.*
orchestra seat fauteuil (d'orchestre) *m.*
play pièce *f.*
show spectacle *m.*
stage scène *f.*
star vedette *f.*
tragedy tragédie *f.*
usher ouvreur *m.*, ouvreuse *f.*

Tools les Outils

ax hache *f.*
clippers sécateur *m.*
file lime *f.*
glue glu *f.*
hammer marteau *m.*
hatchet hache à main *f.*
hoe houe *f.*
ladder échelle *f.*
lawn mower tondeuse *f.*
nail clou *m.*
paintbrush pinceau *m.*
plane rabot *m.*
pliers pinces *f.*
pump pompe *f.*
rake râteau *m.*

rope corde *f.*
sandpaper papier de verre *m.*
saw scie *f.*
scissors ciseaux *m.*
screw vis *f.*
  —driver tournevis *m.*
shovel pelle *f.*
spade bêche *f.*
string ficelle *f.*
tack semence *f.*
  thumb— punaise *f.*
wheelbarrow brouette *f.*
wire fil *m.*
wrench clé anglaise *f.*

Travel les Voyages

afoot à pied
baggage bagages *m.*
canoe 'canoë' *m.*
conductor contrôleur *m.*
dining car wagon-restaurant *m.*
engineer mécanicien *m.*
expressway autoroute *f.*
guide guide *m.*
horseback à cheval
jet airliner 'jet' *m.*
locomotive locomotive *f.*
map carte *f.*
motorcycle motocyclette *f.*
network réseau *m.*
platform quai *m.*
railroad chemin de fer *m.*
  — car 'wagon' *m.*

reservation place réservée *f.*
round trip aller et retour
sleeper wagon-lits *m.*
ticket-window guichet *m.*
timetable horaire *m.*
tour excursion *f.*
trailer remorque *f.*
train train *m.*
  freight — — de marchandises
  limited — rapide *m.*
  local — omnibus *m.*
trolley 'tram(way)' *m.*
truck camion *m.*
waiting room salle d'attente *f.*

Trees les Arbres

apple **pommier** *m.*
bark **écorce** *f.*
beech **hêtre** *m.*
birch **bouleau** *m.*
bush **buisson** *m.*
cherry **cerisier** *m.*
elm **orme** *m.*
fig **figuier** *m.*
fir **sapin** *m.*
leaf **feuille** *f.*
maple **érable** *m.*
oak **chène** *m.*

olive **olivier** *m.*
orange **oranger** *m.*
palm **palmier** *m.*
peach **pêcher** *m.*
pear **poirier** *m.*
pine **pin** *m.*
poplar **peuplier** *m.*
root **racine** *f.*
sap **suc** *m.*
shrub **arbuste** *m.*
trunk **tronc** *m.*
willow **saule** *m.*

WORDS AND EXPRESSIONS IN EVERYDAY USE

(Le langage familier de tous les jours)

---

bagnole *f.* car, "crate"
se balader stroll, "knock around"
balle *f.* franc
baraque *f.* shack
bécane *f.*, vélo *m.* bike
béguin(e) *m.*, *f.* boy (girl) friend
blague *f.* joke, trick
  sans blague! no kidding!
boîte *f.* place of work, "joint"
  — de nuit night club
bouffer eat
boulot *m.* work, job
bricoler putter
bûcher work hard, "cram"
cafard "blues," "dumps"
  avoir le — "have the blues"
calé smart, well-informed
chic "swell"
  — alors! "oh boy!"
combine *f.* "deal," scheme
se débrouiller get along, "know the ropes"
en douce quietly, "on the q.t."
épater amaze, startle
éreinté exhausted, "done in"

farceur *m.* practical joker, "kidder"
fauché "broke"
filer go fast, "scram"
  — à l'anglaise take French leave
flemme *f.* laziness
  avoir la — be lazy
froussard *m.* coward
gaffe *f.* mistake, "boner"
  faire une — "pull a boner"
gosse *m.*, *f.* "kid," youngster
marre *f.:* j'en ai — "I'm fed up (with it)"
numéro *m.* "character"
pagaye *f.* disorder, "mess," confusion
rigoler laugh
  rigolo funny, "a laugh"
rouspéter "gripe," protest
salut! "Hi (there)!"
tapé crazy, "nuts"
t'en fais pas! "take it easy!," don't worry!
truc *m.* gadget, "whatsit"
type *m.* "guy," "character"
  brave type "nice guy"

FRENCH WORDS AND PHRASES FREQUENTLY USED IN ENGLISH

adieu
aide de camp *m.*
à la carte
à la mode
amateur *m.*
à propos
attaché *m.*

ballet *m.*
bâton *m.*
beau *m.*
belle *f.*
béret *m.*
billet doux *m.*
blasé
bon vivant *m.*
bouillon *m.*
bouquet *m.*
bourgeois

café *m.*
carte blanche *f.*
cause célèbre *f.*
chaise longue *f.*
chauffeur *m.*
chargé d'affaires *m.*
chef *m.*
chic *m.*
chiffon *m.*
cigarette *f.*
clairvoyant *m.*
cliché *m.*
coiffure *f.*
commandant *m.*
consommé *m.*
corsage *m.*
corvette *f.*
cuisine *f.*

débonnaire

débutante *f.*
de luxe
de rigueur
demi tasse *f.*

éclair *m.*
en garde
en masse
en route
ensemble *m.*
entre nous
entrée *f.*
épaulette *f.*
épée *f.*
esprit de corps *m.*

fait accompli *m.*
faux pas *m.*
fiancé(e) *m., f.*
filet *m.*
financier *m.*

gauche
gourmet *m.*

hors de combat

joie de vivre *f.*

laissez faire *m.*
largesse *f.*
liaison *f.*
lieutenant *m.*

maître d('hôtel) *m.*
mal de mer *m.*
massage *m.*
masseur
  masseuse
matériel *m.*

matinée *f.*
mêlée *f.*
menu *m.*
migraine *f.*

naïve
née
noblesse oblige
nom de plume *m.*

par excellence
passé
petite
plateau *m.*
première *f.*
promenade *f.*
protégé *m.*

raconteur *m.*
recherché
reconnaissance *f.*
rendez-vous *m.*
restaurant *m.*
réveille
risqué
roué *m.*
rouge *m.*
roulette *f.*
R.S.V.P.

sabotage *m.*
savoir faire *m.*
soirée *f.*
suite *f.*

table d'hôte *f.*
tête-à-tête *m.*
touché
tour *m.*

VOCABULAIRE

All items found in the main body of the text (Lessons 1–35 and reviews) are included, except proper names of people and numbers not needed to explain the French numeral system.

Verbs ending in –ir preceded by an asterisk are conjugated like **finir**.

A number in parentheses following a verb refers the student to the same number in the Verb Charts (pp. 295–315) for a similarly conjugated verb.

No English-French vocabulary is included. Consult any standard English-French, French-English dictionary.

Abbreviations used are as follows:

abbrev.	abbreviation	*lit.*	literally
adj.	adjective	*m.*	masculine
adv.	adverb	*mil.*	military
art.	article	*mod.*	modified
aux.	auxiliary	*n.*	noun
coll.	collective	*neg.*	negative
comp.	compound	*obj.*	object
cond.	conditional	*part.*	partitive
contr.	contraction	*p.p.*	past participle
def.	definite	*pluperf.*	pluperfect
dir.	direct	*pl.*	plural
f.	feminine	*pos.*	positive
fam.	familiar	*poss.*	possessive
fut.	future	*prep.*	preposition
imperf.	imperfect	*pres.*	present
ind.	indirect	*pres. p.*	present participle
indef.	indefinite	*pron.*	pronoun
indic.	indicative	*refl.*	reflexive
inf.	infinitive	*rel.*	relative
interrog.	interrogative	*sing.*	singular
intrans.	intransitive	*str.*	strong
invar.	invariable	*sub.*	subject
irreg.	irregular	*subj.*	subjunctive

à at, to, in, on, with, etc.

accepter to accept

accompagner to accompany, go with

accorder to agree

accourir (11) to run (rush) up

achat *m.* purchase; **faire des achats** make purchases

acheter (25) to buy, purchase; **acheter à** buy for

actif, active active

action *f.* action, act

adjectif *m.* adjective

adresse *f.* address

adverbe *m.* adverb

adversaire *m.* opponent

aérien, aérienne air (*adj.*), aerial; **la poste aérienne** airmail

aérogare *f.* air terminal

aéroport *m.* airport

affaires *f. pl.* business

affectueusement affectionately

affirmatif, affirmative affirmative, positive

afin de in order to

afin que in order that, so that

africain African

Afrique *f.* Africa; **Afrique du Nord** North Africa

âge *m.* age; **quel âge avez-vous?** how old are you?

âgé old, aged

agent (de police) *m.* policeman

*agir: s'agir de to be about, concern, be a question of; **de quoi s'agit-il?** what's it (all) about?

aide *f.* help, assistance; **en aide à** to the help of

aider to help; **aider Jean à trouver** help John to find

ailleurs: d'ailleurs besides, moreover

aimer to like, love; **aimer bien** be fond of

ainsi so, thus

ainsi que as well as

air *m.* air; tune, air; **avoir l'air de** seem to

aise *f.* comfort, ease; **être à son aise** be comfortable

ajouter to add

Alaska *m.* Alaska

album *m.* album

Allemagne *f.* Germany

allemand German

aller (3) to go, be going to; fit, suit; **aller à bicyclette (à pied, en auto, en avion, en bateau, en taxi, par train)** go by bicycle (on foot, by car, by plane, by boat, by cab, by train); **aller à la rencontre de** go and meet; **aller chercher** go and get; **allons-y!** let's go (to it, there)! here goes!; **aller à** be becoming to; **aller comme un gant** fit like a glove; **s'en aller** go away, leave

allô hello! (*phone*)

allumer to light, turn on the lights; **rallumer** light (up) again

alors well, then; in that case

amener (25) to bring

américain American

Amérique *f.* America; **Amérique du Nord (Sud)** North (South) America

ami, amie *m., f.* friend

amitié *f.* friendship

amusant amusing

amuser to amuse; **s'amuser (à)** have fun (doing)

an *m.* year; **avoir 16 ans** be 16 years old; **le Jour de l'An** New Year's Day; **le Nouvel An** New Year's

ancien, ancienne former, old; ancient

anglais *adj.* English; **anglais** *n.*

English (language); **Anglais** *n.* Englishman

année *f.* year (*activity*); **Bonne Année!** Happy New Year!

annoncer (8) to announce

antichambre *f.* waiting room

août *m.* August

apercevoir (35) to notice, see, glimpse

appeler (4) to name, call; **s'appeler** be named, called

appétit *m.* appetite

apporter to bring

apprendre (34) to learn; **apprendre à** learn to; **apprendre par cœur** learn by heart, memorize

approuver to approve

approximatif, approximative approximate

après after, afterwards; **après avoir lu le livre** after reading the book; **après être parti** after leaving

après-midi *m. or f.* afternoon

arbre *m.* tree

arc *m.* arch

architecture *f.* architecture

argent *m.* money, silver

aristocratique aristocratic

armée *f.* army

armoire *f.* clothes closet, wardrobe

arranger (24) to arrange, fix; **s'arranger les cheveux** fix one's hair

arrêter to stop, arrest; **s'arrêter** stop, halt

arrivant *m.* person arriving

arrivée *f.* arrival

arriver to arrive; **arriver à** arrive (at), reach

arrondissement *m.* (Paris) district or zone

art *m.* art

ascenseur *m.* elevator

asseoir (5) to seat; **s'asseoir** sit down; **être assis** be seated

assez fairly, quite, rather; **assez (de)** enough (of)

assis seated

assister à to attend, be present at

associé *m.* associate

astronaute *m.* astronaut

Atlantique *m.* Atlantic (ocean)

attaquer to attack

attendre to wait (for); **en attendant** meanwhile

**atterrir to land (*plane*)

attraper to catch

au = à + le; aux = à + les

au-dessus above, over; **au-dessus de la capitale** above (over) the capital

aujourd'hui today

aussi also, too; **aussi ... que** as ... as

aussitôt que as soon as

autant as much, as many; **autant de** as much (many) of; **autant que** as much (many) as

auto *f.* car, automobile; **en auto** by car

autobus *m.* bus

automne *m.* autumn, fall

autour de around

autre *adj.* other, different; **autre chose** anything (something) else; **un(e) autre** *pron.* another, a different one; **les uns ... les autres** some ... others

autrefois formerly

avancer (8) to advance

avant before; **avant de + *inf.*, avant que + *subj.*** before

avant dernier next to the last

avec with

avenue *f.* avenue

avion *m.* airplane; **en avion** by plane, by air

avis *m.* advice, opinion

avoir (1) to have; **avoir à** have to; **avoir ... ans** be ... years old; **quel âge avez-vous?** how old are you?; **avoir** be the matter (with); **qu'avez-vous?** what's the matter with you?; **avoir chaud** be hot, warm; **avoir faim** be hungry; **avoir froid** be cold; **avoir lieu** take place, happen; **avoir mal à** have a ... ache, hurt; **avoir mal à la tête** have a headache; **avoir soif** be thirsty; **avoir l'air de** seem to, seem like; **avoir besoin de** need, have need of; **avoir envie de** feel like, desire; **avoir honte (de)** be ashamed (of, to); **avoir l'impression de** feel as if; **avoir l'intention de** intend to; **avoir peur (de)** be afraid (of, to); **avoir raison (de)** be right (in, to); **avoir le temps (de)** have (the) time (to); **avoir tort (de)** be wrong (in, to); **il y a** there is, there are; ago

avril *m.* April

bagages *m. pl.* baggage, luggage

bain *m.* bath; **salle de bain** *f.* bathroom

balayer (30) to sweep

balle *f.* ball

ballon *m.* football

bas *m.* bottom, foot; **en bas** down, (downstairs)

bas *m.* stocking

basé sur based on

bassin *m.* basin, fountain

bataille *f.* battle, fight

bateau *m.* boat

bâtiment *m.* building

battre (6) beat, defeat

bavarder to chat

beau (bel), belle; beaux, belles beautiful, fine, handsome; **faire beau (temps)** be nice *or* pleasant (*weather*)

beaucoup much, many, a great deal; **beaucoup d'argent** much money; **beaucoup d'amis** many friends

beau-frère *m.* brother-in-law

besoin *m.* need, requirement; **avoir besoin de** need, have need of

beurre *m.* butter

bicyclette *f.* bicycle; **à bicyclette** by (on a) bicycle

bien well, very, much; good!; **eh bien!** O.K., well; **bien entendu** of course; **vouloir bien** be willing (to)

bien que although

bientôt soon; **à bientôt** see you later (soon)

bifteck *m.* (beef) steak

blanc, blanche white

blesser to hurt, wound

bleu blue; **bleu clair** light blue

blond blond, fair

blouse *f.* blouse, jacket, smock

boire (7) to drink

bon, bonne good; **à bon marché** cheap, at a bargain; **de bonne heure** early; **Bonne Année!** Happy New Year!

bonbon *m.* candy

bonjour good morning, hello, good afternoon

bonsoir good evening, hello, good night, good-bye

bord: à bord de aboard, on board

bordé de lined with

boulevard *m.* boulevard, thoroughfare

bout *m.* end; **au bout de** at the end of

branche *f.* branch

bras *m.* arm

brave good, fine, brave

Brésil *m.* Brazil

brésilien, brésilienne Brazilian

brosser to brush; se brosser les dents brush one's teeth

bruit *m.* noise

brûler to burn, be afire

brun brown; dark (haired)

bureau *m.* office

but *m.* goal

c': *contr. of* ce

ça (*contr. of* cela) that, it; c'est ça! that's it! O.K.!; ça va bien I feel fine, everything is fine; ça va mal I don't feel well, things are bad

cabine *f.* cabin, stateroom

cabinet de travail *m.* den, study

cadeau *m.* gift, present

café *m.* coffee

cahier *m.* notebook

camarade *m. or f.* comrade, mate, pal

Canada *m.* Canada; au Canada to (in) Canada

canadien, canadienne Canadian

cantique *m.* carol, hymn

capitaine *m.* captain

capitale *f.* capital (*city*)

car for, because, since, as

cardinal, cardinaux cardinal

carte *f.* map, chart

cathédrale *f.* cathedral

cause *f.* cause, reason; à cause de because of

causer to chat, talk

ce (cet), cette; ces *adj.* this, that; these, those; cette fois-ci this time; cet arbre-là that tree

ce *pron.* it, he, she, they, this, that, these, those; c'est moi it is I; ce

sont eux it is they; c'est ça! that's it!; c'est dommage! it's a pity! too bad!; ce qui, ce que what, that which; ce qu'il me faut what I need

ceci this (idea, thing)

cela (ça) that (idea, thing)

célèbre famous

célébrer (36) to celebrate

celui, celle; ceux, celles this one, that one; these, those; the one, the ones; celui-ci, *etc.* this one, etc.; the latter; celui-là, *etc.* that one, etc.; the former; celui qui (que), *etc.;* the one that, etc. celui (celle) de Jean John's; ceux (celles) de Jean John's

cent 100; cent un 101

centaine *f.* about 100, 100 or so; une centaine de about 100 (of)

centre *m.* center, middle; au centre de in the center of

cependant however

certain certain, sure

certainement certainly, surely

cesser to stop, cease; cesser de stop (doing)

chacun each (one), everyone

chaise *f.* chair

chambre *f.* room; chambre à coucher bedroom; robe de chambre bathrobe, dressing gown

champagne *m.* champagne

champignon *m.* mushroom; sauce aux champignons mushroom sauce

changé changed

changer (24) to change

chanter to sing

chapeau *m.* hat

chaque each, every; de chaque côté (de) on each side (of)

chat, chatte cat

chaud hot, warm; **avoir chaud** (*persons*), **être chaud** (*things*), **faire chaud** (*weather*) be hot, warm

chaudement warmly

chauffeur *m.* driver, chauffeur

chaussette *f.* sock

chef *m.* chief, leader; **chef-d'œuvre** masterpiece (*pl.* **chefs-d'œuvre**)

chemin de fer *m.* railroad

cheminée *f.* chimney, fireplace, mantelpiece

chemise *f.* shirt

cher, chère dear, expensive

chercher to look for, seek; **aller (venir) chercher** go (come) and get

chéri, chérie dear, darling

cheveux *m. pl.* hair (*head*); **s'arranger les cheveux** fix one's hair

chez to, at, in the home (house) of; **chez moi** at (to) my house; **chez le médecin** at (to) the doctor's; **chez nous** in our country; **faites comme chez vous** make yourself at home

*choisir to choose, select

choix *m.* choice, selection

chose *f.* thing; **quelque chose** something; **autre chose** anything (something) else

-ci: **cette fois-ci** this time; **ces jours-ci** recently

ciel *m.* sky, heaven; **gratte-ciel** skyscraper(s)

cinq five

cinquante fifty

cinquième fifth

clair clear, bright; **bleu clair** light blue; **une robe bleu clair** a light blue dress

classe *f.* class; **en classe** in (to) class

clef *f.* key; **fermer à clef** lock

cœur *m.* heart; **apprendre par cœur** memorize

coin *m.* corner; **au coin** at (on, to) the corner

collection *f.* collection

collectionner to collect

collectionneur *m.* collector

collège *m.* French secondary school (*under local administration*)

colline *f.* hill

colonie *f.* colony

combattre (6) to fight

combien how much, how many; **combien d'argent** how much money; **combien de timbres** how many stamps

commandement *m.* command

commander to command, order

comme as, like, how; **comme c'est bon!** how good it is!; **aller comme un gant** to fit like a glove

commencement *m.* beginning, start

commencer (8) to begin, start; **commencer à** begin to

comment how; **comment vous appelez-vous?** what is your name?; **comment!** what!

commode *f.* dresser, chest of drawers, bureau

compagnie *f.* company; **compagnie aérienne** airline

comparaison *f.* comparison

comparatif, comparative comparative

complet *m.* man's suit

compléter (19) to complete

composition *f.* composition, theme

comprendre (34) to understand

compte *m.* account, count; **mettez cela à mon compte** charge it (to me) compter to count

comte *m.* count (*nobleman*)

conditionnel *m.* conditional (*tense*)

conditionnel passé *m.* past conditional (*tense*)

conduire (9) to lead, take, conduct; conduire une voiture drive a car

confortable comfortable (*things*)

confrère *m.* colleague

congé *m.* holiday, leave; jour de congé day off

conjuguer to conjugate

connaissance *f.* acquaintance; faire la connaissance de make the acquaintance of, meet (*socially*)

connaître (10) to know, be acquainted with (*persons, places*)

conséquent: par conséquent consequently

considérer (19) to consider

constamment constantly

constant constant

construire (9) to build, construct

consultation *f.* appointment (*medical*)

contenir (40) to contain, hold

content glad, pleased, satisfied; content de glad to

continuer to continue; continuer à continue to, go on doing

contraste *m.* contrast

contre against; échanger ... contre exchange ... for

convenir (40) to suit, be appropriate

conversation *f.* conversation

correspondre to correspond, write

côté *m.* side; à côté nearby; à côté de beside, next to; de l'autre côté (de) on the other side (of); de chaque côté (de) on each side (of)

coucher to put to bed; se coucher go to bed, lie down; être couché be lying down; chambre à coucher bedroom

couleur *f.* color

coup *m.:* coup de téléphone telephone call; tout à coup suddenly

cour *f.* yard

courir (11) to run; en courant running, on the run

courrier *m.* mail

course *f.* errand; faire des courses go shopping, run errands

coûter to cost; cela coûte trente sous le kilo it costs 30 cents a kg.

coutume *f.* custom

couvrir (29) to cover; couvert de covered with

craindre (12) to fear; craindre de fear to; craindre que fear that

cravate *f.* necktie

crayon *m.* pencil

crèche *f.* Nativity scene, creche

croire (13) to believe, think; il croyait entendre he thought he heard

cuisine *f.* kitchen, cooking

cuisinier, cuisinière cook

d': *contr. of* de

d'abord (at) first

d'ailleurs besides, moreover

dame *f.* lady

dans in, into

date *f.* date

de *prep.* of, from; de bonne heure early; de haut high (in height); de large wide (in width); de long long (in length); de ... côté on ... side

de la (de l') *prep.* of the, from the; *part.* any, some (of the)

debout *invar.* standing, up

décembre *m.* December

décider to decide; **décider de** decide to

déclarer to declare, state

décoller to take off (*plane*)

dedans indoors, inside

dehors outdoors, outside

déjà already

déjeuner *m.* lunch; **prendre le petit déjeuner** have (take) breakfast

déjeuner to have lunch, breakfast

délicieux, délicieuse delicious, delightful

demain tomorrow

demander to ask, request; **il demande à Jean de ...** he asks John to ...; **se demander** wonder, ask oneself

demeurer to live, dwell

demi half; **une heure et demie** an hour and a half, one thirty

demi-heure *f.* half an hour

démonstratif, démonstrative demonstrative

dent *f.* tooth; **se brosser les dents** to brush one's teeth

départ *m.* departure

dépêcher: se dépêcher to hurry; **se dépêcher de** hurry to; **dépêchez-vous!** hurry up!

depuis since, for, from; **j'étudie depuis ...** I have been studying for ...; **elle lisait depuis ...** she had been reading for ...; **depuis hier** since yesterday; **depuis quand?** how long?

dernier, dernière *n.* last (one); **avant dernier** next to last (one); *adj.* last, past; **la dernière classe** the last class; **la semaine dernière** last week

derrière behind, back of; **porte de derrière** back door

des = **de** + **les** *prep.* of the, from the; *part.* any, some (of the)

dès que as soon as

descendre to go, come down (stairs); **descendre de l'autobus** get off the bus

descriptif, descriptive descriptive

dessert *m.* dessert

desservir (16) to clear the table

dessus on it, on them; **au-dessus (de)** above, over

détruire (9) to destroy

deux two

deuxième second

devant in front of; **porte de devant** front door

devenir (40) to become; **qu'est-il devenu?** what's become of him?

deviner to guess

devoir (14) to owe; **je dois** I must, I am to; **je devais** I was to, had to; **j'ai dû** I had to, must have; **je devrai** I will have to; **je devrais** I should, ought to; **j'aurais dû** I should have, ought to have

devoir *m.* homework, duty; **mes devoirs** my "lessons"

d'habitude usually

dialogue *m.* dialogue

différent different

difficile hard, difficult

dimanche *m.* Sunday; **le dimanche** (on) Sundays

dimension *f.* size, dimension

dîner *m.* dinner, main meal

dîner to have dinner, dine, eat

dire (15) to say, tell; **dire à Jean de** tell John to; **le dire à Jean** tell it to John; **vouloir dire** mean, signify; **que veut dire cela** what does that mean?

diriger (24) to direct, manage

distinguer: se distinguer to distinguish oneself

diviser to divide

dix ten

dix-huit eighteen

dix-neuf nineteen

dix-sept seventeen

docteur *m.* Doctor; bonjour, docteur! good morning, Doctor!; le docteur Duval Dr. Duval

doigt *m.* finger; montrer du doigt point to (out)

dollar *m.* dollar

domicile *m.* residence, home; à domicile at (to one's) home

dommage *m.:* c'est dommage it's a pity, too bad!

donc then, therefore, so; venez donc! come on!

donner to give; se donner rendez-vous make a date

dont of whom, of which, whose

d'ordinaire usually

dormir (16) to sleep

douter to doubt

douze twelve

dresser to raise, erect

droite *f.* right; à droite to (on) the right

du = de + le *prep.* of the, from the; *part.* any, some (of the)

eau *f.* water

échange *m.:* étudiant d'échange exchange student

échanger (24) to exchange, trade; échanger ... contre exchange ... for

échelle *f.* ladder

école *f.* school; à l'école at (to) school

écouter to listen (to); nous l'écou-tons chanter we listen to him (her) sing

écrire (17) to write

édifice *m.* building, edifice

effet *m.:* en effet sure enough, as a matter of fact, indeed

église *f.* church

eh bien! well! O.K.!

élève *m. or f.* pupil

elle she, it; her; elle-même herself, itself

elles they; them; elles-mêmes themselves

éloigner: s'éloigner to go away; s'éloigner de go away from

embrasser to kiss, hug; s'embrasser kiss, hug each other

empêcher to prevent; empêcher de prevent from

emplette *f.* purchase; faire des emplettes make purchases, go shopping

employer (18) to use, employ

emporter to take (carry) away

en *prep.* in, into, (up)on; to, by, while, of, through; en attendant meanwhile; en auto by car; en avion by plane (air); en bas down(stairs); en courant running, on the run; en effet sure enough, indeed; en face (de) opposite; en fer of iron; en haut up(stairs); en pleine mer on the high seas; en retard late; en route on the way; en vacances on vacation; en vue (de) in sight (of); (tout) en + *pres. p.* by, while etc. (doing); s'en aller go away; *pron.* some (of it, of them), from it, from them, etc.; j'en viens I come from it; qu'en pensez-vous? what do you think of it (them)?

enchanté delighted; enchanté de faire votre connaissance delighted to meet you

encore still, yet, again; another, more; encore six dollars six dollars more; encore une fois once again; ne ... pas encore not ... yet

endroit *m.* place, spot

enfant *m. or f.* child

enfin finally, at last

ensemble together

ensuite then, next, afterwards

entendre to hear; entendre parler de hear of; il croyait entendre he thought (that) he heard; bien entendu of course

enthousiaste enthusiastic

entre between, among; entre parenthèses in parentheses

entrer to enter, go in(to), come in(to); entrer dans la chambre enter the room

enveloppe *f.* envelope

envie *f.:* avoir envie de feel like (doing), desire (to)

environ about, approximately

envoyer (18) to send; renvoyer send back, return

escadrille *f.* squadron (of planes)

escalier *m.* staircase, stairs

espace *m.* space

Espagne *f.* Spain

espagnol Spanish

espérer (19) to hope

essai *m.* try, attempt

essence *f.* gasoline; faire le plein d'essence fill up with gas(oline)

est *m.* east

est-ce que? is it that? (*interrog. formula*)

et and

étage *m.* storey, floor; au premier étage on the second floor

état *m.* state

état-major *m.* staff (*mil.*)

Etats-Unis United States; aux Etats-Unis to (in) the U. S.

été *m.* summer; en été in summer (time)

éteindre (12) to extinguish, put out

étoile *f.* star; la Place de l'Etoile

étonnant surprising, amazing

étranger, étrangère *n.* foreigner; *adj.* foreign; à l'étranger abroad

être (2) to be; être à son aise be comfortable; être dommage be a pity, too bad; être de retour be back; être en train de, être occupé à be busy (doing); peut-être perhaps

étrenne *f.* (New Year's) gift

étude *f.* study; les études studies

étudiant, étudiante student; étudiant d'échange exchange student

étudier to study

Europe *f.* Europe

européen, européenne European

eux they, them; ce sont eux it is they; avec eux with them; chez eux at their house

évidemment evidently, obviously

évident evident, obvious

éviter to avoid; éviter de avoid (doing)

exact exact, precise

examen *m.* examination, test; passer un examen take an exam; réussir à un examen pass an exam

examiner to examine, inspect

excellent excellent

exclamation *f.* exclamation

exécuter to execute

exemple *m.* example; par exemple

for example; **par exemple!** you don't say!

exercice *m.* exercise, drill

expliquer to explain

exposition *f.* fair, exposition; **Exposition Universelle** World's Fair

expression *f.* expression

extérieur *m.:* **de l'extérieur** from the outside

face *f.:* **en face de** opposite, facing

fâché angry

facile easy

facilement easily

facteur *m.* mailman

faculté *f.* school (*of a university*)

faim *f.* hunger; **avoir faim** be hungry

faire (20) to do, make; **quel temps fait-il?** how's the weather?; **il fait beau (temps)** the weather is fine; **il fait mauvais (temps)** the weather is bad; **il fait chaud** it's hot (weather); **il fait froid** it's cold (weather); **faire la connaissance de** make the acquaintance of, meet; **faire des courses** go shopping, run errands; **faire des emplettes** go shopping; **faire du golf** play golf; **faire le ménage** keep house; **faire ... milles à l'heure** go ... miles an hour; **faire partie de** belong to, be a member of; **faire une partie** play a game; **faire plaisir à** please; **faire le plein de** fill up with; **faire le tour de** tour, visit, go around; **faire bon voyage** have a pleasant trip; **faire un voyage** take a trip; **faire entrer** show in; **faire savoir** inform; **faire sortir** show out; **faites comme chez vous** make yourself at home

falloir (21) to be necessary, have to; **il (le) faut** it is necessary, one must; **il faut une heure** it takes an hour; **tout ce qu'il faut** everything necessary; **il ne faut pas oublier** one must not forget

famille *f.* family; **en famille** together as a family

fatigué tired

fatiguer: se fatiguer to get tired, tire

fauteuil *m.* armchair, easy chair

favori, favorite favorite

femme *f.* woman, wife

fenêtre *f.* window; **regarder à la fenêtre** look out the window

fer *m.* iron; **en fer** (made) of iron; **chemin de fer** railroad

fermer to close, shut; **fermer à clef** lock

fête *f.* holiday, celebration

feu *m.* fire, conflagration

feuille *f.* sheet (of paper); leaf

février *m.* February

fièvre *f.* fever

fille *f.* girl, daughter; **jeune fille** young lady

fils *m.* son

fin *f.* end

final (*pl.* **finals**) final, last

fini finished, done

*finir to finish, end; **finir par comprendre** finally understand

flamme *f.* flame

fleur *f.* flower

fleuve *m.* river (*large*)

flotte *f.* fleet, navy

fois *f.* time (*occasion*); **une fois** one time, once; **une autre fois** some other time; **cette fois-ci** this time

foncé dark; **gris foncé** dark gray; **des complets gris foncé** dark gray suits

fond *m.* bottom, background; **au fond** in the background
fonder to establish, found
fontaine *f.* fountain
football *m.* football
force *f.* power, strength, force
forme *f.* form; **à la forme** in the form
formule *f.* formula
fort powerful, strong
foule *f.* crowd
fraction *f.* fraction
frais, fraîche fresh, cool; **il fait frais** the weather is cool
franc *m.* franc
français *adj.* French; **français** *n.* French (language); **Français** *n.* Frenchman; **à la française** French style; **classe de français** French class
France *f.* France; **en France** to (in) France
frère *m.* brother; **beau-frère** brother-in-law
frit fried; **pommes de terre frites** (French) fried potatoes
froid cold; **il fait froid** it's cold (weather); **j'ai froid** I am cold
fumée *f.* smoke
fumer to smoke
futur *m.* future (*tense*)
futur antérieur *m.* future perfect (*tense*)

gagner to win, earn, gain
gallon *m.* gallon
gant *m.:* **aller comme un gant** fit like a glove
garage *m.* garage; **au garage** to (in) the garage
garçon *m.* boy, waiter
garder to keep, preserve

gare *f.* railroad station
garer to park
gâteau *m.* cake
gauche *f.* left; **à gauche** to (on) the left
général (*pl.* **généraux**) *m.* general; **le général Pershing** General Pershing
gens *pl. m.* people, individuals; **les jeunes gens** young people (men)
gentil, gentille nice, kind
gentiment nicely, pleasantly
géograhhie *f.* geography
géographique geographical
glace *f.* mirror
golf *m.* golf; **faire du golf** play golf
gothique gothic
goûter *m.* snack, bite (to eat)
goûter to taste; **goûter de** taste, sample
grand big, large, tall; great; **grand magasin** department store; **grande personne** grownup; **grande école** higher institute of learning
gratte-ciel (*pl.* **gratte-ciel**) *m.* sky-scraper(s)
gris gray; **gris foncé** dark gray; **des complets gris foncé** dark gray suits
gros, grosse big, thick, fat
guère: ne ... guère scarcely, hardly, barely
guerre *f.* war

habiller: s'habiller to get dressed, dress (oneself)
habiter to live (inhabit), reside; **habiter (à) Paris** live in Paris
habitude *f.* custom, habit; **d'habitude** usually
haut high; tall; **haut de (de haut)** high (in height); **à haute voix** aloud; **en haut** up(stairs)

Havre *m.*: **le Havre** Havre

hésitant reluctant, hesitant

heure *f.* hour, time; **à l'heure** on time; **de bonne heure** early; **une demi-heure** half (an) hour; **faire ... milles à l'heure** go ... miles an hour; **tout à l'heure** soon; a little while ago; **quelle heure est-il?** what time is it?; **il est deux heures** it's two o'clock

hier *m.* yesterday

histoire *f.* history; story

historique historic(al)

hiver *m.* winter; **en hiver** in (the) winter

homme *m.* man

honte *f.* shame, disgrace; **avoir honte (de)** be ashamed (to), be ashamed (of)

hôpital (*pl.* **hôpitaux**) *m.* hospital

hôtel *m.* hotel

huit eight

huitième eighth

ici here

idée *f.* idea, thought

il he, it; **ils** they

île *f.* island

il y a there is, there are; **il y a ... que** since; ago; **il y a une heure** an hour ago

imparfait *m.* imperfect (*tense*)

impératif *m.* imperative (command) (*form*)

important important

importer: n'importe! no matter! who cares?; **qu'importe?** what does it matter?

impossible impossible

impression *f.*: **avoir l'impression (de)** to feel (as if)

incendie *m.* conflagration, fire

indicatif *m.* indicative (*mood*)

indiqué indicated

indiquer to indicate, give

indirect indirect

industrie *f.* industry, business

industriel, industrielle industrial

ingénieur *m.* engineer

installer: s'installer to get settled, settle down

intention *f.*: **avoir l'intention de** to intend to

intéressant interesting

intéresser to interest; **s'intéresser à** take an interest in, be interested in

intérieur *m.*: **à l'intérieur de** (on the) inside of

intérrogatif, intérrogative interrogative

inviter to invite; **elle invite Jean à jouer** she invites John to play

Italie *f.* Italy

italien, italienne Italian

italique *f.*: **en italique** in italics

j': ** *contr. of* **je

jamais: ne ... jamais never; **jamais** ever

janvier *m.* January

jardin *m.* garden, park

jaune yellow

je I

jeter (22) to throw, toss

jeu *m.* game, sport

jeudi *m.* Thursday; **le jeudi** (on) Thursdays

jeune young; **jeune homme (fille)** young man (lady); **jeunes gens** young people (men)

jeunesse *f.* youth; young people (*coll.*)

joli pretty

jouer to play; **jouer au tennis** play tennis; **jouer du piano** play the piano

jouet *m.* toy

joueur, joueuse player (*games*)

jour *m.* day (time); **ces jours-ci** recently; **ces jours-là** (in) those days; **le Jour de l'An** New Year's Day

journal (*pl.* **journaux**) *m.* newspaper

journée *f.* day (*activity*)

joyeux, joyeuse: Joyeux Noël! Merry Christmas!

juillet *m.* July

juin *m.* June

jupe *f.* skirt

kilomètre (*abbrev.* **km.**) *m.* kilometer (3,289.8 ft.)

l': *contr. of* **le, la**

la *f. def. art.* the; *f. dir. obj.* her, it

là there

-là: ces gens-là those people; **celui-là** that one

laisser to let, allow; leave (behind); **il me laisse partir** he lets me go; **laisser tomber** drop (let fall); **j'ai laissé l'auto au garage** I left the car in the garage

lait *m.* milk

langue *f.* language, tongue

large wide, broad; **large de** wide

laver to wash; **laver la vaisselle** wash the dishes; **se laver** wash (oneself); **se laver les mains** wash one's hands

le *m. def. art.* the; *m. dir. obj.* him, it

leçon *f.* lesson; **leçon de français** French lessson

lecture *f.* reading

légume *m.* vegetable; **soupe aux légumes** vegetable soup

lendemain *m.* next day, day after; **le lendemain matin** the next morning

lentement slowly

lequel, laquelle which (one); **lesquels, lesquelles** which (ones); **auquel** to (at) which (one); **duquel** of (from) which (one)

les *pl. def. art.* the; *dir. obj.* them

lettre *f.* letter; **lettres et sciences** arts and sciences

leur *poss. adj.* their; **leur** *ind. obj.* (to) them; *pron.* **le leur, la leur, les leurs** theirs

lever (25) to raise, lift; **se lever** rise, get (oneself) up

liaison *f.* linking, liaison

liberté *f.* freedom, liberty

libre free, rid

lieu: avoir lieu to take place, happen; **au lieu de** instead of

ligne *f.* line

lire (23) to read

liste *f.* list

lit *m.* bed; **au lit** in bed

livre *m.* book; **à livre ouvert** with open book(s)

livrer to deliver

local, locaux local, home (*adj.*)

loin far, distant; **au loin** far off, in the distance; **plus loin** farther on

l'on = on

long, longue long; **de long** long (in length); **long(ue) de long** (in length); **le long de** along

longtemps a long time

lueur *f.* glow, gleam

lui *ind. obj.* (to) him, it; *str. pron.* him, he; **lui-même** himself

lumière *f.* light; **ville-lumière** city of light

lundi *m.* Monday; **le lundi** (on) Mondays

lycée *m.* secondary school (*under govt. control*)

m': *contr. of* **me**

ma *f.* my

madame *f.* (*pl.* **mesdames**) Mrs., madam

mademoiselle *f.* (*pl.* **mesdemoïselles**) Miss

magasin *m.* store, shop; **grand magasin** department store

mai *m.* May

main *f.* hand; **à la main** in one's hand; **mettre la main sur** put (get) one's hands on, touch; **serrer la main à** shake hands (with)

maintenant now

mais but; **mais oui** why yes; **mais non!** no indeed!

maison *f.* house, home; **à la maison** (at) home

mal *n. m.* pain, ache; **avoir mal à la tête** have a headache; **avoir le mal de mer** be seasick; *adv.* badly; **ça va mal** I don't feel well, things are bad; **pas mal** not bad

malade *n. m. or f.* patient, sick person; *adj.* sick, ill

maladie *f.* sickness, illness, disease

malheureusement unfortunately, unhappily

maman *f.* mama, "ma"

Manche *f.* English Channel

manger (24) to eat

marché *m.* market; (à) **bon marché** (at) a bargain, cheap, inexpensive

marcher (*aux.* **avoir**) to walk, march

mardi *m.* Tuesday; **le mardi** (on) Tuesdays

mari *m.* husband

marmelade *f.* marmalade

marquer to score, mark

marquis *m.* marquis (*nobleman*)

mars *m.* March

masculin masculine

match *m.* game, match; **match de football** (big) football game; **faire match nul** play a tie game

matin *m.* morning; **le matin** in the morning; **sept heures du matin** seven o'clock in the morning, seven A.M.

matinée *f.* morning (*activity, descriptive*); **une belle matinée** a beautiful morning

mauvais bad, wicked

me *dir. obj. pron.* me; *ind. obj. pron.* (to) me; *refl. pron.* myself

médecin *m.* doctor, physician

meilleur *adj.* better; **le meilleur** best

membre *m.* member

même *adj.* same, very, self; *adv.* even; **la même chose** the same thing; **c'est cela même** that's the very thing; **moi-même** myself; **même s'il pleut** even if it rains; **quand même** anyway, even so; **tout de même** even so, all the same, nevertheless

ménage *m.* housework, household; **faire le ménage** keep house, do housework

mener (25) to take, convey (*persons*); lead, be ahead (*games*)

mer *f.* sea, ocean, water(s); **le mal de mer** seasickness; **en pleine mer** on the high (open) seas

merci *adv.* thank you, thanks; **merci de** thanks for

mercredi *m.* Wednesday; **le mercredi** (on) Wednesdays

mère *f.* mother; **belle-mère** mother-in-law

mes *pl.* my

mesdames *f. pl.* ladies (married)

mesdemoiselles *f. pl.* young ladies, misses

messe *f.* mass, service; **la messe de minuit** midnight mass

mètre *m.* meter (39.37 in.)

métro *m.* (Paris) subway

mettre (26) to put, place, put on; **il met son chapeau** he puts on his hat; **mettre la main sur** take hold of, catch, touch

meuble *m.* (piece of) furniture; **les meubles** the furniture

mexicain Mexican

Mexique *m.* Mexico; **au Mexique** to (in) Mexico

midi *m.* noon; **après-midi** afternoon

mien: le mien, la mienne; les miens, les miennes *poss. pron.* mine; **au mien** to mine; **du mien** of mine

mieux *adv.* better; **il vaut mieux le faire** it is better to do it; **le mieux** best; **cette robe lui va le mieux** that dress is the most becoming to her

milieu *m.* middle; **au milieu (de)** in the middle (of)

militaire military

mille *invar.* a (one) thousand

mille *m.* mile; **faire soixante milles à l'heure** do (go) sixty miles an (per) hour

millier *m.* about a thousand; **des milliers de dollars** thousands of dollars

million *m.* million; **un million d'habitants** a (one) million inhabitants

minuit *m.* midnight; **la messe de minuit** midnight mass

minute *f.* minute

mode *m.* mood; **le mode indicatif** the indicative mood

moderne modern

moi me, I; **moi-même** myself

moins less, minus; **moins âgé que** younger than; **moins de seize ans** less than sixteen (years old); **moins que lui** less than he; **moins dix** ten minutes to (of); **moins le quart** a quarter to (of); **au moins** at least

mois *m.* month; **au mois de** in the month of; **par mois** a (per) month

moitié *f.* half

moment *m.* moment, instant; **à ce moment** at that moment; **au moment où** at the moment when (that)

mon *m.* my

monde *m.* world, earth; **tout le monde** everybody; **trop de monde** too many people

mondial world (*adj.*)

monsieur *m.* (*pl.* **messieurs**) mister, sir, gentleman; *abbrev.* **M.; M. Duval** Mr. Duval

monter to go (come) up(stairs); **remonter** go (come) back up

montrer to show, exhibit; **montrer du doigt** point to (out)

monument *m.* monument, public building

mot *m.* word; **les mots en italique** italicized words

mourir (27) to die

municipal, municipaux municipal, city (*adj.*)

musée *m.* museum, gallery

n': *contr. of* ne

naître (28) to be born

national, nationaux national; fête nationale national holiday

naturellement naturally, of course

navire *m.* ship

ne not; ne ... guère scarcely, hardly; ne ... jamais never; ne ... ni ... ni neither . . . nor; ne ... pas not; ne ... pas encore not yet; ne ... personne no one, nobody; ne ... plus no more, no longer; ne ... plus que no more than; ne ... que only, not until; ne ... rien nothing

nécessaire necessary

négatif, négative *n. or adj.* negative

neiger (24) to snow

n'est-ce pas? isn't it so, don't you?, aren't they? etc.; n'est-ce pas qu'il fait beau? isn't the weather fine?; il fait beau, n'est-ce pas? it's fine (weather), isn't it?

nettoyer (18) to clean

neuf nine

neuf, neuve (brand) new

neuvième ninth

neveu *m.* nephew

ni neither; ne ... ni ... ni neither . . . nor; ni moi non plus nor I either

nièce *f.* niece

n'importe no matter, who cares?

noble noble, aristocratic

Noël *m.* Christmas; la Noël Christmas (time); le père Noël Santa Claus; Joyeux Noël! Merry Christmas!; la veille de Noël Christmas Eve

noir black, dark

nom *m.* name, noun

nombre *m.* number

nombreux, nombreuse numerous, many; de nombreuses personnes many people

non no; mais non why no, no indeed, of course not

nord *m.* north; l'Amérique du Nord North America

normal, normaux normal, standard

note *f.* note, grade, bill

notre (*pl.* nos) our

nôtre: le nôtre, la nôtre; les nôtres ours; aux nôtres to ours

nous we, (to) us, ourselves

nouveau (nouvel), nouvelle; nouveaux, nouvelles new, recent; le Nouvel An New Year's; la Nouvelle Orléans New Orleans

nouvelle *f.* (piece of) news; les nouvelles the news; de mauvaises nouvelles bad news

novembre *m.* November

nuage *m.* cloud

nuit *f.* night; la nuit at (by) night

nul, nulle no, not one; match nul tie game

numéro *m.* number (*of house, ticket, room, etc.*); numéro de téléphone telephone number

obélisque *m.* obelisk

objet *m.* object; objet direct direct object

obligé: être obligé de be obliged (required) to, have to

obtenir (40) to obtain, get, procure

occupé busy, occupied; être occupé à be busy (doing); s'occuper de take care of, be busy with

octobre *m.* October

odeur *f.* smell, odor

œil *m.* (*pl.* yeux) eye; elle a les yeux bleus she has blue eyes

œuf *m.* egg

œuvre *f.* work (of art, literature); un chef-d'œuvre masterpiece

officier *m.* officer

offrir (29) to offer

on *sub. pron.* one, we, you, they, etc.

oncle *m.* uncle; l'oncle Georges Uncle George

onze eleven

oral, oraux oral, spoken

ordinaire: d'ordinaire usually

ordinal, ordinaux ordinal

ordonnance *f.* prescription

ôter to remove, take off

ou or

où where; au moment où when, at the moment when (that)

oublier to forget; oublier de forget to

ouest *m.* west

oui yes

ouvrir (29) to open; la porte s'ouvre the door opens (is opened); à livre ouvert with open book(s)

page *f.* page

pain *m.* bread

palais *m.* palace

panoramique panoramic

pantoufle *f.* (house) slipper

papier *m.* paper

paquebot *m.* liner, steamship

par by, through; par conséquent consequently; par exemple for example; par exemple! you don't say!; par mois a (per) month

paraître (10) to appear, seem

parce que because

pardessus *m.* overcoat

parent *m.* parent, relative

parenthèse *f.* parenthesis; entre parenthèses in parentheses

parisien, parisienne Parisian; un Parisien a Parisian; la vie parisienne Paris life

parking *m.* parking place (lot)

parler to speak, talk; entendre parler de hear of

participe *m.* participle

partie *f.* game, part; faire une partie de tennis play a game of tennis; faire partie de be a part (member) of, belong to

partir (16) to leave, depart; elle est partie she (has) left; la voilà partie she's off, there she goes; partir de radiate from

partout everywhere

pas not; ne ... pas not; pas du tout not at all; pas encore not yet; pas mal! not bad!; pas si ... que not so . . . as

passager, passagère passenger

passé *m.* past (*time*); au passé in the past

passé antérieur *m.* past anterior (*tense*)

passé composé *m.* compound past (present perfect *or* preterite) (*tense*)

passé simple *m.* past definite (*tense*)

passer to pass, go by, spend (*time*); le temps passe time goes by; passer le temps à spend time at (doing); passer un examen take an exam; se passer happen; qu'est-ce qui se passe? what's going on?

passif, passive passive; voix passive passive voice

pauvre poor, unfortunate; un homme pauvre a poor (destitute) man; le pauvre homme! the poor (unfortunate) man!

payer (30) pay (for); j'ai payé l'auto mille dollars I paid $1000 for the car

pays *m.* country, countryside, nation

pendant during, while; for; **il a plu pendant deux jours** it rained for two days; **pendant qu'elle dormait** while she was sleeping

penser to think, believe; **je pense à elle** I am thinking of her; **que pensez-vous de lui?** what do you think of him?

perdre to lose

père *m.* father; **le Père Noël** Santa Claus; **beau-père** father-in-law

permettre (26) to allow, permit; **il permet à Jean de sortir** he allows John to go out; **permettez-moi de me présenter** allow me to introduce myself

personne *f.* person, individual; **une grande personne** a grown-up

personnel, personnelle personal

petit little, small; **le petit déjeuner** breakfast

petit pois *m.* (green) pea

peu *adv.* little, few; **un peu** a little (bit), a while; **un peu de** a little (bit) of; **peu de temps** little time; *n.* a little, a bit; **le peu d'argent que je gagne** the little money that I earn; **peu à peu** little by little

peur *f.* fear; **avoir peur de** be afraid of; **avoir peur que** be afraid that

peut-être perhaps, maybe; **peut-être qu'il viendra** perhaps he will come; **elle le saura, peut-être** she will find out, perhaps

pharmacien *m.* druggist, pharmacist

photographie *f.* photograph; **photo** *f.* picture, photo

phrase *f.* sentence

piano *m.* piano; **jouer du piano** play the piano

pièce *f.* room; **pièce (de théâtre)** play

pied *m.* foot; **aller à pied** go on foot, walk

pipe *f.* pipe; **fumer la pipe** smoke a pipe

place *f.* seat, place, (town) square; **prenez vos places** take your seats; **assez de place** enough room; **la Place de l'Etoile**

placer (8) to place, put

plaire (31) to please; **elle me plaît beaucoup** I like her (*lit.* she pleases me) very much

plaisir *m.* pleasure; **faire plaisir à** give pleasure to

plaît: s'il vous plaît (if you) please; R.S.V.P. (**répondez s'il vous plaît**)

plateau *m.* tray; **plateau d'argent** silver tray

plein full, filled; **plein de** full of; **en pleine mer** on the high (open) seas; **faire le plein de** fill up with

pleuvoir (32) to rain; **il pleut** it's raining

pluie *f.* rain

pluriel *m.* plural; **au pluriel** in the plural

plus more; **plus grand que** larger than; **plus de dix dollars** more than ten dollars; **plus loin** farther on; **le plus** (the) most; **la plus belle ville** the most beautiful city; **au plus** at the (ut)most; **ne ... plus** no more, no longer; **plus que vingt secondes!** only twenty seconds (left)!; **ni moi non plus** nor I either

plusieurs several; **plusieurs personnes** several persons

plus-que-parfait *m.* pluperfect (*tense*)

point *m.* point; period (*punctuation*)

pois *m.* pea; **des petits pois** green peas

poivre *m.* pepper

police *f.* police; **agent (de police)** policeman, officer (of the law)

pomme *f.* apple; **tarte aux pommes** apple pie (tart); **pomme de terre** potato

pompier *m.* fireman; **les pompiers** fire dept.; **voiture de pompiers** fire truck

pont *m.* bridge; deck (*ship*)

population *f.* population

port *m.* (sea)port

porte *f.* door, gate, entrance; **porte de derrière** back door; **porte de devant** front door

porter to carry, take, bear, wear

portrait *m.* portrait

Portugal *m.* Portugal

portuguais Portuguese

poser to put down, place; **poser une question (à)** ask a question (of)

possessif, possessive possessive

possible possible

poste *f.* mail, postal service; **timbre poste** (postage) stamp; **la poste aérienne** airmail; **bureau de poste** post office

pour for, in order to; **il faut manger pour vivre** one must eat (in order) to live; **pour que** so that, in order that

pourboire *m.* tip, gratuity

pourquoi why, what for

pouvoir (33) to be able, can, may; **peut-être** perhaps, maybe

précéder (36) to come before, precede

préféré favorite, preferred

préférer (36) to prefer

premier, première first; **premier étage** second floor

prendre (34) to take (hold of), have, catch; **prendre le petit déjeuner** have breakfast; **prendre le train** take the (a) train; **prendre les enfants** pick up the children; **prendre à** catch onto, spread to (*fire*); **être pris par** be caught in (by)

préparatifs *m. pl.* preparation; warm-up (*sports*)

préparer to prepare, make ready; **se préparer (à, pour)** get ready (to, for)

préposition *f.* preposition

près de near, next to

présent *m.* present (*tense*); **au présent** in the present

présenter to introduce, present; **permettez-moi de me présenter** allow me to introduce myself

presque almost, nearly

pressé in a hurry, pressed (for time)

prêt ready, prepared; **prêt à** ready to

printemps *m.* spring(time); **au printemps** in the spring (time)

prochain next, following; **lundi prochain** next Monday; **la semaine prochaine** next week

professeur *m.* teacher, professor

professionnel, professionnelle professional

programme *m.* program; **programme d'études** course of study, curriculum

promenade *f.* stroll, walk, ride; **faire une promenade** take a walk; **promenade en auto** (car) ride

promener (25): **se promener** to stroll, walk, go for a walk; **se promener en auto** go for a ride

promettre (26) to promise; **elle**

promet à Marie de venir she promises Mary to come (i.e. that she will come)

pronom *m.* pronoun

prononcer (8) to pronounce

propos: à propos by the way; **à propos de** speaking of, in connection with

propre own, clean; **mon propre argent** my own money; **les mains propres** clean hands

puis then, afterwards, next

puisque since, as, because

qu': *contr. of* que

quai *m.* pier, dock, platform

quand when; **depuis quand?** since when?, how long?; **n'importe quand** any time; **quand même** anyway, even so

quantité *f.* quantity

quarante forty

quart *m.* quarter, fourth (part); **un quart d'heure** a quarter of an hour; **une heure et quart** (a) quarter past one; **les trois quarts (de)** three fourths (of)

quartier *m.* district, neighborhood; **Quartier Latin** students' section (*Paris*)

quatorze fourteen

quatre four; **le quatre juillet** the Fourth of July

quatre-vingt-dix ninety

quarte-vingts eighty

quatrième fourth

que what, whom, that, which; than, as; how . . .! **afin que** so that, in order that; **à moins que** unless; **avant que** before; **bien que** although; **ce que** what, that which; **dès que, aussitôt que** as soon as;

jusqu'à ce que until; **ne ... que** only; **pour que** in order that; **que c'est bon!** how good it is!

quel, quelle; quels, quelles what, which; **quel âge avez-vous?** how old are you?; **quel temps fait-il?** how's the weather?; **quelle journée!** what a day!

quelque some, any; **quelques** a few; **il y a quelques minutes** a few minutes ago

quelque chose *invar.* something, anything; **quelque chose de bon** something good

quelquefois sometimes

quelqu'un (*pl.* **quelques-uns**) someone, somebody, anyone; **quelqu'un d'autre** someone else; **quelques-uns** a few

qu'est-ce que? what?; **qu'est-ce que c'est?** what is it?; **qu'est-ce que c'est que ça?** what's that?; **qu'est-ce que c'est que la France?** what is France?

qu'est-ce qui? what?; **qu'est-ce qui se passe?** what's going on?

question *f.* question; **poser une question (à)** ask a question (of)

qui who, whom; that, which, who(m); **ce qui** what, that which; **à qui est ce stylo?** whose pen is this?; **de qui est ce livre?** who is the author of this book?

qu'importe? what does it matter? who cares?

quinze fifteen

quitter to leave (*a place, person*); **quitter le bureau** leave the office

quoi what, which; **à quoi pensez-vous?** what are you thinking of?; **de quoi parlez-vous?** what are you talking about?; **de quoi**

s'agit-il? what's it (all) about?; **quoi?** what?

raccrocher to hang up (phone)

raconter to tell, narrate

raison *f.* reason; **avoir raison (de)** be right (to, in)

***rajeunir** to make (one) look younger

rallumer to light again, turn on the lights

rappeler (4) remind, recall; **cela me rappelle une histoire** that reminds me of a story; **rappeler à Jean de** remind John to; **se rappeler** remember, recall; **je me rappelle cela** I remember that

raquette *f.* (tennis) racket; **raquette de tennis** tennis racket

raser: se raser to shave (oneself)

rayé striped

recevoir (35) to receive, accept

reconnaître (10) to recognize

récréation *f.* amusement, recess, recreation; **cour de récréation** playground

regarder to look at, watch; **regarder à la fenêtre** look out the window

regretter to regret, be sorry

régulier, régulière regular

reine *f.* queen

remarquer to notice, observe

remarque *f.* remark, observation

remercier to thank; **remercier Marie de** thank Mary for

remettre (26) to put back, replace; give back, hand over

remonter to go (come) back up

remplacer (8) to replace, take the place of, substitute for

***remplir** to fill, fill up, fill in

remporter: remporter un succès,

une **victoire** gain (win) a success, victory

rencontre *f.* meeting, encounter; **aller à la rencontre de** go and meet; **nous allons à leur rencontre** we are going to meet them

rencontrer to meet, encounter, bump into, run across

rendez-vous *m.* date, appointment, rendezvous; **se donner rendez-vous** make a date, agree to meet

rendre to give back, return; make, render

renseignement *m.* information; **prendre des renseignements** get information, make inquiries

renseigner to inform; **se renseigner (sur)** inquire, find out (about)

rentrer to go (come) back in, return home; put back; **rentrons** let's go home; **rentrer la voiture au garage** put the car (back) in the garage

renvoyer (18) to send back, return; **renvoyer la balle** return (pass) the ball (back)

réparer to repair, fix

repartir (16) to start off again, go away again

repas *m.* meal

répéter (36) to repeat, do (say) again; **se répéter** happen again, be repeated

répondre to answer, respond; **il répond à la question** he answers the question

repos *m.* rest, tranquillity

reposer: se reposer to rest, take a rest, relax

reprendre (34) to take back, resume, take up again

représenter to represent

résidence *f.* residence

résister to resist, withstand; **résister au vent** withstand (buck) the wind

rester to stay, remain

résultat *m.* result, outcome

résumé *m.* summary, résumé

retard *m.* delay; **être en retard** be late, behind time

retour *m.* return; **être de retour** be back

retourner: **se retourner** to turn around

*réunir: **se réunir** to meet, unite, assemble, gather

*réussir to succeed; **elle a réussi à l'examen** she passed her test; **réussir à faire** succeed in doing

réveiller to awaken, wake up; **se réveiller** to wake (oneself) up

réveillon *m.* midnight supper (*Christmas*)

revenir (40) to come back (again), return

révision *f.* review

revoir (43) to see again; **au revoir** goodbye

revue *f.* magazine, periodical

rez-de-chaussée *m.* ground floor (level), first floor; **au rez-de-chaussée** on the first floor

riche rich, wealthy

rien nothing, not anything; **je ne vois rien** I see nothing; **rien ne paraît** nothing appears; **rien du tout** nothing at all; **de rien** don't mention it

rire (37) to laugh

rive *f.* (river) bank, shore; **la Rive Gauche** Left Bank (*Paris*)

robe *f.* dress, gown; **robe de chambre** bathrobe, dressing gown

roi *m.* king

roman *m.* novel

rose pink, rose

rouge red

route *f.* highway, road; **en route** on the way

roux, rousse red-haired; *n.* redhead

rue *f.* street; **Rue Durant** Durant Street

russe Russian

Russie *f.* Russia

s': *contr. of* se, si

sa *f.* his, her, its, one's

sage good, well-behaved

sain: **sain et sauf** safe and sound, unhurt

saison *f.* season

salade *f.* salad; **salade de tomates** tomato salad

salle *f.* room, hall; **salle à manger** dining room; **salle d'attente** waiting room; **salle de bain** bathroom; **salle de classe** classroom

salon *m.* living room, parlor

samedi *m.* Saturday; **le samedi** (on) Saturdays

sandwich *m.* sandwich; **sandwich au fromage** cheese sandwich

sans without; **sans le savoir** without knowing (it); **sans qu'il le sache** without his knowing (it)

satisfait satisfied, content

sauce *f.* gravy, sauce; **sauce aux champignons** mushroom sauce

sauf: **sain et sauf** safe and sound

savoir (38) to know (*fact*), know how (to); **savoir conduire** know how to drive

science *f.* science; **lettres et sciences** arts and letters

scolaire academic, school (*adj.*)

se himself, herself, itself, oneself, themselves

second second

seconde *f.* second

secrétaire *m. or f.* secretary

seize sixteen; **avoir seize ans** be sixteen (years old)

sel *m.* salt

selon according to, following

semaine *f.* week; **la fin de semaine** weekend; **la semaine passée (dernière)** last week; **la semaine prochaine** next week

sénat *m.* senate, upper house (*govt.*)

sens *m.* meaning, sense

sentir (16) to smell; feel

sept *m.* seven

septembre *m.* September

septième seventh

série *f.* series, list; **en série** in series

serrer: serrer la main à shake hands with

service *m.* service; **une station-service** service station

servir (16) to serve; **servir de** serve as; **se servir de** make use of

ses *pl.* his, her, its, one's

seul alone, only, single

seulement only; **non seulement** not only

si if, whether; as, so; yes; suppose; **si elle le savait, elle me le dirait** if she knew it, she would tell me; **pas si grand que** not as big as; **c'est si beau** it's so beautiful; **mais si!** yes indeed!; **si nous jouions?** suppose we play?

siècle *m.* century; **au seizième siècle** in the 16th century

sien: le sien, la sienne; les siens, les siennes his, hers, its, one's; **voici ma voiture; la sienne est au garage** here is my car; his (hers) is in the garage; **du sien** of his (hers, etc.)

singulier *m.* singular; **au singulier** in the singular

situation *f.* situation, condition, state

situé located, situated

six six

sixième sixth

sœur *f.* sister; **belle-sœur** sister-in-law

soi oneself

soif *f.* thirst; **avoir soif** be thirsty

soigner to take care of

soir *m.* evening; **ce soir** this evening, tonight; **hier (au) soir** last evening; **robe du soir** evening gown (dress); **à ce soir** see you this evening; **journal du soir** evening newspaper

soirée *f.* evening (*activity*); **passer la soirée** spend the evening

soixante sixty

soixante-dix seventy

soixante-douze seventy-two

soixante et onze seventy-one

soldat *m.* soldier

son *m.* his, her, its, ones

sonner to ring, strike (*clock*)

sonnerie *f.* ringing, bell

sortie *f.* departure, exit; **à la sortie** on leaving, at the door

sortir (16) to go (come) out, leave (from); **sortir de** go (come) out of; **je vais sortir ce soir** I'm going out this evening

sou *m.* sou (= 5 centimes), 'penny,' 'cent'

souffler to blow, puff

souffrir (29) to suffer, be ailing; **souffrez-vous?** are you ailing?;

de quoi souffrez-vous? what's hurting (bothering) you?

soulier *m.* shoe

soupe *f.* soup; soupe aux légumes vegetable soup; soupe à l'oignon onion soup

souper *m.* supper

sourire (37) to smile

sous under, beneath, below

souvenir *m.* memory, recollection; souvenir

souvenir (40): se souvenir to remember, recall; je me souviens de cela I remember that; je m'en souviens I remember it; je me souviens de lui I remember him

souvent often

sport *m.* sport, game; le sport sports, athletics

stade *m.* stadium

station *f.* station (*subway*); station-service service (gas) station

statue *f.* statue

stylo *m.* (fountain) pen; stylo-(à) bille ball-point pen

subjonctif *m.* subjunctive (*mood*)

succès *m.* success, victory

sud *m.* south

suggéré suggested

suggérer (19) to suggest, propose

suggestion *f.* suggestion

Suisse *f.* Switzerland

suisse Swiss

suite *f.* continuation, series; tout de suite at once, immediately

suivant following, next; à la page suivante on the next page

suivre (39) to follow; à suivre to be continued

superlatif *m.* superlative (*degree*)

superlatif, superlative superlative

supplémentaire additional, supplementary

sur on, upon

surpris surprised

surtout especially, above all

svelte slender, slim, trim (*figure*)

symbole *m.* symbol

t': *contr. of* te

ta *f.* your (*fam.*)

table *f.* table; à table at (the) table; à table! sit down (everybody)!; de table from the table

tableau *m.* painting, picture; tableau noir blackboard; au tableau at (to, on) the blackboard

tant so much; so many; tant de travail so much work; tant d'amis so many friends; tant que vous voudrez as much (many) as you wish

tard late; il est tard it is late (*time*)

tarder delay, be long; elle ne tardera pas à finir she won't be long in finishing

tarte *f.* pie, tart; tarte aux pommes apple pie

tasse *f.* cup

taxi *m.* cab, taxi; en taxi by cab

te you, to you, yourself (*fam.*)

tel, telle; tels, telles such; une telle partie such a game; un match tel que celui-ci a game such as this (one)

téléphone *m.* (tele)phone; coup de téléphone phone call

téléphoner to (tele)phone; téléphoner à phone to, call

télévision *f.* television, T.V.

température *f.* temperature

tempête *f.* storm; tempête de neige snowstorm, blizzard

temps *m.* time, weather, tense; **à temps** in time; **de temps en temps** from time to time; **faire beau temps** be nice weather; **quel temps fait-il?** how's the weather?; **à tous les temps** in all tenses

tenir (40) to hold, keep

tennis *m.* tennis; **jouer au tennis** play tennis; **raquette de tennis** tennis racket

tenue *f.* dress, costume; **en tenue de sport** dressed for sports; **en tenue de soirée** in evening dress

terminer to finish, end, terminate

terminé ended, finished

terre *f.* earth, world; **pomme de terre** potato

tes *pl.* your (*fam.*)

tête *f.* head; **avoir mal à la tête** have a headache

tien: **le tien, la tienne; les tiens, les tiennes** yours; **au tien** to yours; **des tiennes** of (from) yours

tiers *m.* third; **les deux tiers (de)** two thirds (of)

timbre *m.* stamp; **timbre-poste** (postage) stamp

toi you, yourself (*fam.*); **pour toi** for you; **lève-toi** get up; **toi-même** yourself

toit *m.* roof

tomate *f.* tomato; **salade de tomates** tomato salad

tomber to fall; **laisser tomber** drop (let fall)

ton your (*fam.*)

tort: **avoir tort** be wrong; **avoir tort (de)** be wrong (to, in)

toujours always, ever

tour *m.* turn; trip, tour; **à qui le tour?** whose turn (is it)?; **à votre tour** (it's) your turn; **faire le tour de** go around

tour *f.* tower

touriste *m. or f.* tourist, traveler

tourner to turn

tout, toute; tous, toutes *adj.* all, every, whole; **toute la famille** the whole family; **tout le monde** everybody; **tous les jours** every day; **tous les deux** both (of them); *pron.* all, everything; **tous étaient venus** all (everybody) had come; **tout est bien** all is well; **tout ce qui (que)** all that; *adv.* quite, very, entirely; **tout à coup** suddenly; **tout à fait** completely; **tout à l'heure** in a little while, a little while ago; **tout de même** even so, anyway; **tout de suite** at once; **pas du tout** not at all; **tout en** by (while) doing

traditionnel, traditionnelle traditional

traduire (9) to translate

train *m.* train; **être en train de** be busy (doing)

travail *m.* (*pl.* **travaux**) work; **au travail!** (let's get) to work!

travailler to work

travers: **à travers** through

traversée *f.* crossing

traverser to cross, pass through

treize thirteen

trente thirty

très very, very much

trois three

troisième third

trop too (much, many); **trop de travail** too much work; **il mange trop** he eats too much; **trop de monde** too many people

trottoir *m.* sidewalk

troupes *f. pl.* troops, forces (*mil.*)

trouver to find; **se trouver** be located

tu you (*fam.*)

un, une a, an, one

université *f.* university, college

uns: les uns ... les autres some... others

vacances *f. pl.* vacation; **en vacances** on vacation

vaisselle *f.* dishes; **laver (faire) la vaisselle** wash (do) the dishes

valise *f.* suitcase, bag

valoir (41) to be worth; **il vaut mieux** it is better (preferable)

vaste spacious, vast

veille *f.* eve, day (night) before; **la veille de Noël** Christmas Eve

vendeur, vendeuse salesperson

vendre to sell

venderdi *m.* Friday; **le vendredi** (on) Fridays

venir (40) to come; **venir chercher** come and get; **venir de** have just

vent *m.* wind; **faire du vent** be windy

vente *f.* sale

verbe *m.* verb

verre *m.* glass, tumbler; **verre de lait** glass of milk

vers toward, about

veston *m.* jacket, (suit) coat

vide empty

vieux (vieil), vieille; vieux, vieilles old, aged; **mon vieux** old chap (man)

ville *f.* town, city; **en ville** downtown, in town

vin *m.* wine

vingt twenty; **vingt et un** twenty-one; **vingt-deux** twenty-two

visiter to visit, call on

visiteur *m.* visitor, caller

vite quickly, fast

vitesse *f.* speed; **à toute vitesse** at full speed

vivre (42) to live, be alive; **vive le sport!** hurrah for sports!

vocabulaire *m.* vocabulary

voici here is, here are; **les voici** here they are

voilà there is, there are; **la voilà** there she is

voir to see

voisin *n. m.* neighbor; *adj.* neighboring, adjoining

voiture *f.* car, carriage, vehicle; **en voiture** by car; **en voiture!** all aboard!; **voiture de pompiers** fire truck

voix *f.* voice; **la voix passive** passive voice; **à haute voix** aloud

vos *pl.* your (*formal*)

votre (*pl.* **vos**) your (*formal*)

vôtre: le vôtre, la vôtre; les vôtres yours, your own; **du vôtre** of yours

vouloir (44) to wish, want, desire; **vouloir bien** be willing; **vouloir dire** mean, signify

vous you (*formal*), (to) you; yourself, yourselves

voyage *m.* trip, journey; **faire un voyage** take a trip; **faire bon voyage** have a pleasant (good) trip

voyager (24) to travel, journey

voyageur, voyageuse traveler

vrai true, real

vraiment really, truly

vue *f.* view, sight; slide; **en vue de** in sight of; **une belle vue** a beautiful view; **une vue de Paris** picture (slide) of Paris

y *adv.* there, here; **est-elle à l'école? oui, elle y est** is she at school?; yes she is (there); **allons-y!** let's go (there)!; *pron.* to (at, on, in, of, etc.) it, them; **pensez à cela** think about it; **oui, j'y pensera** yes, I'll think about it; **il y a** there is, there are; **il y a** ago

zéro *m.* zero, naught

INDEX

For list of abbreviations, see page 339.

à
before inf. or nouns, 317–318
contr. with **le(s)**, 39
— **le mien,** etc., 188
— **lequel,** etc., 198
meanings, uses, 39, 137
ownership, 188
rate of speed, 234
with place names, 166–167, 189
— time expressions: **heure,** 218, 234; **temps,** 218; **siècle,** 264
— verbs: **avoir,** 90; **dire,** 43; communication, 43, 72; **demander,** 39; **jouer,** 243; **parler,** 43; **passer,** 142; **penser,** 151

abbreviation
forms of address, 16
ordinal numbers, 166

accents, 8

acheter, preps. after, 198
action, contrasted with state, 217
active voice, for passive, 217
adjectival phrases, with **de,** 241
adjectives
agreement, 26
change of meaning, 31, 242
comparison, 90, 99
demonstrative, 31
gender, 26
interrog., 26
language, 189
nationality, 72–73, 186, 189
noun use, 119

number, 26
past participle, 78
plural, 23, 79
position, 31, 242
possessive, 43, 48, 53
— replaced by def. art., 83
superlative, 99
tout, 106
adverbs
comparison, 253
en, 78
formation, 179, 243
position, 179
— with comp. tenses, 111
y, 58
afin que + subj., 241
affirmative (see commands)
age, 90
agent, in passive voice, 217, 252
agir: s'agir de, 197
agreement
adjectives, 26
past participles, 78, 105, 117–118
verb with subject, 30
–aine, approx. numbers, 189
aller, health, 67; with inf., 58
alphabet, 7
an, année, etc., 143
antecedent, 117–118
any, some, 48
apostrophe, 8
apposition, 253
approx. numbers, 189
après + perfect inf., 208–209